GUIDE DE L'ENTRETIEN MÉNAGER

Vous pouvez vous aussi nettoyer comme une reine !

AUTRES OUVRAGES DE LINDA COBB

Parlons saleté avec la Reine de la propreté
Parlons lessive avec la Reine de la propreté
Guide Royal pour éliminer les éclaboussures et les taches
La Reine des quatre saisons

GUIDE DE L'ENTRETIEN MÉNAGER

Les conseils de la Reine de la propreté pour
une maison propre, une lessive impeccable, et
des suggestions pour tous les mois de l'année

LINDA COBB

Traduction : Christian Hallé
Révision linguistique : Nicole Demers, André St-Hilaire
Révision : Nancy Coulombe
Infographie : Dominique Roy
Graphisme de la page couverture : Matthieu Fortin
ISBN : 978-2-89565-861-0
Première impression 2e édition : 2008
Dépôts légaux : 2008
Bibliothèque nationale du Québec
Bibliothèque nationale du Canada

Éditions AdA Inc.
1385, boul. Lionel-boulet
Varennes, Québec, Canada   J3X 1P7
Téléphone : (450) 929-0296
Télécopieur : (450) 929-0220
www.ada-inc.com   info@ada-inc.com

DIFFUSION
Canada : Éditions AdA Inc.
Téléphone : (450) 929-0296
Télécopieur : (450) 929-0220
www.ada-inc.com   info@ada-inc.com
Belgique : D.G. Diffusion - 05-61-00-09-99

France : D. G. Diffusion
Z.I. des Bogues
31750 Escalquens - France
Téléphone : 05-61-00-09-99
Suisse : Transat - 23.42.77.40

Imprimé au Canada

REMERCIEMENTS

Ce livre est dédié à mes amis et mes fans de l'Arizona où tout a commencé. Si je suis Reine, c'est grâce à vous, et je ne l'oublierai jamais. Je voudrais également exprimer toute ma gratitude au personnel de l'émission Good Morning Arizona diffusée sur les ondes de KTVK-TV, ainsi qu'à Beth et Bill de KESZ 99,9 FM à Phoenix, Arizona. Grâce à vous, il fait bon d'être Reine!

Merci à Judith Curr, éditrice à Atria Books, qui a dirigé ce projet depuis sa création.

Merci à Brenda Copeland. Vous ne pouvez devenir un auteur à succès sans le soutien du meilleur éditeur. Un éditeur qui sait trouver en vous des ressources dont vous ignoriez l'existence et qui connaît son métier sur le bout de ses doigts.

Merci au personnel d'Atria qui a travaillé sans relâche à la fabrication de ce livre.

Merci à Marty Velasco Hames, de KTVK-TV. Si j'avais eu une fille, j'aurais aimé qu'elle soit une personne, une amie, une épouse et une mère aussi merveilleuses que Marty l'est. Tu es la meilleure, Marty, et j'apprécie énormément ton amitié.

Merci à Beth Deveny pour tous les conseils qu'elle m'a prodigués au cours des ans.

Merci à Preston et Eleanor Coon. Des amis comme vous, on n'en rencontre pas tous les jours!

Merci à tous ceux qui m'aident à conserver mon port de reine — ce n'est pas facile, je sais. Merci à Karen Hall, Judy K. (Jake) Drennen, Kathy Lockwood et Jennifer Kimbel.

Merci à toutes les merveilleuses personnes que j'ai rencontrées en cours de route.

Merci à ma famille. À vos côtés, je sais que rien n'est impossible.

Table des matières

Partie 2 : L'année qui vient

Partie 3 : Jour de lessive

Partie 4 : Vous voulez qu'on aille régler cela à l'extérieur ?

Partie 5 : Et vous pensiez que j'avais oublié…

Introduction

Il fait bon d'être reine! J'ai la chance de parcourir le pays pour rencontrer toutes sortes de gens fascinants aux prises avec toutes sortes de problèmes d'entretien tout aussi fascinants. C'est étonnant ce qu'on peut apprendre d'un pays en se penchant sur ses problèmes de nettoyage et de lessive. J'en ai vu de toutes les couleurs : des taches sur le tapis aux marques de roussi, des chaussures malpropres aux éclaboussures interlopes... et bien plus encore!

Je m'occupe d'entretien ménager depuis de nombreuses années. J'ai déjà possédé une entreprise de nettoyage après sinistres dans le Michigan. Et bon sang, que de problèmes n'avons-nous pas résolus! C'est au cours de ces années que je suis vraiment devenue une experte en nettoyage. Lorsque le feu ou l'eau a endommagé une propriété, deux choix s'offrent à vous : restaurer ou jeter. J'ai essayé de restaurer la plupart des biens qui m'ont été confiés, et j'ai tout fait pour y arriver. Parfois — souvent même — je suis parvenue à les retaper. À d'autres occasions, j'ai dû les jeter. Ce n'était pas facile. Mais chaque fois, j'ai appris quelque chose de nouveau et approfondi les méthodes qui fonctionnent et celles qui ne fonctionnent pas. J'ai mis la main sur ma couronne de reine en procédant par essais et erreurs. Heureusement, vous n'aurez pas à le faire, car je suis là pour vous!

Mais ne vous méprenez pas sur mon compte. J'aime bien discuter de tâches ménagères, mais je déteste faire le ménage. C'est d'ailleurs pourquoi mon approche du nettoyage est facile et pratique. J'aime bien faire les choses de manière judicieuse, et je préfère toujours les solutions les plus simples. J'ai adopté une méthode de nettoyage et d'entretien basée sur des conseils et des trucs pratiques, mettant l'accent sur la commodité et les résultats. J'ai également tenté d'offrir à chacun d'entre vous quelque chose de pertinent. Alors, que vous soyez une diva du nettoyage ou que vous ayez échoué vos cours d'économie familiale, que vous soyez un Felix Unger ou un Oscar Madison, n'ayez crainte : vous avez frappé à la bonne porte. Mon but? Tirer profit de chaque situation. Vous aider à faire ce que vous avez à faire afin que vous puissiez profiter de la vie, tout en sachant que le travail a été bien fait.

Regardez autour de vous. Vous avez probablement des manuels pour toutes sortes de choses : appareils ménagers, appareils électroniques, instruments de jardin, trousses de réparation. Et la liste pourrait s'allonger encore et encore. Vous possédez peut-être encore les instructions pour votre vieux lecteur huit pistes! (Un peu de disco, quelqu'un?) Mais avez-vous un manuel vous expliquant comment garder votre palais étincelant? Ne cherchez pas plus loin! *Le guide de l'entretien ménager* contient tous les trucs et les surprenantes astuces dont vous avez besoin pour résoudre les centaines de défis de nettoyage auxquels vous êtes confronté à la maison. Découvrez quelle est la meilleure façon de nettoyer la cuisine et la salle de bain, comment nettoyer les tapis et les parquets, comment maîtriser les mauvaises odeurs, comment dompter les «moutons de poussière»… et même comment vous assurer que votre terrasse est sécuritaire, solide et splendide. Et n'oublions pas la chose la plus importante : comment faire tout cela en vous amusant!

Le guide de l'entretien ménager de la propreté est ma réponse à tous ceux qui m'ont demandé de réunir tous mes conseils en un seul volume. Donc le voici! Ce recueil regroupe trois de mes best-sellers — *Parlons saleté avec la Reine de la propreté, Parlons lessive avec la Reine de la propreté et La Reine des quatre saisons* — en plus de quelques conseils additionnels et d'autres trucs amusants pour faire bonne mesure. Ce gros livre deviendra vite indispensable à tous ceux qui veulent tenir une maison propre et pleine de vie, à ceux qui n'ont pas beaucoup de temps à consacrer aux tâches ménagères, mais qui veulent néanmoins obtenir des résultats.

Réjouissez-vous ! Et si vous devez nettoyer ce livre, essuyez-le simplement avec un linge humide et un peu de votre savon préféré !

Linda Cobb

Partie 1

Nettoyons
la maison !

Les détachants qui se cachent dans votre garde-manger

Vous l'ignorez peut-être, mais certains des meilleurs détachants sont en fait des produits que nous utilisons tous les jours! Ces détachants fonctionnent à merveille, et vous les avez probablement sous la main!

Alcool : L'alcool à 90 degrés est parfait pour les taches de gazon et pour tant d'autres choses.

Ammoniaque : Combat les taches de transpiration.

Attendrisseur à viande : Un mélange d'attendrisseur à viande (non assaisonné s'il vous plaît ou vous vous retrouverez avec une nouvelle tache!) et d'eau froide est la réponse idéale aux taches à base de protéines, comme les taches de sang, de lait, etc.

Bicarbonate de soude : Fait disparaître les odeurs.

Crème à raser : Cette innocente boîte de crème à raser dans votre salle de bain est en fait l'un des meilleurs détachants disponibles sur le marché. Quoi de mieux que du savon sous forme de crème fouettée? Si vous avez renversé quelque chose sur vos vêtements (ou même sur votre tapis), humidifiez la tache, faites pénétrer un peu de crème à raser, puis rincez à l'eau froide. Si la tache en question est sur un vêtement que vous portez, faites pénétrer la crème à raser, puis utilisez un chiffon propre (un linge à vaisselle fera l'affaire) pour éponger la crème et faire disparaître la tache. Un petit coup de séchoir à cheveux pour prévenir les cernes et vous voilà prêt à partir. Ce qu'il y a de bien avec la crème à raser, c'est que, même si ce procédé ne fonctionne pas, la tache ne va pas s'incruster ; vous pourrez donc la faire partir plus tard. Apportez avec vous un échantillon de crème à raser lorsque vous partez en voyage. Cela m'a sortie d'un mauvais pas plus d'une fois !

Crème de tartre : Je parie que vous en avez dans votre garde-manger, mais quand l'utilisez-vous ? Eh bien ! Voici l'occasion rêvée. Mélangez de la crème de tartre et du jus de citron et vous obtiendrez un merveilleux javellisant pour les vêtements blancs, qu'il s'agisse de taches de nourriture ou d'autres. Ce mélange s'avère même efficace contre les taches de rouille.

Détergent pour lave-vaisselle : Même si vous n'avez pas de lave-vaisselle, ayez-en toujours sous la main pour remplacer l'eau de Javel, les agents de blanchiment et les azureurs. Les détergents en liquide, en poudre et en tablettes fonctionnent tous très bien. Si vous choisissez un détergent en tablettes, assurez-vous de les dissoudre avant de les appliquer sur vos vêtements. Versez directement sur la tache ou faites tremper le vêtement.

Eau gazéifiée (club soda) : Mon détachant préféré lorsque quelqu'un s'écrie : Oh mon Dieu ! Comment cela est-il arrivé ? Utilisez ce produit sur tous les tissus et toutes les surfaces lavables à l'eau. Vous pouvez tamponner doucement les tissus qui se nettoient à sec, mais assurez-vous d'abord de faire un essai ! Utilisez de l'eau gazéifiée (club soda) pour faire disparaître toutes les éclaboussures — demandez au serveur de vous en apporter si vous dînez à l'extérieur. Tamponnez doucement, puis épongez. L'eau gazéifiée empêche les éclaboussures de se transformer en taches en faisant remonter la tache à la surface ; on peut ainsi l'éponger plus facilement. Et cela est sans danger. Je m'arrange pour toujours en avoir une bouteille sous la main en cas de besoin.

Glycérine : Pour faire disparaître les taches de goudron, de sève (pensez à l'arbre de Noël), les taches de jus, de moutarde, de ketchup et de sauce barbecue.

Jus de citron : Le jus de citron est un javellisant et un désinfectant naturel. Je ne sais pas ce que je deviendrais sans lui. Si vous avez taché des vêtements blancs, appliquez un peu de jus de citron et étendez-les au soleil. Appliquez à nouveau du jus de citron avant de les mettre dans la machine à laver ou utilisez un détachant et lavez comme d'habitude. Le jus de citron est aussi très efficace contre les taches de préparation lactée pour nourrisson.

Liquide à vaisselle : Un merveilleux détachant; utilisez-le non dilué sur les taches tenaces.

Lubrifiant WD-40® : Jetez un coup d'œil dans le garage ou dans l'armoire à outils. Si vous n'en avez pas, achetez-en la prochaine fois que vous irez dans une quincaillerie ou dans un centre de rénovation. Pourquoi? Parce que nous nous retrouvons tous un jour avec une mauvaise tache de graisse ou d'huile sur nos vêtements : la vinaigrette manquera le bol à salade et atterrira sur votre chemisier ou vous serez éclaboussé de graisse pendant que vous cuisinez, ou encore vous tacherez vos vêtements avec un crayon, un rouge à lèvres ou un Chap Stick®! Vaporisez un peu de WD-40®, attendez 10 minutes, puis faites pénétrer un peu de savon liquide pour lave-vaisselle non dilué et lavez comme d'habitude. Fonctionne sur presque tout, sauf la soie!

Nettoyant pour les mains sans eau GOJO® : Absolument fantastique pour faire partir les taches de graisse et d'huile, ainsi que les taches de cire à chaussures.

Peroxyde d'hydrogène : Le peroxyde d'hydrogène (3%) enlève les taches de sang, surtout si elles sont encore fraîches. C'est aussi un excellent agent de blanchiment si vous avez des taches récalcitrantes sur des vêtements blancs. Mélangez 125 ml (une demi-tasse) de peroxyde d'hydrogène et 5 ml (1 cuillère à thé) d'ammoniaque pour obtenir une solution détachante imbattable. Assurez-vous d'utiliser du peroxyde d'hydrogène à 3% et non celui que vous utilisez pour vous décolorer les cheveux!

Sel : Saupoudrer de sel les éclaboussures de vin rouge empêchera celles-ci de tacher définitivement le tissu jusqu'à ce que vous ayez eu le temps de le laver. Mélangé avec du jus de citron, le sel fera également partir les taches de moisissure.

Shampooing : Toutes les marques conviennent parfaitement, mais les moins chères font aussi bien l'affaire. Pour ma part, je conserve les petites bouteilles de shampooing provenant d'hôtels ou de motels et je les garde dans la buanderie. Excellent pour traiter les cernes autour du col, la boue et les taches de maquillage.

Tablettes de nettoyant pour dentiers : La cure miracle pour tous les linges de table tachés de nourriture et les cotons blancs. Faites dissoudre une tablette dans 125 ml (une demi-tasse) d'eau. Versez directement sur la tache ou l'éclaboussure.

Vinaigre blanc : Un excellent détachant pour le suède lorsqu'on l'utilise non dilué. C'est aussi un merveilleux assouplissant textile. Ajoutez tout simplement 60 ml (4 cuillères à soupe) de vinaigre blanc lors du rinçage final. (Eh non, vous ne sentirez pas la vinaigrette!)

Comme vous pouvez le voir, cela vaut la peine de conserver ces produits à la maison ; ils sont pour la plupart peu coûteux et très versatiles. Ils feront de vous la Reine — ou le Roi! — de la lessive!

« Dieu a inventé les visiteurs pour nous forcer à nettoyer la maison. »
— Rita Emmet

2

Les produits nettoyants que vous devriez toujours avoir sous la main

Il y a cinq produits nettoyants dont vous ne devriez jamais vous départir; ce sont des produits d'utilisation courante que vous avez déjà probablement chez vous. Vous pouvez acheter des récipients de grand format pour environ dix dollars et ils vous dureront plusieurs mois. Vous pouvez les utiliser seuls, ensemble ou avec d'autres produits d'entretien courants, comme le sel et le liquide à vaisselle, pour faire face à la plupart des problèmes de nettoyage qui surviennent dans une maison. Ils sont idéals pour les gens qui souffrent d'allergies et ceux qui souhaitent diminuer le nombre de produits chimiques dans leur maison.

Nous allons à présent les examiner un par un et aborder leurs différentes utilisations.

Votre liste d'épicerie

Vinaigre blanc

Bicarbonate de soude

Jus de citron

Eau gazéifiée

Détachant à tapis Spot Shot®

Vinaigre blanc

Utilisez du vinaigre blanc pour faire partir les traces de savon et les dépôts calcaires dans la douche, la baignoire et l'évier. Faites chauffer le vinaigre et versez-le dans un vaporisateur. Vaporisez sur la douche, la baignoire, et l'évier et laissez reposer entre dix et quinze minutes. Utilisez ensuite une éponge à récurer en nylon pour enlever les taches. Vaporisez à nouveau si nécessaire. Pour enlever les dépôts calcaires qui se déposent autour des tuyaux d'écoulement, bouchez-les et versez assez de vinaigre blanc pour recouvrir la région de la bonde. Laissez tremper jusqu'au lendemain, puis frottez avec une éponge à récurer en nylon, versez un peu de vinaigre et rincez.

Pour enlever les traces de saleté et les dépôts calcaires qui obstruent votre pomme de douche et pour assurer un bon écoulement, versez du vinaigre non dilué dans un sac plastique, attachez-le autour de la pomme de douche et laissez reposer toute la nuit. Frottez la pomme de douche et délogez tous les dépôts calcaires à l'aide d'un cure-dent, rincez et savourez le bonheur de prendre une bonne douche.

Pour enlever les traces de savon et la moisissure sur vos rideaux de douche en plastique, remplissez la machine à laver avec de l'eau chaude, puis ajoutez 250 ml de vinaigre et un peu de votre détergent pour la lessive habituel. Ajoutez le rideau et quelques vieilles serviettes de couleur pâle. Après un cycle complet, suspendez immédiatement le rideau pour le faire sécher.

Ajoutez entre 30 et 45 ml de vinaigre blanc à de l'eau chaude, en plus de votre liquide à vaisselle habituel, pour enlever la graisse sur votre vaisselle et vos objets en cristal.

Versez 30 ml de vinaigre blanc dans votre machine à laver lors du rinçage final pour adoucir les vêtements et enlever les peluches qui se déposent sur les vêtements foncés.

Appliquez du vinaigre non dilué directement sur la peau à l'aide d'une boule de coton pour repousser les moustiques – le goût du vinaigre les fera fuir, même si l'odeur disparaît immédiatement.

Neutralisez les odeurs d'urine de vos animaux domestiques en vaporisant du vinaigre dilué (25 pour cent vinaigre, 75 pour cent eau) sur les tapis. Toujours tester sur une partie peu visible avant de traiter une grande surface.

Nettoyez les éviers en acier inoxydable à l'aide d'une pâte faite de bicarbonate de soude et de vinaigre. Ne soyez pas effrayé par toute cette mousse — cela fonctionne à merveille!

Fabriquez un nettoyant pour les vitres en versant 30 ml de vinaigre blanc et un litre d'eau dans un vaporisateur.

Fabriquez un rafraîchisseur d'air en vaporisateur avec 15 ml de bicarbonate de soude, 15 ml de vinaigre blanc et 500 ml d'eau. Lorsque la mousse aura disparu, rebouchez le vaporisateur. Secouez avant d'utiliser.

Nettoyez vos planchers en vinyle avec 125 ml de vinaigre blanc dilué dans quatre litres d'eau chaude.

Pour assurer le libre écoulement de l'eau, versez chaque mois 125 ml de bicarbonate de soude et 250 ml de vinaigre blanc dans vos canalisations. Après avoir versé le bicarbonate de soude et le vinaigre, placez un bouchon sur la bonde pendant quinze minutes (il se formera de la mousse). Puis rincez à l'eau froide.

Nettoyez vos miroirs avec une solution composée à moitié de vinaigre et à moitié d'eau. Mouillez une éponge, un chiffon doux ou une serviette en papier, puis lavez et polissez jusqu'à ce qu'ils soient secs. Ne jamais vaporiser d'eau sur un miroir. L'humidité qui s'accumule sur les bords et derrière les miroirs abîme l'aspect argenté du miroir, causant ainsi l'apparition de taches noires.

Vaporisez du vinaigre sur vos vêtements (dans la région des aisselles) et laissez reposer entre quinze et trente minutes pour désodoriser et enlever les taches sous les bras.

Fabriquez un excellent produit nettoyant pour les toilettes avec 250 ml de borax et 250 ml de vinaigre. Versez du vinaigre sur les taches, puis saupoudrez de borax. Laissez tremper pendant deux heures, puis frottez et rincez.

Bicarbonate de soude

Le bicarbonate de soude est un excellent désodorisant, nettoyant et abrasif doux. Il s'utilise comme un produit à récurer ou un détergent dans la douche et la baignoire.

Assurez le libre écoulement et la fraîcheur de votre broyeur en plaçant un bouchon sur la bonde, puis en ajoutant 5 cm d'eau chaude et une poignée de bicarbonate de soude. Mettez le broyeur en marche et laissez l'eau s'écouler.

Enlevez les taches et les odeurs de transpiration de vos vêtements en appliquant une pâte faite de bicarbonate de soude et d'eau. Laissez tremper pendant trente minutes avant de les laver.

Mélangez quatre litres d'eau chaude et 30 ml de bicarbonate de soude. Faites tremper vos chaussettes fraîchement lavées dans cette solution pendant trente minutes. Essorez-les dans la machine à laver (ne pas rincer), faites-les sécher et vous obtiendrez des chaussettes qui absorberont les odeurs.

Nettoyez votre papier peint avec du bicarbonate de soude et de l'eau.

Effacez les traces de crayon sur les surfaces dures en versant un peu de bicarbonate de soude sur un chiffon humide.

Pour tuer les pucerons, utilisez 375 ml de bicarbonate de soude par litre d'eau chaude et appliquez toutes les semaines.

Pour nettoyer les coulis (peu importe la couleur), mélangez 750 ml de bicarbonate de soude et 250 ml d'eau chaude. Frottez les coulis avec une brosse et rincez.

Utilisez du bicarbonate de soude sur un linge humide pour polir l'argenterie.

Pour enlever les restes de nourriture calcinés au fond de vos casseroles, remplissez-les d'eau chaude et ajoutez 15 ml de bicarbonate de soude, puis laissez reposer.

Pour nettoyer les vomissures d'animaux domestiques, saupoudrez une épaisse couche de bicarbonate de soude. Attendez que le bicarbonate absorbe l'humidité, puis laissez sécher. Ramassez ensuite ce qui reste avec une petite pelle ou un aspirateur. Le bicarbonate de soude neutralisera les acides et préviendra les taches. Utilisez ensuite le détachant à tapis Spot Shot®.

Effacez les traces laissées par les talons sur les planchers durs avec un linge humide et un peu de bicarbonate de soude.

Détachez vos moustiquaires et éliminez les dépôts calcaires sur vos fenêtres en trempant un chiffon doux humide dans le bicarbonate de soude. Frottez doucement, puis lavez vos fenêtres comme d'habitude.

Enlevez les taches et les pellicules graisseuses sur votre pare-brise en appliquant une pâte formée de bicarbonate de soude et d'eau, puis rincez.

Mettez un peu de bicarbonate de soude dans le fond de la caisse du chat pour éliminer les odeurs. Versez-en une mince couche, puis ajoutez de la litière comme d'habitude. Ce procédé fonctionne avec la litière à base d'argile et la plupart des litières agglomérantes.

Jus de citron

Le jus de citron est un décolorant et un désinfectant naturel. Appliquez-le sur les vêtements, non dilué, pour enlever les taches de fruits. Laissez tremper trente minutes, puis lavez.

Enlevez les traces de rouille sur les vêtements en appliquant du jus de citron non dilué, puis exposez-les au soleil. Les taches disparaîtront comme par magie.

Faites disparaître les taches sur le Formica™ en utilisant du jus de citron pur ou mélangé avec du bicarbonate de soude.

Nettoyez le laiton et le cuivre avec du jus de citron et du sel. Saupoudrez du sel sur un demi-citron, frottez le métal, puis rincez à grande eau. Si vous n'avez pas de citron frais, vous pouvez utiliser du jus de citron en bouteille.

Vous pouvez fabriquer un nettoyant en vaporisateur en mélangeant 500 ml d'eau, 30 ml de jus de citron, 2,5 ml de liquide à vaisselle, 15 ml de bicarbonate de soude et 15 ml de borax. Secouez-le énergiquement avant de l'utiliser sur des surfaces dures.

Appliquez du jus de citron sur le chrome et polissez pour faire reluire.

Pour remplacer l'eau de Javel, utilisez 60 ml de jus de citron et 60 ml de vinaigre blanc dilués dans quatre litres d'eau chaude. Laissez tremper vos vêtements pendant quinze minutes avant de les laver.

Utilisez du jus de citron pour faire partir les taches sur vos mains.

Nettoyez votre planche à découper en bois en appliquant du jus de citron et en laissant reposer toute la nuit. Lavez et rincez le lendemain matin.

Eau gazéifiée

En cas d'urgence, l'eau gazéifiée est le meilleur produit détachant qui soit. Ayez toujours de l'eau gazéifiée sous la main pour nettoyer les éclaboussures sur les tapis et les vêtements. Si vous agissez rapidement, les éclaboussures ne se transformeront pas en taches. L'eau gazéifiée fait disparaître les taches de vin rouge, de café, de thé, de soda (oui, même les sodas de couleur rouge!) de Kool-Aid™ et toute autre éclaboussure imaginable. Soulevez avec précaution tous les résidus solides qui se trouvent sur le tapis et les vêtements, puis versez de l'eau gazéifiée et asséchez avec un vieux torchon jusqu'à ce qu'il ne reste plus de traces d'éclaboussures. N'ayez pas peur de détremper le tapis, cela ne lui fera pas mal — un tapis est trempé dans l'eau un nombre incalculable de fois durant sa fabrication. Pour faire sécher rapidement le tapis, pliez un chiffon en deux et appuyez dessus avec votre pied, retournez le chiffon de temps en temps afin d'absorber tout le liquide provenant de l'éclaboussure. Le gaz carbonique contenu dans l'eau gazéifiée fera remonter les résidus à la surface, facilitant ainsi le séchage, et le sel aidera à prévenir la formation de taches.

Si vous renversez quelque chose sur vous au restaurant, demandez un peu d'eau gazéifiée ou d'eau de Seltz et utilisez votre serviette de table pour éponger la tache jusqu'à ce qu'elle disparaisse. À la maison, vous pouvez verser directement l'eau gazéifiée sur la tache pour vous en débarrasser.

J'ai découvert que l'eau gazéifiée fonctionne même sur les vieilles taches. Gardez-en toujours quelques bouteilles à la maison.

Détachant à tapis Spot Shot®

Chaque foyer a besoin d'un bon détachant à tapis tout usage. Oubliez les produits qui font de la mousse, qui sèchent et qui nécessitent l'utilisation d'un aspirateur; ils laissent dans le tapis des résidus qui attirent la poussière. Le détachant à tapis Spot Shot® ne m'a jamais laissée tomber depuis toutes ces années. Il élimine efficacement les taches à base d'eau et d'huile. Utilisez-le sur les taches de rouge à lèvres, de maquillage, de teinture pour les cheveux, de nourriture, les taches causées par des animaux domestiques, les taches mystérieuses — t même les taches incrustées. Suivez les instructions sur l'étiquette et vous serez étonné des résultats. Il ne coûte pas cher et il est disponible dans les supermarchés, chez Target, Wall Mart et dans les quincailleries. Assurez-vous d'en avoir sous la main en cas d'urgence. Il fonctionne à merveille avec la méthode de l'eau gazéifiée présentée précédemment.

Le blues
de la salle de bain

Au fil des ans, j'ai découvert qu'il y a une pièce dans la maison qui génère question après question — la salle de bain.

Un jour, alors que je mangeais dans un merveilleux petit restaurant chinois, le propriétaire — un gentleman d'un certain âge — m'a suivie jusqu'aux toilettes des dames pour voir ce que je pensais de la propreté des lieux. Il utilisait les méthodes que j'avais recommandées à la télévision et fabriquait lui-même son détergent à partir de ma propre recette. Laissez-moi vous dire que ses toilettes étaient impeccables! Dans une maison, la salle de bain est probablement la seule pièce que les invités peuvent observer à leur guise. Après avoir virtuellement essayé tous les produits nettoyants sur le marché et développé moi-même plusieurs «concoctions de la reine», voici les meilleurs et les plus simples conseils de nettoyage que j'ai à offrir.

Nettoyer une baignoire ou une douche en fibre de verre

Faites chauffer du vinaigre blanc jusqu'à ce qu'il soit chaud, mais pas trop chaud pour le verser dans un vaporisateur et l'utiliser immédiatement. Vaporisez généreusement sur les parois de la douche et de la baignoire. Attendez dix à quinze minutes, puis humectez une éponge à récurer avec du vinaigre et frottez les parois de la douche. Utilisez à nouveau du vinaigre chaud si nécessaire. Rincez bien et laissez sécher.

Enlever les taches d'eau

Plusieurs baignoires en plastique ont une surface antidérapante qui résiste à tous les nettoyages. J'ai découvert qu'on obtenait les meilleurs résultats avec un bon produit nettoyant en gel ou un détergent doux, comme les produits maison énumérés à la page 26*, et un morceau de papier sablé fin pour le plâtre (ce papier ressemble à de la moustiquaire pour les fenêtres). Coupez un morceau de papier sablé d'une taille convenable, appliquez le nettoyant et frottez. Utilisez cette méthode uniquement sur les baignoires et les douches en plastique ou en fibre de verre qui possèdent une surface antidérapante.

Pour les taches tenaces

Pour les taches tenaces et les traces de saleté, utilisez un tampon d'acier savonneux sec directement sur les parois sèches de la douche. N'utilisez pas d'eau au cours du processus; le tampon causerait alors des égratignures. Utilisez ensuite la méthode décrite au début de ce chapitre.

Garder propres les douches en plastique

Pour faciliter l'entretien de votre douche, appliquez sur les parois une couche de cire pour les voitures. N'utilisez pas ce produit sur le fond de la baignoire ou de la douche. Après avoir pris votre douche, utilisez une raclette pour essuyer les parois de la douche et de la baignoire. Votre douche restera propre et vous aurez moins de problèmes de moisissures.

Nettoyer une baignoire en porcelaine

Pour nettoyer et polir une baignoire en porcelaine et enlever les taches, faites une pâte avec de l'alun en poudre (disponible dans la plupart des pharmacies) et de l'eau. Frottez vigoureusement, comme si vous utilisiez un détergent.

L'eau et le borax forment également un excellent nettoyant pour la porcelaine. Faites une pâte et frottez bien, puis rincez.

Pour les taches, faites une pâte avec de l'alun en poudre et du jus de citron; appliquez et laissez sécher, puis humectez à nouveau avec du jus de citron et frottez bien. Rincez abondamment.

Garder les tuiles et les coulis propres

Pour prendre les devants dans l'entretien des coulis, utilisez une gomme sèche spécialement conçue pour les machines à écrire. Frottez les coulis lorsqu'ils sont secs pour enlever les moisissures et les taches à mesure qu'elles apparaissent. Si vous faites face à de gros problèmes, faites une pâte avec du bicarbonate de soude et de l'eau de Javel, et appliquez sur les coulis. Laissez sécher, puis rincez. Utilisez ces produits dans un endroit bien aéré, en faisant attention aux tapis et aux tissus. Même les vapeurs de l'eau de Javel peuvent décolorer des serviettes suspendues près du bain.

Produit nettoyant pour les tuiles et les coulis

Mélangez deux parts de bicarbonate de soude, une part de borax et une part d'eau chaude; ajoutez de l'eau si nécessaire pour former une pâte épaisse. Appliquez sur les tuiles et les coulis, et frottez avec une brosse douce. Bien rincer.

Enlever les traces de savon et la moisissure sur un rideau de douche en plastique

Placez votre rideau de douche dans la machine à laver avec 250 ml de vinaigre blanc, 60 à 125 ml de votre détergent liquide favori pour la lessive et plusieurs vieilles serviettes de couleur pâle. Remplissez la laveuse avec de l'eau chaude et faites-lui faire un cycle complet de lavage et de rinçage. Retirez-le de la laveuse et suspendez-le immédiatement sur sa tringle.

Déloger les dépôts calcaires sur la pomme de douche

Remplissez un sac plastique pour les sandwichs avec du vinaigre blanc non dilué. Attachez le sac autour de la pomme de douche et laissez-la tremper toute la nuit. Au matin, retirez le sac et frottez la pomme de douche avec une brosse ; elle sera prête à être utilisée.

Nettoyer des robinets en chrome

Utilisez du vinaigre blanc sur une éponge ou un chiffon pour enlever les taches d'eau et les traces de savon. Séchez et polissez avec un chiffon doux. L'alcool est aussi un excellent nettoyant. Appliquez, puis séchez et polissez.

Pour faire briller rapidement le chrome ou tout autre accessoire en métal, utilisez à sec une feuille d'assouplissant textile usagée.

Versez 125 ml de bicarbonate de soude dans la bonde de votre baignoire, puis ajoutez un peu de vinaigre — excellent pour déboucher la tuyauterie ! Attendez trente minutes, puis ouvrez les robinets.

Enlever les résidus de laque pour les cheveux

Vous pouvez utiliser cette formule pour enlever les résidus de laque sur n'importe quelle surface dure : tables de toilette, tuiles, planchers, murs, etc. Mélangez dans un vaporisateur un tiers d'assouplissant textile liquide et deux tiers d'eau. Vaporisez sur les surfaces à nettoyer et essuyez. Non seulement ce produit enlève-t-il les résidus de laque, mais également comme un repousse-poussière et fait briller les tables de toilette !

Enlever des décalques sur une baignoire

Placez une feuille de papier d'aluminium sur le décalque et chauffez à l'aide d'un séchoir à cheveux. Soulevez un coin du décalque à l'aide d'une règle plate (les cartes de crédit font très bien l'affaire) et continuez à appliquer de la chaleur tandis que vous tirez. Si le décalque est tenace, placez la feuille comme il se doit, puis chauffez et tirez à nouveau. Pour enlever les résidus, essayez de la gelée de pétrole, de l'alcool dénaturé ou du dissolvant pour vernis à ongles. Testez d'abord ces produits sur une petite surface avant de les appliquer.

« Un panier à fruits en fil de fer tressé, suspendu au rail de la douche, est le récipient parfait pour vos savons et vos éponges, ainsi que pour tous les autres produits dont vous avez besoin à l'heure du bain.

Nettoyer les rails de la porte de douche

Bouchez les trous d'écoulement des rails à l'aide de serviettes en papier que vous aurez roulées en petites boules. Versez du vinaigre blanc non dilué, laissez tremper pendant trente minutes, puis retirez les boules de papier et rincez les rails à l'aide d'un vaporisateur rempli d'eau. Essuyez le tout avec un chiffon propre. Cela chassera les dépôts qui s'étaient accumulés dans les rails.

Trucs pour les toilettes

Si vous n'avez pas à sortir de chez vous pour aller au petit coin, vous devez donc nettoyer les toilettes de temps à autre, que vous aimiez cela ou non. Suivez ces conseils et vous y parviendrez sans difficulté :

Enlever les dépôts calcaires

Fermez l'arrivée d'eau du réservoir et tirez la chasse d'eau. Vaporisez du vinaigre blanc non dilué à l'intérieur de la cuvette, puis saupoudrez de borax. Laissez tremper trente minutes, puis frottez à l'aide d'un morceau de papier sablé fin pour le plâtre (ce papier ressemble à de la moustiquaire pour les fenêtres — disponible dans les quincailleries et les centres de rénovation). S'il s'agit de dépôts incrustés, vous devrez peut-être répéter ce processus plusieurs fois.

Un nettoyant qui fait des bulles

Laissez tomber quelques tablettes pour nettoyer les dentiers dans la cuvette des toilettes et laissez reposer toute la nuit. Frottez sous les rebords avec votre brosse et tirez la chasse d'eau.

Problème de rouille?

Il existe sur le marché des produits nettoyants à base d'acide – disponibles dans les supermarchés, les centres de rénovation et là où l'on vend des produits de nettoyage et d'entretien — qui feront disparaître la rouille de votre cuvette mais, si vous recherchez un moyen peu coûteux et non toxique de faire partir la rouille, essayez ceci : versez une fois par mois un peu de Tang™ ou de Kool-Aid™ au citron sur les côtés de votre cuvette et dans l'eau, laissez reposer une heure, puis brossez et rincez. Répétez si nécessaire. (Pour ceux d'entre vous qui se posent la question, l'acide citrique fait oxyder la rouille.)

Pour garder vos toilettes propres et faire le bonheur de votre chien, versez un peu de breuvage Tang™ dans la cuvette avant de partir pour le travail ou d'aller au lit. Après avoir laissé reposer toute la nuit ou toute la journée, utilisez votre brosse pour les toilettes pour récurer les bords de la cuvette, puis tirez la chasse d'eau. Ce qu'il y a de bien avec ce produit, c'est que vous n'aurez plus de souci à vous faire si les enfants mettent la main sur le détergent pour la cuvette.

Les corvées
de cuisine

J e ne crois pas qu'il y ait une pièce dans la maison qui se salisse plus rapidement que la cuisine. Alors au boulot!

Appareils électroménagers

Nous possédons pour la plupart des appareils électroménagers blancs. Pour les empêcher de jaunir, essayez cette formule la prochaine fois que vous les nettoierez.

Mélangez :
>   2 litres d'eau
>   125 ml d'eau de Javel
>   125 ml de bicarbonate de soude
>   30 ml de borax

Lavez minutieusement les appareils blancs (en faisant attention aux tapis et aux tissus), puis rincez bien et laissez sécher.

✳ L'alcool est un excellent produit pour nettoyer l'extérieur de tous les types d'appareils. Mais faites attention aux flammes.

✳ L'eau gazéifiée est un merveilleux produit polissant pour l'extérieur des appareils. Elle n'a pas à être fraîche ou pétillante ; même si elle a perdu son gaz carbonique, elle fera un excellent travail.

✳ N'utilisez pas votre linge de table de tous les jours pour essuyer vos appareils ; vous risquez de transférer de la graisse et de les salir.

Planche à découper

Éliminez les odeurs de votre planche à découper en la mouillant, puis en appliquant un peu de moutarde sèche. Frottez, laissez reposer quelques minutes, puis rincez. Pour la désinfecter, surtout s'il s'agit d'une planche en bois, gardez à portée de la main un vaporisateur contenant un litre d'eau et 15 ml d'eau de Javel. Vaporisez, laissez reposer au moins cinq minutes, puis rincez à l'eau chaude.

Plat à rôtir

Pour un nettoyage rapide, facile et efficace, mettez le plat à rôtir dans un sac à ordures en plastique et placez quelques serviettes en papier sur le dessus. Vaporisez avec de l'ammoniaque, fermez le sac et laissez reposer toute la nuit. Au matin, ouvrez le sac (loin de votre visage, n'oubliez pas les vapeurs), essuyez le plat à rôtir avec les serviettes en papier qui sont dans le sac, lavez-le, puis jetez le sac et son contenu aux ordures.

Remplissez la casserole ou le chaudron d'eau chaude et ajoutez plusieurs feuilles d'assouplissant textile usagées. Laissez tremper (jusqu'au lendemain de préférence), puis rincez et lavez.

Cafetière automatique

Selon l'utilisation que vous faites de votre cafetière et la dureté de votre eau, vous pouvez répéter cette opération au rythme d'une fois par mois. Remplissez le réservoir avec du vinaigre blanc non dilué. Placez un filtre dans le panier à café et mettez la cafetière en marche. Laissez la moitié du vinaigre s'égoutter, puis arrêtez la cafetière. Laissez reposer trente minutes, puis remettez la cafetière en marche et laissez le reste du vinaigre s'égoutter. Lavez minutieusement la cafetière, remplissez le réservoir d'eau froide et laissez-la s'égoutter. Répétez cette dernière opération.

Pour nettoyer le récipient en verre

Utilisez du jus de citron et du sel, et frottez avec une éponge. Vous pouvez remplacer le sel par du bicarbonate de soude. Rincez bien.

Pour nettoyer les autres accessoires

Pour nettoyer les accessoires en plastique blanc, faites tremper toutes les pièces détachables dans de l'eau chaude contenant du liquide à vaisselle et 60 ml d'eau de Javel. Laissez tremper trente minutes et rincez bien. Cela vous aidera à enlever les taches et les résidus d'huile. Pour les cafetières de couleur foncée, utilisez du liquide à vaisselle et 60 ml de vinaigre blanc et suivez les indications qui précèdent.

Brûleurs et pièces en chrome

Enlevez les brûleurs de la cuisinière. Étendez une serviette en papier sur les pièces en chrome et humectez avec de l'ammoniaque. Placez-les ensuite dans un sac plastique, puis refermez-le. Laissez reposer quelques heures ou toute la nuit, puis ouvrez le sac (loin de votre visage, je vous en prie) et retirez les pièces. Lavez, rincez et séchez.

Lave-vaisselle

Pour enlever la pellicule laiteuse qui se dépose sur la verrerie et nettoyer l'intérieur de votre lave-vaisselle, suivez mon conseil.

Remplissez le lave-vaisselle avec votre verrerie (pas de métal, s'il vous plaît). N'utilisez pas de détergent pour lave-vaisselle. Placez un bol dans le fond de votre lave-vaisselle et versez 250 ml d'eau de Javel. Déclenchez le cycle de lavage, mais ne faites pas sécher. Remplissez à nouveau le bol avec 250 ml de vinaigre blanc et procédez à un cycle complet. Vous éliminerez la pellicule laiteuse et nettoierez votre lave-vaisselle du même coup.

Odeurs dans le lave-vaisselle

Saupoudrez du borax dans le fond de votre lave-vaisselle et laissez reposer jusqu'au lendemain. En utilisant une éponge humide, servez-vous du borax pour frotter l'intérieur du lave-vaisselle, la porte et les joints d'étanchéité. Inutile de rincer, vous n'avez qu'à laver la vaisselle comme d'habitude.

Lave-vaisselle rouillé

Pour enlever les taches de rouille à l'intérieur de votre lave-vaisselle, remplissez le réservoir de Tang™ et procédez à un cycle normal de lavage. S'il y a beaucoup de rouille, plusieurs traitements seront probablement nécessaires. Ne mettez pas de vaisselle ni de détergent dans le lave-vaisselle si vous utilisez ce procédé.

> **« Vous lavez la vaisselle, vous faites les lits, et six mois plus tard vous devez tout recommencer. »**
> **— Joan Rivers**

Pour prévenir les taches dans le lave-vaisselle

Pour que votre lave-vaisselle demeure étincelant, utilisez ce procédé. Mélangez d'abord les ingrédients suivants dans un récipient muni d'un couvercle :

> 250 ml de borax
> 125 ml de bicarbonate de soude

Utilisation : ajoutez 30 ml de cette mixture dans votre lave-vaisselle en plus de votre détergent habituel.

Des canalisations qui posent problème

Ceci est le meilleur déboucheur non toxique de canalisation que vous n'aurez jamais utilisé. Versez 250 ml de sel (sel de table, gros sel ou tout autre type de sel) et 250 ml de bicarbonate de soude dans la bonde. Ajoutez de l'eau chaude (le contenu d'une bouilloire). Si le problème était dû à de la graisse figée, il disparaîtra immédiatement. Si vous avez besoin d'un produit plus puissant, utilisez 30 ml de cristaux de soude (disponibles là où on vend des produits pour la lessive) dilués dans un litre d'eau chaude. Versez lentement la solution dans la bonde. Après dix minutes, nettoyez à grande eau avec de l'eau chaude.

> Une fois par mois, versez une poignée de bicarbonate de soude dans la bonde et ajoutez 125 ml de vinaigre. Un petit volcan va alors entrer en éruption. Placez un bouchon sur la bonde, puis rincez à grande eau à l'eau froide au bout de trente minutes.

Nettoyer le broyeur d'ordures

Pour que votre broyeur demeure propre et ne s'obstrue pas, remplissez l'évier avec 10 cm d'eau chaude et ajoutez 250 ml de bicarbonate de soude. Videz l'évier en laissant le broyeur en marche.

Utiliser son débouchoir à bon escient

En effet, il y a une façon bien spéciale d'utiliser son débouchoir si on veut travailler plus efficacement. Fermez le trop-plein de l'évier (habituellement situé à l'avant de l'évier) en l'obstruant avec de vieux chiffons. Si vous ne le faites pas, l'eau s'évacuera par le trou et reviendra par le trop-plein. Remplissez l'évier avec 10 à 15 cm d'eau. Placez la ventouse du débouchoir sur la bonde et appuyez fermement. Puis tirez vers le haut, appuyez à nouveau vers le bas, et répétez de dix à douze fois.

C'est si facile...

En ajoutant un peu de gelée de pétrole autour de la ventouse, vous améliorerez la succion.

Micro-ondes

Pour nettoyer rapidement et facilement votre micro-ondes, mouillez un linge de table et placez-le au centre de votre micro-ondes. Faites-le chauffer à haute température et laissez-le «cuire» pendant trente ou quarante secondes. La vapeur ainsi créée vous aidera à déloger les résidus durcis et vous pourrez vous servir du linge qui a été chauffé pour essuyer l'intérieur. Avertissement : n'essayez pas d'utiliser le linge immédiatement ; il sera alors très chaud. C'est aussi une excellente façon de désinfecter votre linge de table.

Chasser les odeurs du micro-ondes

Pour redonner à votre micro-ondes une odeur de fraîcheur et de propreté, placez un bol rempli d'eau à l'intérieur et ajoutez trois ou quatre quartiers de citron ou 30 ml de jus de citron. Faites chauffer à haute température pendant trente à soixante secondes.

Pour les odeurs récalcitrantes, comme celles de pop-corn brûlé, placez un peu d'extrait de vanille dans un bol et faites chauffer pendant au moins trente secondes. Laissez la porte fermée pendant douze heures, retirez le bol et essuyez l'intérieur du micro-ondes.

Un four qui fume

Lorsque quelque chose déborde dans le four et se met à fumer ou à sentir mauvais, mettez la main sur le sel, saupoudrez-en une épaisse couche et continuez la cuisson. La fumée et les odeurs disparaîtront immédiatement. Lorsque la cuisson sera complétée, fermez le four et laissez reposer toute la nuit. Le lendemain, vous serez capable de soulever ce qui s'est renversé avec une spatule.

Nettoyer le four

Préchauffez le four à 95 degrés Celsius et laissez chauffer pendant quinze minutes, puis éteignez-le en laissant la porte fermée. Remplissez un bol en verre peu profond avec de l'ammoniaque et placez-le sur la grille supérieure. Sur la

grille inférieure, placez une casserole contenant 500 ml d'eau bouillante. Refermez la porte du four et
laissez reposer pendant deux
heures ou toute la nuit. Retirez
ensuite l'ammoniaque et l'eau;
faites une pâte avec de l'ammoniaque, 125 ml de bicarbonate de
soude et 250 ml de vinaigre. Étendez cette pâte sur les surfaces à

> ## Le saviez-vous?
>
> Vous pouvez nettoyer et désinfecter
> votre éponge et votre linge à vaisselle
> en les mettant dans le lave-vaisselle.
> Vous pouvez également mouiller
> l'éponge et le linge à vaisselle, puis
> les mettre dans le four à micro-
> ondes pendant trente secondes.

nettoyer et laissez reposer environ quinze minutes. Frottez avec une éponge et
un tampon en laine d'acier (si nécessaire), puis rincez. Ce procédé viendra à
bout même des fours les plus sales.

Fabriquez votre propre détergent

Pour obtenir une excellente poudre à récurer non abrasive et désinfectante,
mélangez :

    4 parts de bicarbonate de soude
    1 part de borax
    Conserver dans un récipient mélangeur.

Pour une poudre à récurer non toxique qui éliminera les taches de gras,
mélangez :

    4 parts de bicarbonate de soude
    1 part de cristaux de soude
    Conserver dans un récipient mélangeur.

Placez un morceau de ruban à masquer sur le dessus de votre
bouteille de détersif abrasif afin qu'il obstrue la moitié des
trous. Votre détersif durera ainsi deux fois plus longtemps!

Nettoyer et protéger les surfaces de cuisson

On me pose tellement de questions au sujet des surfaces de cuisson que j'ai
décidé de leur consacrer une section entière. En fait, les surfaces en verre et
en céramique se nettoient facilement si vous respectez les règles suivantes.

Nettoyez la surface uniquement lorsqu'elle est froide, avec du liquide à vaisselle, une pâte faite de bicarbonate de soude et d'eau (trois parts de bicarbonate de soude pour deux parts d'eau) ou un nettoyant spécialement conçu pour les surfaces de cuisson. Appliquez le produit de votre choix à l'aide d'une serviette en papier ou d'un chiffon doux.

Rincez ensuite à grande eau et essuyez avec une serviette en papier. N'utilisez pas un torchon ou une éponge sale pour essuyer le dessus ; ils pourraient déposer une pellicule qui provoquerait une décoloration lors d'une prochaine utilisation. S'il se produit une décoloration, utilisez un nettoyant spécialement conçu pour les surfaces de cuisson.

Vous pouvez enlever les résidus calcinés à l'aide d'un grattoir muni d'une lame de rasoir. Évitez toutefois les nettoyants et les tampons abrasifs.

Si votre surface de cuisson est vraiment en mauvais état, vous devrez entreprendre une action plus drastique avant de pouvoir la nettoyer.

Vous pouvez essayer un produit appelé Bon Ami®, vendu en boîte, comme la plupart des détergents. Vous pouvez sans danger utiliser ce produit sur les miroirs, les fenêtres, les pare-brise, etc. À l'aide d'un chiffon doux et humide, utilisez-le pour enlever les grosses saletés. Vous pouvez aussi utiliser une éponge à récurer et une solution à base d'ammoniaque. Appliquée à l'aide d'un chiffon doux, la pâte dentifrice (sauf si elle est en gel) vous aidera également à enlever les taches et les résidus de nourriture calcinée.

Après avoir suivi ces procédés, lavez votre surface de cuisson avec de l'eau et du liquide à vaisselle, et rincez bien. L'eau gazéifiée fera joliment briller votre surface de cuisson.

J'ai découvert un merveilleux produit appelé Invisible Shield®. Ce produit vous permet de faire ce que j'appelle du « nettoyage préventif ». Vous l'appliquez et, la prochaine fois que vous nettoierez, les éclaboussures et les restes de nourriture calcinés se détacheront d'eux-mêmes. Votre surface de cuisson réagira comme une casserole antiadhésive — vous serez en mesure d'essuyer les éclaboussures avec un simple linge humide. Vous pouvez utiliser ce produit sur toutes les surfaces — même le verre ! — sauf sur le bois et la peinture. Appelez au 1 800 528-3149 pour connaître les points de vente dans votre région.

Remplissez la casserole ou le chaudron d'eau chaude et ajoutez plusieurs feuilles d'assouplissant textile usagées. Laissez tremper (jusqu'au lendemain de préférence), puis rincez et lavez.

Odeurs et éclaboussures dans le réfrigérateur

Lorsque vous nettoyez votre réfrigérateur, utilisez toujours un chiffon ou une éponge imbibés de vinaigre blanc. Le vinaigre laisse un frais parfum de propreté et aide à prévenir la formation de moisissures.

Quelques gouttes d'extrait de vanille, de citron ou d'orange sur un petit tampon de coton assureront la fraîcheur de votre réfrigérateur sans dégager un lourd parfum.

La plupart des odeurs qui imprègnent votre réfrigérateur peuvent être éliminées en plaçant un petit pot contenant du charbon de bois sur la clayette au centre du réfrigérateur. J'utilise pour ma part du charbon de bois destiné aux aquariums.

Si vous débranchez le réfrigérateur, assurez-vous de laisser la porte entrouverte afin de permettre à l'air de circuler et placez un récipient rempli de café frais moulu pour chasser les mauvaises odeurs. Pour éliminer les odeurs tenaces, un récipient ou un bas de nylon rempli de café frais moulu fera des merveilles.

Pour faciliter le nettoyage, essuyez l'intérieur du réfrigérateur, y compris les clayettes, avec un chiffon humide que vous aurez trempé dans la glycérine, un produit disponible en pharmacie dans le rayon des crèmes hydratantes pour les mains. Cette fine couche empêchera les éclaboussures de coller. Même le lait et les substances collantes se nettoieront en un tour de main.

Congélateur

Vous pouvez aussi utiliser la glycérine dans le congélateur. De cette façon, les éclaboussures, même si elles sont congelées, se nettoieront facilement.

Lavez votre congélateur avec une solution composée d'environ quatre litres d'eau chaude et 30 ml de borax pour le nettoyer et le désodoriser. Rincez et séchez.

Nettoyer une coutellerie en acier inoxydable

Il est possible de nettoyer facilement votre coutellerie en acier inoxydable (fourchettes, couteaux, cuillères). Mélangez les ingrédients suivants dans l'évier de la cui-

sine ou dans tout autre récipient pourvu qu'il ne soit pas en aluminium :

60 ml d'eau de Javel

60 ml de Calgon Water Softener®

4 litres d'eau très chaude

Faites tremper votre coutellerie en acier inoxydable dans la solution pendant trente minutes, puis nettoyez-la comme d'habitude. N'utilisez pas ce procédé avec des ustensiles en argent véritable.

Pour faire partir les taches tenaces, utilisez un peu de pâte dentifrice (sauf si elle est en gel) ou un produit polissant auquel vous ajouterez un peu d'ammoniaque. Appliquez à l'aide d'un chiffon doux ; lavez, rincez et séchez.

Lavez votre coutellerie en argent tout de suite après l'avoir utilisée ou le plus tôt possible pour éviter qu'elle ne ternisse.

Évier en acier inoxydable

Je reçois beaucoup de courrier concernant le nettoyage et l'entretien des éviers en acier inoxydable. L'un de mes correspondants suggère de transformer l'évier en un horrible cache-pot et de ne plus utiliser que des ustensiles de plastique et des assiettes en carton! Courage — voici comment le garder propre.

Nettoyant régulier

Nettoyez avec une pâte composée de bicarbonate de soude et d'eau, puis rincez. Pour éviter la formation de cernes et de rouille, essuyez l'évier.

Polissage

Polissez votre évier avec de la farine. Placez 15 ml de farine dans un évier sec et frottez avec un chiffon doux, puis rincez et séchez. Vous pouvez également le polir avec de l'eau gazéifiée. Enfoncez le bouchon de l'évier, versez un peu d'eau gazéifiée et frottez avec un chiffon doux. Essuyez à nouveau pour prévenir les taches d'eau.

Enlever la rouille et les taches d'eau

Utilisez du vinaigre blanc sur un chiffon doux ou une éponge. Cela va non seulement éliminer les taches, mais également faire reluire votre évier. Frotter l'évier avec un linge imbibé d'alcool ou d'essence à briquet vous permettra d'enlever les traces de rouille. N'oubliez pas que l'essence à briquet est inflammable ; soyez prudent.

Enlever les taches

Faites une pâte avec trois parts de crème de tartre et une part de peroxyde d'hydrogène, et appliquez-la sur les taches. Laissez sécher, puis frottez à l'aide d'un chiffon ou d'une éponge humide.

Pour faire reluire

Enduire l'évier avec quelques gouttes d'huile pour bébé. Essuyez avec une serviette en papier. Si l'évier ne reluit pas suffisamment, répétez le procédé.

Effacer les petites égratignures

Utilisez une laine d'acier très fine et frottez doucement l'évier dans son ensemble pour éliminer toutes les égratignures. Laver et polir avec un chiffon doux.

Produits d'entretien pour les métaux

Voici quelques produits d'entretien maison qui vous permettront de nettoyer rapidement et facilement les métaux.

Laiton

Utilisez un mélange de jus de citron et de sel. Frottez, puis rincez et séchez. Ne pas utiliser sur des objets plaqués en laiton.

Cuivre

Utilisez du ketchup ou de la sauce Worcestershire. Frottez, rincez et polissez.

Or

Sur les petits objets en or, utilisez de la pâte dentifrice (sauf si elle est en gel) et une brosse douce, comme une brosse à dents. Rincez bien. N'importe quel nettoyant à base d'ammoniaque mélangé à une part égale d'eau fera aussi très bien l'affaire.

> Lorsque vous utilisez un bain-marie, déposez quelques billes dans l'eau. Si jamais toute l'eau s'évapore, les billes vous avertiront du problème avant que la casserole ne soit abîmée.

Chrome

Frottez les objets en chrome avec une feuille de papier d'aluminium enroulée autour de votre doigt ou de votre main, ou frottez-les avec une feuille d'assouplissant textile usagée et sèche.

La reine vous offre ses meilleurs trucs pour la cuisine

Pour éliminer les odeurs d'aliments dans les contenants en plastique, remplissez-les d'eau chaude et ajoutez un peu de moutarde sèche —1 ml est plus que suffisant pour un contenant de taille moyenne. Laissez tremper pendant environ une heure, puis lavez.

✳ Pour enlever les taches sur vos contenants en plastique, placez-les au soleil sans couvercle. Pour les taches récalcitrantes, frottez-les d'abord avec un peu de jus de citron.

✳ Pour chasser les odeurs d'aliments brûlés, faites bouillir de l'eau et quelques quartiers de citron ou 15 ml de jus de citron dans une casserole pendant quelques minutes.

✳ Pour chasser les odeurs d'aliments frits, y compris les odeurs de poisson, placez un petit bol rempli de vinaigre blanc près du four lorsque vous faites frire vos aliments.

Le saviez-vous?

Si vous cassez un oeuf de biais, vous ne briserez jamais le jaune!

✳ Pour nettoyer les objets en porcelaine et l'évier, remplissez l'évier avec de l'eau chaude et ajoutez quelques tablettes pour nettoyer les dentiers.

✳ Pour enlever les taches sur votre surface de cuisson, fabriquez une pâte avec de la crème de tartre et du jus de citron, et appliquez-la sur les taches, laissez reposer, puis rincez.

✳ Nettoyez et désinfectez votre éponge et votre linge de table en les lavant dans le lave-vaisselle. Vous pouvez aussi mouiller l'éponge ou le linge de table et les mettre au micro-ondes pendant trente secondes.

✳ Pour enlever la graisse des planches à découper en bois, appliquez une fine couche de cire pour voiture, laissez sécher et polissez.

✳ Ne lavez pas l'argent et l'acier inoxydable ensemble dans le lave-vaisselle. L'acier inoxydable risque de tacher l'argent.

✳ Enlevez les particules de plastique collées sur le grille-pain avec un peu de dissolvant pour vernis à ongles. Assurez-vous que le grille-pain est débranché.

✳ Entreposez vos tampons d'acier savonneux dans le congélateur après chaque utilisation pour éviter qu'ils ne rouillent. Vous n'avez qu'à les placer dans un sac à sandwich en plastique.

✳ Pour nettoyer une casserole calcinée, remplissez-la d'eau chaude et ajoutez un peu de bicarbonate de soude. Faites bouillir jusqu'à ce que les parties brûlées se détachent et remontent à la surface.

C'est si facile...

Enlevez la rouille de vos
casseroles en les frottant avec du
détergent et une pomme de terre
crue coupée en deux.

✳ Vaporisez un produit antiadhésif sur votre grattoir avant de l'utiliser ; il se nettoiera plus facilement.

✳ Nettoyez l'extérieur de vos casseroles en fonte avec du nettoyant pour le four. Nettoyez l'intérieur en faisant bouillir dans la casserole de l'eau et un peu de vinaigre blanc. Enduisez la casserole d'huile à cuisson et placez un morceau de papier ciré dans le fond après chaque utilisation. Ne lavez jamais l'intérieur avec du savon.

* Pour nettoyer l'intérieur d'un thermos, remplissez-le d'eau chaude et ajoutez 5 ml d'eau de Javel. Laissez tremper de trente à soixante minutes, puis rincez.

* Préservez vos bols à salade en bois en les frottant avec une serviette en papier trempée dans l'huile à cuisson. Cela les empêchera de sécher et de craqueler. Ne les immergez pas dans l'eau plus de quelques secondes pour les nettoyer. Toujours les sécher à fond.

* Plantez vos couteaux et vos ustensiles de cuisine rouillés dans un oignon pendant environ une heure. Effectuez un mouvement de va-et-vient pour que le jus d'oignon fasse son travail.

Le saviez-vous?

Vous pouvez lisser les petites ébréchures en limant doucement vos verres avec une lime à ongles.

* Toujours plonger vos assiettes en verre dans l'eau en les maintenant de côté; elles résisteront ainsi à l'expansion et à la contraction.

Si vous ou un membre de votre famille souffrez d'asthme ou d'allergie, vous savez sans doute que les produits nettoyants peuvent déclencher une attaque. Je vous conseille d'essayer un nouveau produit fabriqué par une entreprise appelée Soapworks. Leur ligne de produits a été élaborée par une femme pour contrer les crises d'asthme de son fils qui se produisaient chaque fois qu'elle ouvrait un produit nettoyant et qu'elle se mettait à faire le ménage. Ce produit s'appelle At Home™. On peut l'utiliser sans le diluer pour les gros travaux, comme pour le dégraissage, ou le diluer 100/1 pour l'entretien quotidien. Ce produit est tout à fait sûr, sans danger pour l'utilisateur et l'environnement, légèrement parfumé et il fonctionne! Pour plus d'information sur leur merveilleuse ligne de produits, consultez leur site Internet : www.soapworks.com.

Les indispensables de la cuisine

Vous emménagez dans une nouvelle maison et vous craignez de vous retrouver avec quatre poêles à frire et aucune casserole pour les pâtes ? Voici la liste des indispensables. Vous pouvez bien sûr la compléter en fonction de vos besoins individuels.

✳ Une poêle à frire avec un couvercle de 25 à 30 cm

✳ Une poêle à frire de 15 à 20 cm

✳ Casseroles avec couvercles de différentes dimensions

✳ Cocottes avec couvercles de différentes dimensions

✳ Un plat allant au four de 18 cm^2

✳ Un bol à mélanger

✳ Moules à gâteau — que vous cuisiniez ou non des gâteaux, ils sont très utiles pour toutes sortes de desserts, comme les petits pains à la cannelle, même s'ils proviennent du supermarché.

✳ Une plaque à rôtir munie d'une grille

✳ Une plaque à biscuits — au moins deux

✳ Une plaque de 30 par 25 par 5 cm

✳ Moules à pain — un ou deux moules peuvent également vous servir pour cuisiner des pains à la viande et d'autres plats allant au four.

✳ Un moule à muffins

✳ Une grosse casserole pour les pâtes — aussi appelée faitout

✳ Un grille-pain

✳ Une cafetière — il n'y a rien de plus important à mon avis !

✳ Une coutellerie — un bon ensemble de base qui devrait comprendre un couteau à découper, un couteau à pain et divers couteaux d'office. N'oubliez pas, une coutellerie est un investissement; donc, achetez le meilleur ensemble selon vos moyens.

* Tasses à mesurer

* Une ou deux spatules en caoutchouc

* Un ouvre-boîte et un ouvre-bouteille

* Des ciseaux de cuisine

* Un rouleau à pâtisserie

* Bols de rangement en plastique

* Pinces

* Un presse-ail

* Un couteau à fromage

* Une passoire

* Des ustensiles de cuisine, comme une grosse cuillère, une cuillère per-forée, une grosse fourchette et une louche

À présent, les gadgets :

* Une râpe

* Un fouet

* Un tranche-œuf

* Un vide-pomme

* Une marguerite

Différents accessoires qui peuvent vous être utiles :

* Un mélangeur — les mélangeurs à main sont très efficaces et prennent moins de place sur le comptoir!

* Un four-grilloir

* Un four à micro-ondes

✳ Un robot culinaire

✳ Un grill électrique

✳ Des plats de cuisson spécialisés

Et, bien sûr, un excellent livre de recettes!

**Question :
C'est quoi la
« surprise du chef » ?
Réponse :
C'est ça la surprise.**
— **Vieille blague de vaudeville**

Nettoyer le plancher
— faites les premiers pas

Une fois que vous aurez appris quelques principes de base, vous pourrez nettoyer rapidement et facilement tous vos planchers — comme les pros!

Sceller les carreaux de céramique

Il est impératif de sceller vos coulis. Achetez un enduit scellant dans un magasin qui vend des carreaux de céramique ou dans un centre de rénovation.

Nettoyer les carreaux de céramique

Les carreaux de céramique ne sont pas poreux — vous pouvez donc les nettoyer avec de l'eau chaude. Plusieurs nettoyants vont laisser à la surface des carreaux un résidu qui ressemble à une pellicule. On peut fabriquer un bon nettoyant neutre pour les

> « Pour moi, le ménage consiste à balayer une pièce du regard. »
> — Anonyme

carreaux avec quatre litres d'eau chaude, 30 ml d'ammoniaque et 15 ml de borax. N'utilisez jamais de vinaigre. L'acidité du vinaigre abîmera les coulis.

N'utilisez jamais un balai-éponge sur des carreaux de céramique. Tout comme une raclette, il déposera de l'eau sale dans les coulis.

Balayez ou passez l'aspirateur avant de laver les carreaux.

Utilisez un chiffon ou une vadrouille de type chamois.

Rincez la vadrouille et changez fréquemment l'eau à mesure qu'elle se salit.

Si vos carreaux ont un fini lustré, il sera peut-être nécessaire de les assécher. Placez un chiffon propre en tissu-éponge sous votre pied pour vous faciliter les choses.

Épousseter les planchers durs

Utilisez un balai ou un aspirateur pour enlever la poussière ; assurez-vous toutefois de ne pas utiliser un embout pour les tapis — cela pourrait laisser des marques sur le plancher.

Nettoyer les planchers en bois avec du thé

Faites bouillir un litre d'eau et un ou deux sachets de thé. Laissez refroidir à la température de la pièce. Trempez un chiffon doux dans la solution et essorez-le de façon à ce qu'il soit à peine humide, puis lavez le plancher. Gardez toujours votre chiffon propre et évitez de mettre trop d'eau sur le plancher. Vous nettoierez ainsi votre plancher tout en couvrant plusieurs imperfections. Polissez avec un chiffon doux si le cœur vous en dit.

Réparer les rayures sur les planchers de bois

Pour faire disparaître les rayures, utilisez un ou plusieurs crayons qui correspondent à la couleur du plancher. Ces crayons de cire pour le bois sont disponibles dans les quincailleries. Remplissez la rayure en vous servant du crayon, puis chauffez à l'aide d'un séchoir à cheveux et polissez avec un chiffon. Ce procédé de réparation est si efficace que vous oublierez qu'il y avait une rayure.

Le saviez-vous ?

Le thé est un merveilleux nettoyant pour le bois en raison des acides tanniques qu'il contient.

Nettoyer et cirer

Il existe un produit fabriqué par l'entreprise Bruce qui nettoie et polit tout à la fois. Il est disponible en deux couleurs, pâle et foncée. Si vos planchers sont en très mauvais état, essayez d'abord ce produit avant de les remplacer. Suivez attentivement les instructions et laissez agir le produit; travaillez uniquement sur une petite surface à la fois.

Nettoyer les planchers en vinyle

Pour nettoyer les planchers en vinyle, y compris les planchers sans cirage et en linoléum : bien nettoyer le plancher à l'aide d'un balai ou d'un aspirateur. Mélangez quatre litres d'eau chaude et 15 ml de borax. Trempez votre vadrouille ou votre chiffon dans la solution, puis essorez. N'oubliez pas de toujours garder votre chiffon propre. Aucun rinçage n'est nécessaire. Utilisez du borax pour protéger le lustre de vos planchers, même ceux qui ont été cirés.

Cirer les planchers

Lorsque vous cirez un plancher, il serait judicieux d'acheter une cire provenant d'un magasin spécialisé dans les produits commerciaux. Ceux-ci résistent mieux à l'usure et aux va-et-vient constants.

Sur un plancher propre, appliquez deux minces couches de cire. Laissez amplement le temps au produit de sécher entre deux applications. Il est impératif que le plancher soit propre, sinon la cire se mélangera à la poussière.

Lors d'un prochain cirage, ne cirez que les zones de circulation, là où la cire a disparu. Assurez-vous que les différentes zones se fondent les unes dans les autres; vous éliminerez ainsi les amoncellements de cire autour de la pièce.

Achetez un produit décapant pour la cire dans un magasin spécialisé près de chez vous. Ces produits sont plus efficaces que l'ammoniaque et leur prix est habituellement très raisonnable.

Le miracle des microfibres... vraiment?

Les chiffons et les vadrouilles en microfibres nettoient sans ajout de produits chimiques — seulement avec de l'eau. Est-ce que cela fonctionne? Eh bien... oui et non. Comme on dit, la qualité est proportionnelle au prix, et cela vaut également pour les microfibres. Si vous achetez des chiffons bon marché, vous gaspillerez votre argent. S'ils ne contiennent pas des milliers de fibres, ils ne nettoieront pas comme prévu. Voici quelques renseignements sur le meilleur produit disponible.

Euronet USA fabrique une vadrouille appelée Act Natural Mop™. Cette vadrouille, qu'on peut utiliser avec ou sans eau, est vendue avec un manche télescopique et fait des miracles sur les planchers de vinyle, de céramique et de bois — sur tous les planchers durs — avec seulement de l'eau. Essorez simplement la vadrouille après l'avoir trempée dans l'eau, fixez-la à l'aide de la bande en velcro et allez-y! Lavable à la machine. Visitez leur site à www.euronetusa.com ou téléphonez au 1 888 638-2882.

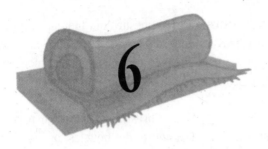

Un traitement royal
pour vos tapis

L'achat d'un tapis est sans doute l'investissement le plus dispendieux que vous aurez à faire pour votre maison. Si vous savez comment choisir un tapis de bonne qualité qui conviendra à votre mode de vie et si vous savez comment le nettoyer et l'entretenir, vous en profiterez pendant de nombreuses années.

Connaître son tapis

La plupart des tapis résidentiels sont fabriqués à partir de l'une de ces quatre fibres : nylon, polyester, oléfine ou laine (ou une combinaison de plusieurs fibres). Toutes ces fibres font d'excellents tapis, même si le nylon est plus durable et offre le meilleur rapport qualité/prix. Voici quelques faits dont vous devriez tenir compte avant de faire un tel investissement.

Le poids de surface est une mesure dont vous devriez tenir compte lorsque vous achetez un tapis. Rappelez-vous : plus il y a de fibres, mieux c'est.

La densité des fibres est une mesure qui indique si les fibres sont plus ou moins rapprochées les unes des autres. Les tapis denses sont non seulement plus souples, mais ils ont aussi tendance à conserver leur belle apparence plus longtemps.

La durabilité des tapis en fibres bouclées, et en particulier celle des moquettes, est relative au nombre de boucles par centimètre linéaire. Généralement, plus il y a de boucles, plus les fibres sont résistantes.

Un sous-tapis est absolument essentiel pour assurer la bonne performance d'un tapis. Un sous-tapis trop mince ou trop épais peut provoquer le vieillissement prématuré du tapis. Les meilleurs sous-tapis — croyez-le ou non — sont les plus minces et les plus fermes. Évitez les sous-tapis qui font plus d'un centimètre d'épaisseur.

Les éléments de base

Lorsque vous passez l'aspirateur, assurez-vous de remplacer le sac ou de nettoyer le filtre de votre aspirateur pour obtenir la meilleure succion possible. Passez l'aspirateur dans le sens contraire des fibres, et ensuite dans le sens des fibres pour redonner au tapis son aspect originel. Faites chevaucher vos mouvements pour être sûr de nettoyer toute la surface. Le nombre de fois où vous devez passer l'aspirateur dépend de la taille de votre famille et de votre utilisation des pièces de votre maison, mais essayez néanmoins de passer l'aspirateur deux fois par semaine. Certaines personnes jugent qu'il est préférable de passer l'aspirateur tous les jours. N'oubliez pas, c'est vous qui décidez…

«Je passerai l'aspirateur lorsque Sears vendra un appareil sur lequel on peut s'asseoir.»
— Roseanne

Le nettoyage des tapis

De nombreuses personnes m'ont demandé comment choisir une entreprise spécialisée dans le nettoyage des tapis. Vous trouverez ci-après quelques lignes directrices. Appelez toujours plus d'une entreprise, comparez les prix et posez à toutes les entreprises les mêmes questions. N'oubliez pas que le bouche à oreille est votre meilleur allié. Demandez à vos voisins, à vos amis et à vos collègues de travail avec quelle entreprise ils font affaire et s'ils sont satisfaits.

Questions qu'il faut poser

Le coût du nettoyage par mètre carré

Assurez-vous que la superficie de vos pièces ne dépasse pas les limites prévues par l'entreprise. N'oubliez pas de vous informer au sujet des corridors, des garde-robes et de la salle de bain. L'entreprise peut les considérer comme étant des pièces à part entière dans son estimation. Si le prix est calculé au mètre carré, mesurez la longueur et la largeur de vos pièces et multipliez la longueur par la largeur pour connaître leur superficie. Additionnez la superficie de toutes vos pièces et multipliez par le coût au mètre carré. Vous devriez ainsi obtenir le juste prix.

Méthode de nettoyage utilisée

Le nettoyage à la vapeur ou par extraction est la meilleure façon de nettoyer un tapis. Demandez à l'entreprise si elle possède une unité mobile. Des appareils de nettoyage portables ne génèrent pas la même puissance qu'une unité mobile.

Lave-t-elle avec de l'eau chaude ou de l'eau froide ?

L'eau froide ne délogera pas les taches de graisse tenaces. L'unité mobile branchera son système de nettoyage sur un de vos conduits d'eau froide — habituellement ce conduit se trouve à l'extérieur — et réchauffera l'eau en la faisant circuler à l'intérieur du camion.

Est-ce que l'entreprise est assurée ?

Si on endommage vos meubles en les déplaçant ou en les cognant contre un mur, assurez-vous que l'entreprise peut couvrir les frais de réparation.

Expérience de l'entreprise
Soyez certain d'engager des professionnels bien formés qui gagnent leur vie dans le nettoyage.

Rappelez-vous qu'il s'agit d'un investissement
Encore une fois, rappelez-vous qu'un tapis est un grand investissement. Traitez-le avec le soin qu'il mérite ; il durera et conservera sa belle apparence plus longtemps.

Avant de nettoyer vos tapis

✳ Enlevez tous les petits articles qui pourraient se trouver sur le tapis.

✳ Enlevez tous les articles qui pourraient se trouver sur des meubles qui devront être déplacés.

✳ Dès que possible, enlevez les chaises de la salle à manger et les autres petits meubles.

✳ Enlevez tous les tapis de petites dimensions.

✳ Videz le bas des garde-robes qui devront être nettoyés.

✳ Enlevez tout ce qui pourrait se trouver sous les lits qui devront être déplacés.

✳ Ouvrez le plus de fenêtres possible, si les conditions météorologiques le permettent.

✳ Si vous ne pouvez laisser les fenêtres ouvertes, faites fonctionner l'air climatisé ou le chauffage, selon ce qui est approprié.

✳ Si possible, ajustez vos ventilateurs afin qu'ils soufflent sur les tapis.

✳ Lavez la semelle des chaussures ou des pantoufles que vous chausserez pour marcher sur les tapis humides, sinon vous les salirez à nouveau.

✳ Ne replacez pas les meubles à leur place tant que le tapis n'est pas complètement sec.

Après le nettoyage des tapis

PRENEZ GARDE! Après avoir marché sur un tapis humide, vous risquez de glisser en mettant les pieds sur du linoléum ou sur un plancher dur.

✳ Ne placez pas de serviettes, de feuilles de papier ou de journaux sur le tapis.

✳ Si vous avez fait appliquer un produit protecteur, le temps de séchage sera plus long.

✳ Passez l'aspirateur à fond lorsque le tapis est sec. Assurez-vous que la brosse de l'aspirateur est propre.

Guide pour les taches

Pour enlever les taches, la règle numéro un est de toujours avoir sous la main plusieurs bouteilles d'eau gazéifiée. Cette méthode convient à tous les genres de tapis. Si vous renversez quelque chose, suivez mes conseils :

Épongez le plus de liquide possible, en étendant de vieilles serviettes sur les éclaboussures et en appuyant dessus avec votre pied.

✳ Grattez toutes les matières solides.

✳ Versez de l'eau gazéifiée sur les éclaboussures. N'ayez pas peur d'en verser une bonne quantité. Le gaz carbonique contenu dans l'eau produira des «bulles» qui feront remonter la tache à la surface. Vous n'avez plus qu'à éponger le liquide en plaçant une serviette ou un linge propre de couleur pâle et en appuyant dessus avec votre pied. Cela aidera grandement à l'absorption des éclaboussures. Continuez à verser de l'eau gazéifiée et à éponger le liquide jusqu'à ce que la serviette ne se tache plus.

✳ Utilisez ensuite un bon produit contre les taches. Je préfère personnellement le détachant à tapis instantané Spot Shot®.

✳ Lorsque vous nettoyez un tapis, ne le frottez jamais ; cela ne ferait qu'étendre la tache et abraser les fibres de votre tapis.

✳ Cette méthode générale de nettoyage fonctionne pour la plupart des éclaboussures et ne causera en définitive aucun dommage.

Soda de couleur rouge, Kool Aid™

Même si la tache n'est pas récente, versez de l'eau gazéifiée et suivez la méthode présentée précédemment ; cela aidera à l'éclaircir. Après avoir utilisé un produit nettoyant, si la tache est toujours présente, saturez-la de peroxyde d'hydrogène ou de jus de citron non dilué. Attendez quinze minutes, puis épongez. Continuez à appliquer du jus de citron ou du peroxyde en vérifiant de temps à autre si vous progressez ; assurez-vous de ne pas décolorer votre tapis.

Le saviez-vous ?

Prenez une bouteille de vin blanc et versez-en sur vos taches de vin rouge ou saturez-les avec du sel. Utilisez ensuite de l'eau gazéifiée et un détachant à tapis.

Vernis à ongles

Épongez le vernis à l'aide d'un mouchoir en papier ou avec tout ce qui pourrait vous être utile. Testez ensuite les effets de votre dissolvant pour vernis à ongles sur une région peu visible du tapis. S'il n'endommage pas les fibres, appliquez le dissolvant avec un compte-gouttes ou une cuillère (pourvu qu'elle ne soit pas en argent) en épongeant immédiatement après chaque application. Utilisez toujours un dissolvant non huileux. Si vous n'arrivez à rien avec votre dissolvant ordinaire, achetez de l'acétone dans un magasin où l'on vend des produits de beauté, testez à nouveau le produit et appliquez-le en suivant les indications mentionnées précédemment. Une fois que vous aurez éliminé le plus de vernis possible (soyez patient), utilisez le produit nettoyant Spot Shot®, selon le mode d'emploi. Si la tache est toujours visible, appliquez du peroxyde d'hydrogène pour la décolorer ou l'éclaircir.

Boue

Recouvrez les taches de boue humides avec du sel ou du bicarbonate de soude et laissez-les sécher complètement avant d'y toucher. Lorsqu'elles sont sèches, passez l'aspirateur en vous servant d'un accessoire qui concentrera la succion sur la boue. Finalement, utilisez un bon produit nettoyant en suivant les instructions sur la bouteille. Pour les taches de terre ou de boue rouges, utilisez un produit contre la rouille, comme Whink® ou Rust Magic®, pour faire disparaître tous les résidus de couleur.

Café et thé

Lorsque vous renversez du café, la meilleure défensive est encore une bonne offensive. Premièrement, agissez le plus rapidement possible. Du café chaud agit comme une teinture brune. Épongez toutes les éclaboussures et appliquez immédiatement de l'eau gazéifiée. Si vous n'avez pas d'eau gazéifiée (vous devriez avoir honte!), utilisez de l'eau froide ordinaire. Versez beaucoup d'eau et épongez, épongez, épongez. Utilisez ensuite un détachant à tapis de bonne qualité. Si la tache est toujours là, vous pouvez essayer de verser du peroxyde d'hydrogène, attendez quinze minutes, puis épongez. Si la tache s'éclaircit, continuez ce processus. Finalement, rincez à l'eau froide ou à l'eau gazéifiée.

Utiliser de la crème à raser

Voilà un excellent détachant instantané! Si vous avez renversé quelque chose et que vous n'avez pas de détachant sous la main, utilisez de la crème à raser. Elle est particulièrement efficace pour enlever les taches de maquillage, de rouge à lèvres, de café et de thé. Faites pénétrer la crème et rincez à l'eau froide ou à l'eau gazéifiée.

Guide pour les taches inhabituelles

Goudron et moutarde

Faites pénétrer de la glycérine (disponible en pharmacie dans le rayon des crèmes hydratantes pour les mains) et laissez reposer entre trente et soixante minutes. En vous servant d'une serviette en papier, essayez prudemment de soulever la tache. Plusieurs traitements seront sans doute nécessaires. Utilisez ensuite un bon produit nettoyant, comme Spot Shot®.

Enlever des empreintes

Placez des cubes de glace sur les empreintes laissées par vos meubles, en vous assurant de couvrir toute la surface des empreintes. Laissez reposer toute la nuit; le lendemain, faites bouffer les poils du tapis en vous servant d'une fourchette.

Cire de chandelle

Mettez de la glace dans un sac en plastique et placez-le sur la cire jusqu'à ce qu'elle fige. Enlevez le plus de cire possible, puis placez un sac en papier brun sur la cire (les sacs d'épicerie font très bien l'affaire; utilisez les parties sans lettrage) et appuyez avec un fer à repasser médium/chaud. Déplacez le papier à mesure qu'il absorbe la cire pour éviter qu'elle ne se dépose à nouveau sur le tapis. Soyez patient et continuez aussi longtemps que le sac absorbera de la cire. Appliquez ensuite un bon détachant à tapis.

Suie

Saupoudrez du sel et attendez au moins deux heures. Passez ensuite l'aspirateur, en utilisant un accessoire qui concentrera la succion. Enlevez la tache avec un bon nettoyant ou utilisez le produit Energine Cleaning Fluid®.

Chewing-gum

Appliquez de la glace sur le chewing-gum, puis enlevez tout ce que vous pourrez. Faites pénétrer un peu de gelée de pétrole dans les résidus restants, mélangez et grattez le tout. Utilisez ensuite un bon produit nettoyant ou du Energine Cleaning Fluid®.

Colle

Essayez de saturer la colle avec du vinaigre blanc non dilué. En faisant des mouvements vers le haut, essayez de l'enlever, puis nettoyez les fibres avec du Energine Cleaning Fluid®. Pour les dissolutions de caoutchouc, utilisez la méthode mentionnée pour le chewing-gum.

Encre

Vaporisez de la laque pour les cheveux ou épongez avec de l'alcool à 90 degrés. Pour les taches tenaces, essayez de l'alcool dénaturé. Épongez bien et terminez avec un produit nettoyant.

Armé jusqu'aux dents

Ayez toujours un bon détachant à tapis sous la main! J'ai découvert un produit extraordinaire qui enlève toutes les taches de couleur rouge, qu'elles soient récentes ou non. Il fait disparaître les taches de vin rouge, de soda rouge, de Kool-Aid™, de jus de canneberge, de colorant alimentaire rouge et même les taches de café noir et de thé. Ce produit s'appelle Wine Away Red Wine™, mais ne vous laissez pas avoir par le nom. Si vous avez des enfants, vous avez absolument besoin de ce produit, comme tous ceux qui boivent du vin rouge d'ailleurs! Il est non toxique et on peut l'utiliser sur les tapis, les tissus d'ameublement et même sur les sièges de la voiture. Appelez au 888-WINEWAY pour connaître le détaillant le plus près de chez vous.

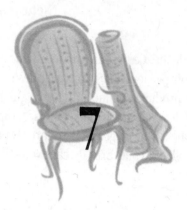

7

Nettoyer facilement les tissus d'ameublement ·

C e chapitre vous apprendra tout ce que vous devez savoir pour choisir judicieusement un tissu d'ameublement, enlever les taches, vous occuper des éclaboussures urgentes et le nettoyer à fond.

L'une des premières choses que tout le monde devrait savoir au sujet du tissu d'ameublement, c'est qu'il existe différentes méthodes de nettoyage pour différents types de tissu. Il est facile de vérifier comment vous devez nettoyer vos meubles et, plus important encore, comment vous devez nettoyer un meuble neuf. Cette information vous aidera à faire un choix éclairé avant d'acheter un nouveau meuble.

Les codes de nettoyage et ce qu'ils veulent dire

Les tissus d'ameublement possèdent habituellement un code qui permet au consommateur de savoir à l'avance quel type d'entretien est recommandé par le manufacturier. Ces instructions, appelées codes de nettoyage, sont généralement situées sous le siège, sur la plate-forme du meuble (la partie sur laquelle reposent les coussins). Je présenterai ci-après chaque code individuellement. Si vous ne trouvez pas le code sous les coussins, vérifiez toutes les étiquettes. N'achetez jamais un meuble sans savoir comment le nettoyer; cette information est essentielle.

W

Si vous trouvez un W sur votre meuble, cela signifie que vous pouvez le nettoyer avec de l'eau. Vous pouvez donc louer un appareil pour nettoyer les tapis et le tissu d'ameublement dans un centre de rénovation ou une quincaillerie, ou en acheter un, si vous le désirez. Vous pouvez aussi utiliser de l'eau pour nettoyer les éclaboussures. Le tissu portant la marque W est le plus durable et le plus facile à nettoyer sur le marché. Il est idéal pour recouvrir les chaises de la salle à manger et tous les meubles qu'on utilise régulièrement ou qui risquent d'être éclaboussés.

S

Si vous trouvez un S sur votre meuble, cela signifie qu'il doit être nettoyé avec du dissolvant (nettoyage à sec uniquement); n'utilisez jamais d'eau ou un quelconque produit à base d'eau pour le nettoyer. Les tissus nécessitant un nettoyage à sec sont généralement moins durables et difficiles d'entretien. Si vous possédez un meuble affichant ce code, n'attendez pas qu'il soit trop tard avant d'appeler une entreprise de nettoyage professionnelle ou vous serez déçu du résultat. Pour détacher du tissu qui se nettoie à sec, essayez un produit appelé Energine Cleaning Fluid®, disponible dans les épiceries et les quincailleries. Essayez-le d'abord sur une partie peu visible pour vous assurer qu'il n'endommagera pas le tissu. Appliquez-le avec un chiffon propre de couleur pâle en épongeant continuellement. Une fois que vous aurez fait partir la tache, utilisez un séchoir à cheveux pour sécher rapidement le tissu. Vous éviterez ainsi la formation de cernes.

S/W

Ce code signifie qu'un mélange de dissolvant et d'eau peut être utilisé pour nettoyer le tissu d'ameublement. Toutefois, peu de meubles portent ce code. Il vaut mieux laisser à des professionnels le soin de les nettoyer. Placez les meubles portant ce code dans les pièces que vous utilisez peu.

X

De nos jours, ce code apparaît rarement sur les meubles. On le retrouve plus fréquemment sur les stores et les persiennes en tissu, car il signifie que les articles ne sont pas lavables. Utilisez uniquement un aspirateur. Soyez prudent !

Ne déshabillez pas vos meubles

Plusieurs personnes m'ont demandé si elles pouvaient retirer les housses qui recouvrent leurs coussins en mousse et les laver à la machine — N'EN FAITES RIEN ! Les fermetures éclair à l'arrière des coussins permettent aux professionnels de changer la mousse si nécessaire. Si vous retirez les housses et les lavez, elles risquent de rétrécir et de ne plus s'adapter correctement aux coussins ; peu importe comment on s'y prend, il est virtuellement impossible de replacer la mousse correctement. De plus, elles seront visiblement plus propres que le reste du canapé, et s'useront et pâliront plus rapidement.

Nettoyer une tache

Si vous devez nettoyer un coussin, ouvrez la fermeture éclair et placez un tampon fait de serviettes en papier ou un chiffon blanc plié en deux entre la mousse et la housse du coussin. Appliquez le produit nettoyant en suivant attentivement les instructions. Essayez de ne pas frotter la région à nettoyer, cela pourrait endommager la surface du tissu — ÉPONGEZ — ÉPONGEZ — ÉPONGEZ. J'ai toujours obtenu beaucoup de succès avec le nettoyant Spot Shot® pour tissu d'ameublement. Il est facile à utiliser et vient à bout d'une grande variété de taches et d'éclaboussures. Ce détachant convient à la plupart des tissus (toujours tester les détachants sur une surface peu visible avant de les utiliser) et fait des merveilles sur les sofas, les dossiers de chaise ainsi que sur les coussins. Il est parfait pour faire partir les taches de nourriture sur les chaises de la salle à manger. N'oubliez pas, peu importe la méthode de nettoyage que vous choisissez, il faut toujours tester le produit sur une surface peu visible avant de l'utiliser.

> « Je ne peux pas avoir d'enfants ; mes sofas sont blancs. »
> — Carrie Snow

Cire de chandelle et tissu d'ameublement

Si à la suite d'un accident malencontreux de la cire de chandelle est entrée en contact avec votre tissu d'ameublement, ne désespérez pas. Premièrement, placez une grande quantité de glace dans un sac plastique et appliquez-le sur la cire jusqu'à ce qu'elle fige. Puis retirez le sac de glace et enlevez le plus de cire possible.

Prenez ensuite un sac d'épicerie en papier brun (utilisez uniquement les parties sans lettrage) et étendez-le sur la cire. À l'aide d'un fer à repasser chaud, appuyez sur la cire et laissez le sac en papier l'absorber. Déplacez continuellement le sac pour faciliter l'absorption. Une fois que le sac aura absorbé toute la cire, utilisez le produit Energine Clean Fluid® pour enlever les taches. Finalement, utilisez un séchoir à cheveux pour sécher le tissu lorsque vous aurez terminé.

S'il reste des taches, appliquez avec une cuillère du peroxyde d'hydrogène (3 %), disponible en pharmacie, pour décolorer la cire. Appliquez le peroxyde, attendez quinze minutes, puis épongez. Continuez jusqu'à ce que toute trace de couleur ait disparu.

Housses

Certaines housses peuvent être lavées à la machine. Assurez-vous toutefois de laver les housses volumineuses et de grande taille dans une machine à laver commerciale, ayant une grande capacité.

N'oubliez pas de tester la solidité des couleurs (voir chapitre 39). Secouez vos housses ou époussetez-les avec votre aspirateur avant de les laver, et rappelez-vous de suivre les instructions sur l'étiquette d'entretien.

Prétraitez les taches et les éclaboussures avant de procéder au lavage. Frottez les accoudoirs et les appuie-tête avec du savon Fels-Naptha® pour enlever les taches graisseuses. Lavez-les à l'eau froide avec un détersif doux et assurez-vous de bien les rincer — deux fois si nécessaire. N'entassez pas les housses dans la machine à laver, sinon vous serez déçu des résultats.

Faites sécher en suivant les instructions sur l'étiquette d'entretien. Les housses sont des articles lourds qui ont besoin d'espace pour respirer ; si vous avez l'intention de les suspendre pour les faire sécher, assurez-vous de les étaler sur plusieurs cordes à linge, en laissant au moins trente centimètres entre chacune d'elles. Si vous utilisez votre sécheuse, vous devriez vérifier et réarranger les housses régulièrement.

Au moment de repasser vos housses, assurez-vous que la température de votre fer convient au type de tissu de chaque housse, et replacez-les sur vos meubles tandis qu'elles sont encore légèrement humides. Non seulement vont-elles s'étirer plus facilement mais, comme elles vont rétrécir quelque peu en séchant, elles feront également moins de plis. Lorsque les housses sont bien sèches, vous pouvez, si vous le désirez, appliquer une légère couche de protecteur textile pour les rendre plus résistantes aux taches.

Meubles en cuir

Évitez d'exposer vos meubles à la lumière du jour, sinon ils risquent de se dessécher et de craqueler. Vous devriez nourrir vos meubles en cuir une ou deux fois par année pour les garder souples, mais assurez-vous de bien faire pénétrer le produit pour éviter qu'il ne tache vos vêtements. Après avoir appliqué et fait pénétrer le produit nourrissant, je préfère le laisser reposer douze heures et frotter à nouveau le meuble avant de l'utiliser. Je vous suggère d'épousseter ou de passer régulièrement l'aspirateur. Vous pouvez nettoyer vos meubles avec du savon pour le cuir ou les laver avec un linge humide que vous aurez frotté sur une barre de savon à la glycérine ou sur un savon hydratant (comme les savons Dove). Si le meuble est en cuir gaufré et possède des boutons et des décorations, utilisez une brosse à dents en soie ou un pinceau humide que vous aurez frotté sur une barre de savon. Séchez toujours le cuir avec un linge propre et sans peluches.

Si vous avez un dessus de table ou de bureau en cuir, nettoyez, polissez et scellez-le une ou deux fois par année avec de la cire.

Taches d'eau
Frottez tout simplement avec une éponge humide et laissez sécher.

Pour enlever les taches d'encre sur le cuir, appliquez un produit pour les cuticules. Tamponnez et frottez doucement avec un chiffon doux, puis essuyez et polissez. Pour faire disparaître les taches tenaces, laissez le produit agir pendant au moins dix minutes avant de frotter. Appliquez à nouveau si nécessaire.

Taches foncées

S'il y a des taches de couleurs foncées sur vos meubles et vos vêtements en cuir de couleur pâle, essayez de les frotter doucement avec un linge et une pâte faite de jus de citron et de crème de tartre. Massez doucement, puis utilisez un chiffon doux humide pour terminer le travail. Assurez-vous de bien rincer et d'utiliser l'une des méthodes de nettoyage présentées précédemment.

Pour enlever les moisissures

Pour enlever la moisissure sur des objets en cuir, appliquez une mince couche de gelée de pétrole, laissez reposer entre quatre et cinq heures, puis essuyez.

Fabriquer un produit nourrissant

Fabriquez vous-même votre propre produit « nourrissant » en mélangeant une part de vinaigre et deux parts d'huile de graines de lin dans un récipient muni d'un couvercle. Secouez vigoureusement et appliquez avec un chiffon doux, en prenant soin de changer fréquemment de chiffon à mesure qu'il se salit. Faites bien pénétrer le produit pour éviter que l'huile ne tache les vêtements. Testez-le d'abord sur une surface peu visible avant de l'utiliser sur du cuir de couleur pâle.

Nettoyage à sec

On me pose souvent des questions sur les articles devant être nettoyés à sec, comme les draperies, les couvre-lits, les édredons, les coussins en tissu, les housses et les tissus anciens. Voici quelques dernières considérations.

Draperies : Le nettoyage à sec et le blanchissage professionnel peuvent prolonger la vie de vos draperies et de vos lambrequins. Si vous les entretenez adéquatement, vos draperies peuvent durer de trois à cinq ans. Malheureusement, divers facteurs environnementaux comme l'humidité, l'exposition à la lumière du soleil et les dommages causés par la pluie et la condensation peuvent décolorer et affaiblir le tissu, et favoriser le rétrécissement des draperies durant le brassage. Le vieillissement, la lumière, la chaleur et la nicotine peuvent aussi endommager les draperies et les faire jaunir.

Les draperies qui n'ont pas été prérétrécies peuvent rétrécir de manière dramatique au lavage, surtout si elles sont en coton ou en rayonne. Les teinturiers disposent de tendeurs qui contribueront à éliminer ce problème.

Le tissu peut également se déformer ou devenir extrêmement rigide durant le processus de nettoyage. Cela dépendra de la fibre, de la trame et de la conception de vos rideaux. De plus, certaines draperies possèdent un revêtement protecteur qui ne résiste pas toujours au nettoyage à sec.

Discutez avec votre teinturier *avant* de faire nettoyer vos draperies. Examinez-les ensemble. Exprimez clairement vos attentes et ne lui cachez pas l'âge de vos draperies. Sinon… vous serez fichu !

Couvre-lits et édredons : Plusieurs couvre-lits et édredons doivent être nettoyés à sec ou lavés par un professionnel. Vérifiez l'étiquette d'entretien avant d'acheter un article afin de savoir ce qui est recommandé. Il est préférable de confier l'entretien des pièces sur mesure et des couettes à un professionnel.

Assurez-vous d'inclure toutes les pièces de l'ensemble lorsque vous faites nettoyer un couvre-lit ou un édredon. De cette façon, les couleurs demeureront uniformes.

Tissus d'ameublement et housses : Les tissus d'ameublement sont généralement nettoyés sur place par des nettoyeurs professionnels, souvent spécialisés dans le nettoyage des carpettes. Ces professionnels sauront maintenir la couleur de vos tissus d'ameublement afin qu'ils demeurent assortis aux autres meubles.

Mais pourquoi les housses de nos coussins sont-elles munies de fermetures à glissière si nous ne pouvons pas les enlever, les nettoyer à sec ou les laver? Elles sont là pour permettre le remplacement de la mousse, et non pour le nettoyage à la maison. Une fois que vous avez enlevé les housses, il est presque impossible de les remettre en place en respectant l'emplacement des coutures. Vous voulez un conseil? N'enlevez et ne lavez jamais vous-même les housses de vos coussins.

Si vous comptez enlever les housses de vos coussins pour les faire nettoyer à sec ou pour les faire laver par un professionnel, vous devez savoir si elles ont été prérétrécies et quel est leur facteur de rétrécissement. Renseignez-vous au moment de l'achat.

Je vous conseille de faire appel à des professionnels pour l'entretien de vos housses. Ils s'assureront que les machines utilisées seront de taille adéquate, que les articles ne seront pas entassés et qu'ils ne feront pas de plis. Ils ont de plus accès à des appareils de pressage qui leur permettront de faire de légères retouches.

Tissus anciens : Ils ont une valeur inestimable. Ils appartenaient à votre mère, votre grand-mère ou votre tante préférée. Vous les adorez, vous les chérissez, mais à présent ils sont sales.

Les édredons, les draps et les tissus anciens nécessitent beaucoup de soins. Comme tous les teinturiers ne sont pas équipés pour nettoyer ce genre d'articles, vous devrez peut-être faire quelques recherches avant de les faire nettoyer. D'entrée de jeu, expliquez à votre teinturier que cet article est très ancien et qu'il vous tient à cœur. Un nettoyage approprié, effectué par un professionnel minutieux, peut fort bien redonner vie à un objet vieilli et décoloré.

Le bouche à oreille est encore le meilleur moyen de dénicher un bon teinturier. N'hésitez pas à en parler à votre entourage. Et renseignez-vous sur la politique du teinturier en ce qui a trait aux articles endommagés.

Prolongez la vie de vos tissus

- *Gardez toujours à l'esprit que les tissus tissés serré sont plus durables que les autres.*

- *Tenez compte de l'exposition au soleil lorsque vous choisissez un tissu. Si vous devez habiller une fenêtre ensoleillée, recherchez des rideaux en acrylique, en polyester ou en fibres de verre.*

- *Lisez immédiatement les étiquettes d'entretien. Si vous n'aimez pas vous tracasser avec des instructions multiples, choisissez un autre article.*

- *Faites alterner les rideaux qui habillent des fenêtres de même grandeur pour varier leur exposition à la lumière.*

- *Assurez-vous que votre teinturier sait ce que recommande l'étiquette d'entretien de vos articles.*

- *Un nettoyage régulier peut prolonger la vie de tous les tissus. Nettoyez vos articles de maison selon un horaire régulier.*

Que la lumière soit : nettoyer les abat-jour

Abat-jour recouverts de tissu : À mon avis, la façon la plus simple de nettoyer les abat-jour consiste à les placer dans la baignoire ! Assurez-vous qu'il y a suffisamment d'eau froide dans la baignoire pour rouler l'abat-jour sur le côté. Ajoutez un peu de savon ou de détersif doux. Agitez doucement l'abat-jour dans ce mélange d'eau et de savon. Enlevez l'eau savonneuse et rincez l'abat-jour en utilisant la même méthode — assurez-vous que l'eau est froide. Secouez doucement l'abat-jour pour éliminer le surplus d'eau et laissez-le sécher à la verticale. Ce mode de séchage convient particulièrement bien aux parties épaisses et côtelées, qui prennent plus de temps à sécher.

Abat-jour en papier et abat-jour confectionnés avec de la colle : Comme vous ne pouvez pas les nettoyer avec de l'eau, vous avez de meilleures chances d'obtenir de bons résultats en utilisant la brosse à poussière de votre aspirateur. Vous pouvez également acheter une éponge à sec dans une quincaillerie ou un centre de rénovation. Ces éponges ressemblent à de grosses gommes à effacer pouvant être utilisées sans eau. Elles sont très efficaces, en autant que l'abat-jour n'est pas extrêmement sale. Vous pouvez également utiliser ces grosses gommes pour nettoyer les abat-jour lavables.

Assurez-vous que l'éponge à sec est utilisée sans eau et sur un objet sec. Vous pouvez laver l'éponge, mais vérifiez si elle est bien sèche avant de l'utiliser.

Les linges en microfibre Act Natural™ sont également très efficaces. Mouillez le linge (mais très peu) et essuyez la surface de l'abat-jour. Vous éliminerez ainsi la poussière et les cheveux sans abîmer votre abat-jour.

Abat-jour en parchemin : Époussetez régulièrement ces abat-jour à l'aide d'un linge ou de l'aspirateur. Vous pouvez aussi utiliser une éponge à sec pour les nettoyer. Même une tranche de pain blanc — sans la croûte — fera l'affaire ! Frottez la tranche de pain sur l'abat-jour, de préférence à l'extérieur, et vous verrez toute la saleté tomber sur le sol avec la mie de pain.

Abat-jour en plastique : Lavez ces abat-jour avec de l'eau chaude et du savon doux. Faites-les sécher, puis redonnez-leur du lustre en les vaporisant d'un peu de poli à meubles.

Marques de roussi : Malheureusement, il est impossible de faire partir les marques de roussi sur les abat-jour. Le matériel a été affaibli par la chaleur et les dommages sont permanents. Faites attention lorsque vous choisissez vos ampoules ; les marques de roussi sont généralement causées par des ampoules trop volumineuses pour l'abat-jour.

Question :
Combien faut-il de reines pour changer une ampoule ?
Réponse :
Il n'y a qu'une seule reine.

Le bois d'aujourd'hui, l'héritage de demain

L'achat d'un mobilier en bois représente un gros investissement pour une maisonnée. Bien entretenu, il durera et conservera son apparence pendant des années, et deviendra éventuellement une antiquité pour vos petits-enfants et vos arrière-petits-enfants. Voici quelques conseils pour donner à vos meubles une belle apparence, quelques trucs pour résoudre les problèmes qui peuvent survenir et une recette pour fabriquer vous-même votre propre poli à meubles.

Fabriquer votre propre poli à meubles

Vous pouvez facilement fabriquer vous-même différents polis à meubles très efficaces. En règle générale, on doit appliquer les polis faits maison avec un chiffon doux, puis astiquer les meubles avec un autre chiffon, lui aussi doux et propre.

Mélangez 60 ml de vinaigre blanc et 250 ml d'huile d'olive dans un récipient. Agitez bien avant chaque utilisation.

Mélangez 250 ml d'huile minérale et trois gouttes d'extrait de citron. Agitez bien avant chaque utilisation.

Râpez environ 60 g de cire d'abeille (disponible en pharmacie) dans une jarre et recouvrez-la de 150 g de térébenthine naturelle. Agitez jusqu'à ce que le mélange se dissolve ou placez la jarre dans un bol rempli d'eau chaude. Appliquez sur les meubles à l'aide d'un chiffon doux (une petite quantité suffira) et astiquez avec un chiffon doux et propre. Si à la longue le mélange se solidifie, placez-le dans un bol rempli d'eau chaude. Cette formule est particulièrement efficace sur les meubles non vernis.

Pour dissimuler les égratignures sur des meubles en bois, utilisez un crayon de la même couleur que le bois. Appliquez sur la région abîmée, faites chauffer à l'aide d'un séchoir à cheveux et polissez avec un chiffon doux pour faire pénétrer le crayon dans l'égratignure.

Pour les bois plus foncés, frottez la chair d'une pacane ou d'une noix sur l'égratignure, puis polissez.

Pour dissimuler les égratignures sur du bois d'acajou ou de cerisier, utilisez de la teinture d'iode.

Cernes blancs, marques d'eau et de chaleur

Appliquez de la mayonnaise sur les marques et laissez reposer toute la nuit. Le lendemain matin, essuyez la mayonnaise et les marques auront disparu. Vous pouvez aussi utiliser de la gelée de pétrole, du beurre ou de la margarine. Si vous êtes aux prises avec une tache récalcitrante, mélangez de la cendre de cigarette ou du tripoli pour polissage (disponible dans les quincailleries) avec de la mayonnaise et répétez le procédé mentionné précédemment.

Vous pouvez aussi enlever les cernes blancs causés par l'eau avec de la pâte dentifrice blanche (sauf si elle est en gel). Tamponnez un peu de pâte dentifrice sur un chiffon humide et massez doucement le cerne en effectuant un mouvement de rotation jusqu'à ce qu'il disparaisse. Essuyez et astiquez avec un linge propre. Appliquez du poli à meubles si nécessaire.

Enlever les vieux polis et les saletés

Placez deux sachets de thé dans une casserole avec un litre d'eau et amenez à ébullition. Laissez refroidir à la température de la pièce. Trempez un chiffon doux dans la solution, essorez-le pour qu'il reste humide et utilisez-le pour nettoyer vos meubles. Astiquez avec un chiffon doux et sec, puis jugez s'il est nécessaire de polir.

Restaurer des meubles desséchés

Tamponnez un peu de gelée de pétrole sur un chiffon doux et polissez afin de nourrir et restaurer le bois desséché. Vous serez étonné de voir apparaître le grain et le lustre naturel du bois.

Nettoyer des meubles en bois extrêmement sales

Mélangez un litre d'eau chaude et trois ou quatre gouttes de liquide à vaisselle. Lavez les meubles avec un chiffon doux humide, rincez et astiquez.

Enlever des autocollants sur du bois

Pour enlever une étiquette de prix, une étiquette d'identification ou un décalque sur du bois, arrachez l'autocollant, puis trempez un linge humide dans de l'huile végétale ou de l'huile pour bébé et frottez doucement la région touchée jusqu'à ce que l'autocollant et l'adhésif aient disparu. Terminez en polissant à l'aide d'un chiffon doux.

Apprivoiser les moutons de poussière

Il n'y a pas de tâches plus ingrates que l'époussetage. Peu importe le nombre de fois que nous époussetons, nous devons toujours recommencer encore et encore. Voici ce que vous pouvez faire pour faciliter et accélérer votre travail.

Confectionner son propre linge à épousseter

On retrouve sur le marché de nombreux produits destinés à l'époussetage, mais vous pouvez facilement confectionner votre propre linge à épousseter pour seulement quelques sous. Voici comment :

Utilisez votre produit nettoyant préféré et remplissez un seau d'eau chaude et mousseuse. Ajoutez un peu de térébenthine. Plongez-y quelques linges à épousseter en coton (propres), brassez jusqu'à ce qu'ils soient saturés et laissez-les tremper entre huit et dix heures (je les laisse habituellement tremper toute la nuit). Ensuite, essorez-les et laissez-les sécher à l'air libre. Ils seront prêts à être utilisés dès qu'ils seront secs.

Mélangez 500 ml d'eau chaude et 250 ml d'huile de citron. Trempez des linges sans peluches dans la solution. Essorez-les fortement et laissez-les sécher à l'air libre. Conservez-les dans une boîte en métal possédant un couvercle — un vieux contenant à café fera très bien l'affaire.

Plumeau en laine d'agneau

Pour épousseter les endroits difficiles d'accès et surélevés, utilisez un bon plumeau en laine d'agneau. N'utilisez pas un plumeau auquel sont fixées des plumes ; cela ne fait que disperser la poussière. Un plumeau en laine d'agneau attire la poussière, se lave facilement et peut durer des années. Vous les trouvez là où l'on vend des produits d'entretien, dans les centres de rénovation, dans différents catalogues de vente par correspondance et sur les sites Internet où l'on vend des produits nettoyants.

Utilisez de la fécule de maïs pour enlever les surplus de cire et effacer les marques de doigts sur les meubles en bois. Saupoudrez un peu de fécule et polissez à l'aide d'un chiffon doux.

Repousse-poussière

Pour éloigner la poussière des stores, du réfrigérateur et des tables en verre, mélangez une part d'assouplissant textile liquide et quatre parts d'eau. Vaporisez ou appliquez à l'aide d'un chiffon doux et séchez avec un linge. Cette solution repoussera la poussière.

Au pied du mur — nettoyez-les comme les pros

Vous pouvez laver vos murs sans difficulté si vous possédez le bon équipement et si vous vous y prenez de la bonne façon. Voici quelques trucs qui vous permettront de détecter les taches, d'enlever les marques et de nettoyer vos murs sans problème.

Avoir les bons produits

Lorsque vous êtes prêt à nettoyer vos murs, assurez-vous d'avoir sous la main des produits qui feront le travail vite et bien. Afin d'accélérer le processus, rassemblez-les avant de commencer et éloignez les meubles qui se trouvent près des murs. Travaillez comme les professionnels. Voici la liste des choses que vous devriez avoir :

Deux seaux
Une éponge naturelle (et non une horrible éponge en nylon)
Du bicarbonate de soude et un chiffon doux
Une gomme à effacer d'artiste

Des toiles de protection
Une échelle
Les ingrédients pour former la solution nettoyante de votre choix
Deux bandes de tissu-éponge et deux élastiques en caoutchouc

Utilisez une toile de protection dans la pièce que vous souhaitez nettoyer, ce qui vous permettra de sauver du temps et bien des dégâts. Il est préférable d'utiliser une toile de protection en tissu plutôt qu'en plastique; elle absorbe mieux et vous ne risquez pas de glisser dessus lorsqu'elle est mouillée. Avant de commencer à laver, enroulez autour de votre poignet une bande de tissu-éponge ou d'essuie-tout et fixez-la avec des élastiques. Cela empêchera l'eau de dégouliner le long de vos bras lorsque vous serez obligé de les lever au-dessus de votre tête.

Enlever les marques

La première chose que vous devriez essayer de faire est d'effacer les marques sur le mur. Pour ce faire, utilisez une gomme à effacer d'artiste qui ne servira qu'à cela pour faire disparaître les marques. Cette méthode fonctionne pour de nombreux types de marques. Si les taches sont tenaces, utilisez un peu de bicarbonate de soude sur un chiffon blanc et frottez doucement, uniquement sur la marque. La pâte dentifrice (sauf si elle est en gel) est aussi un bon nettoyant; utilisez-la sur un linge ou sur le bout de vos doigts.

Les marques de crayon

Si vous avez des enfants, il y a probablement des marques de crayon sur vos murs. Pour les enlever facilement, vaporisez du lubrifiant WD-40™ et essuyez les marques de crayon avec une serviette en papier. Utilisez ensuite un chiffon doux et une solution composée d'eau chaude et d'un peu de liquide à vaisselle; frottez en effectuant des mouvements circulaires.

Les marques d'encre et de feutre

Pour enlever les marques d'encre et de crayon-feutre, utilisez de la laque pour les cheveux (la moins chère fera l'affaire) ou frottez avec un linge imbibé d'alcool. Pour les taches vraiment tenaces, utilisez de l'alcool dénaturé (disponible dans les quincailleries). Allez-y prudemment ; ne frottez que les taches.

D'excellentes solutions nettoyantes

Essayez l'une de ces solutions nettoyantes :

Pour obtenir des résultats vraiment professionnels, rincez les murs à l'eau claire après les avoir lavés avec l'une ou l'autre de ces solutions. Si vous préférez ne pas les rincer, assurez-vous de renouveler votre solution nettoyante à mesure qu'elle se salit.

• 4 l d'eau chaude, 125 ml d'ammoniaque, 60 ml de vinaigre blanc et 60 ml de cristaux de soude.

• 4 l d'eau chaude, 250 ml d'ammoniaque et 15 ml de liquide à vaisselle doux.

Où commencer

Vos murs ne portent plus de marques, vos toiles de protection sont en place, vous avez enveloppé vos poignets et votre solution nettoyante est prête. À présent, mouillez votre éponge naturelle (disponible dans les magasins spécialisés, les centres de rénovation et les quincailleries). Ne lésinez pas en utilisant une éponge en nylon ou un chiffon ; cela laisserait des traces et prendrait deux fois plus de temps. Une éponge naturelle possède des milliers de « points de contact ». Elle fera donc le travail rapidement, facilement et comme il se doit. Lavez les murs en commençant par le bas, puis remontez vers le haut. Terminez toujours par le plafond. Les traces d'eau s'essuient beaucoup plus facilement lorsque le mur est propre et ne laisseront pas de traînées comme elles le feraient normalement sur un mur sale.

N'arrêtez pas !

Lorsque vous commencez à laver un mur, ne vous arrêtez pas au beau milieu. Complétez tout le mur ou le plafond avant de faire une pause. Si vous vous arrêtez au milieu d'un mur ou d'un plafond, il se formera des marques à l'endroit où vous vous serez arrêté.

Garder les murs propres

Vous pouvez facilement fabriquer votre propre outil d'entretien pour épousseter les murs entre deux nettoyages. Fixez un linge à épousseter propre autour de votre balai et utilisez-le pour épousseter le plafond de temps en temps et pour enlever la poussière qui se dépose sur les murs. Secouez le balai de temps à autre pendant que vous époussetez.

Taches de graisse sur du papier peint

Faites une pâte avec de la fécule de maïs et de l'eau, et appliquez-la sur la tache de graisse. Laissez sécher, puis brossez ou utilisez l'aspirateur.

Déposez deux épaisseurs de papier brun (les sacs d'épicerie font très bien l'affaire, mais n'utilisez pas les parties avec du lettrage), puis appuyez sur la tache de graisse avec un fer chaud. Cela demandera peut-être beaucoup d'efforts. Cette méthode fonctionne également avec les traces de cire. Appliquez ensuite un peu de laque pour les cheveux ou de l'alcool.

Frottez légèrement avec un tampon d'acier savonneux sec. Allez-y très délicatement. Vous pouvez aussi essayer de frotter avec du bicarbonate de soude et un linge humide. Sur le papier peint en vinyle, utilisez un produit d'entretien pour l'argenterie.

Traces, marques et taches mystérieuses sur le papier peint

Faites disparaître les taches avec une gomme à effacer d'artiste.

Pour enlever les marques sur le papier peint non lavable, frottez une tranche de pain blanc sec sur les marques. Frottez très doucement. Vous devrez peut-être répéter ce procédé à plusieurs reprises avant de faire quelques progrès.

Laver le papier peint

Lavez les papiers peints en vinyle et lavables avec l'une des solutions présentées dans ce chapitre.

Laver les recouvrements muraux textiles

Pour nettoyer les recouvrements muraux textiles, utilisez un aspirateur muni d'une brosse à épousseter souple. Époussetez-les régulièrement et ils conserveront leur belle apparence.

Panneaux en bois

Nettoyez les panneaux en bois en suivant les suggestions présentées dans le chapitre sur les planchers en bois.

12

Avoir le nez fin — le contrôle des odeurs

J'ai remarqué que la plupart des gens associent la propreté à certaines odeurs. Nous voulons que tout respire la propreté. Voici donc quelques idées qui ragaillardiront votre nez.

Les produits

Pour ceux qui recherchent un produit infaillible qui éliminera toutes les odeurs, je leur recommande fortement le produit ODORZOUT®. Ce produit cent pour cent naturel fait disparaître la plupart des odeurs instantanément — comme les odeurs d'urine, de moisissures, de fumée de cigarette, de mouffette, de peinture et virtuellement toutes les odeurs existantes. Ce mélange de zéolites naturelles ne contient aucun parfum et ne représente aucun danger pour les enfants et les animaux domestiques. Vous pouvez même l'utiliser dans la caisse du chat. Lors de mes tests, aucune odeur n'a résisté à ce produit. Pour plus d'information ou pour commander ce produit, appelez au 800-88STINK ou visitez leur site Internet : www.88stink.com.

Aliments brûlés

Faites bouillir quelques quartiers de citron dans un peu d'eau pour éliminer les odeurs d'aliments brûlés.

Aliments frits

Cette méthode fonctionne pour toutes les odeurs de friture. La prochaine fois que vous ferez frire du poisson, n'oubliez pas de l'essayer. Placez un petit bol rempli de vinaigre blanc près de la cuisinière lorsque vous faites de la friture. Les odeurs disparaîtront comme par magie.

Réfrigérateur

Pour désodoriser le réfrigérateur et absorber les odeurs, laissez un bol rempli de litière à base d'argile ou de charbon de bois sur l'une des clayettes. Ce petit truc est particulièrement efficace lorsqu'on doit débrancher le réfrigérateur ou le déménager. Soyez sûr de toujours laisser la porte partiellement entrouverte afin de permettre à l'air de circuler. Versez ensuite un peu de litière ou de charbon de bois dans un bas de nylon en prenant soin de bien fermer l'ouverture. Placez-le dans le réfrigérateur pour éliminer les odeurs déplaisantes. Pour les odeurs fortes, il n'y a rien de mieux qu'un peu de café frais moulu. Laissez un bol rempli de café dans le réfrigérateur jusqu'à ce que les odeurs aient disparu. Ce procédé est très efficace si on ajoute de la litière pour chats ou du charbon de bois.

Voiture

Si vous fumez dans la voiture, versez un peu de bicarbonate de soude dans le fond du cendrier pour absorber les odeurs. N'oubliez pas de le vider fréquemment. En plaçant des feuilles d'assouplissant textile sous les sièges de la voiture, vous maîtriserez l'odeur de la fumée de cigarette. Pour les odeurs de moisi, versez de la litière pour chats dans un bas de nylon, attachez l'ouverture et placez-en quelques-uns sous les sièges ou dans le coffre arrière.

Coffres en bois, commodes et caisses

Souvent, les vieilles commodes et les vieux coffres en bois sentent le renfermé ou le moisi. Pour éliminer ces odeurs, prenez une tranche de pain blanc (oui, il doit être blanc), placez-la dans un bol et recouvrez-la de vinaigre blanc. Placez le bol à l'intérieur du meuble, fermez le coffre ou le tiroir et laissez reposer au moins vingt-quatre heures. Si l'odeur persiste, répétez ce processus. Si la commode sent toujours le moisi, laquez ou vernissez l'intérieur des tiroirs; cela aura pour effet de sceller et d'éliminer les odeurs.

L'essence de wintergreen est un merveilleux désodorisant, disponible dans la plupart des magasins d'aliments naturels. Versez-en quelques gouttes sur des boules de coton et cachez-les un peu partout dans la maison, dans vos pots de fleurs, vos objets décoratifs, etc.

Fabriquez votre propre rafraîchisseur d'air

Dans un contenant de 4 l, mélangez 250 ml de bicarbonate de soude, 60 ml d'ammoniaque et 15 ml de parfum (servez-vous de votre imagination — n'importe quel extrait ou essence fera l'affaire).

Ajoutez lentement 4 l d'eau chaude, placez une étiquette et entreposez le récipient. Pour vous en servir, versez la solution dans un vaporisateur et, après l'avoir bien agitée, vaporisez au besoin.

Odeurs et lessive

Les mauvaises odeurs posent parfois de gros problèmes de lessive. De nombreux produits parfumés prétendent éliminer les odeurs et donner aux vêtements un parfum de fraîcheur. Toutefois, si je me fie à ma propre expérience, la plupart de ces produits ne font que masquer les odeurs. Je ne sais pas ce que vous en pensez, mais je préfère ne pas avoir de vêtements sentant la transpiration et le lilas.

Le fait d'ajouter du vinaigre blanc lors du rinçage final éliminera certaines odeurs. Mais pour les odeurs tenaces, comme celles de la cigarette, de l'urine, des animaux domestiques, de l'ail, de l'essence, etc., vous aurez besoin d'un produit beaucoup plus costaud. Je vous recommande chaudement le produit ODORZOUT™, un produit cent pour cent naturel, non parfumé. Il ne masque pas les odeurs. En fait, il les absorbe! Et les personnes souffrant d'asthme ou d'allergies peuvent l'utiliser sans crainte!

Si vous souhaitez l'utiliser à sec, vaporisez directement sur les vêtements qui ont une odeur désagréable, et laissez reposer quelques heures. Vous pouvez traiter les odeurs fortes, comme les odeurs d'essence, pendant plusieurs jours sans risquer d'endommager le tissu. Assurez-vous simplement que l'air puisse circuler librement — ce produit ne fonctionnera pas s'il est utilisé dans un espace clos.

Si vous souhaitez l'utiliser sur des vêtements mouillés, remplissez la machine à laver et ajoutez une à deux cuillères à thé (5 à 10 ml) d'ODORZOUT™. Laissez remuer pendant quelques minutes, puis ajoutez vos vêtements et votre détersif, et lavez comme d'habitude.

Essayez également les pochettes ODORZOUT™. Vous pouvez les placer dans vos souliers pour éliminer les odeurs, ainsi que dans vos placards et vos tiroirs pour tenir les mauvaises odeurs à distance. Je les trouve extrêmement pratiques.

Le produit Twenty Mule Team Borax Laundry Additive™ est un autre excellent désodorisant tout usage pour la lessive. Ajoutez-en lorsque vous devez laver une brassée malodorante. Suivez simplement les instructions sur la boîte. Ce produit est sans danger pour les tissus lavables.

N'oubliez pas, si un vêtement empeste, il est préférable de le traiter immédiatement, avant que l'odeur n'imprègne d'autres articles.

Le coin des enfants

es enfants apportent tant de joie dans nos vies. Mais ces chers trésors mettent aussi à l'épreuve notre patience et notre talent pour le ménage. Si vous avez des enfants, petits ou grands, ou même des petits-enfants, vous devriez apprendre ce chapitre par cœur ou, du moins, savoir en tout temps où se trouve ce livre!

Les chaussures d'enfants

Pour faciliter le cirage des chaussures d'enfants, frottez-les avec une demi-pomme de terre crue ou avec de l'alcool à 90 degrés avant de les cirer. Après le cirage, vaporisez-les avec de la laque pour faire durer leur lustre. En appliquant un peu de vernis à ongles sur les endroits qui sont toujours éraflés, vous protégerez leurs chaussures contre l'usure.

Pour le bain

Placez quelques fines tranches de savon doux dans une petite chaussette et nouez l'ouverture, ou encore pratiquez une mince ouverture dans une petite éponge et insérez des morceaux de savon. De cette façon, le savon ne glissera pas hors des petites mains de votre enfant (ou des vôtres lorsque vous le lavez).

Pour donner le bain aux tout-petits en toute sécurité, placez une corbeille à linge en plastique dans le fond de la baignoire et assoyez-y l'enfant. Voilà une façon sûre de donner le bain. Mais n'oubliez pas : ne laissez jamais un enfant seul dans une baignoire.

Les épingles à couches

Si vous utilisez des couches de coton, vous connaissez le drame des épingles émoussées. Gardez les épingles dans un endroit sûr où vous pourrez facilement les atteindre et piquez-les dans une barre de savon pour vous assurer qu'elles transperceront facilement le tissu.

Nettoyer rapidement après les repas

À l'heure des repas, placez une nappe en plastique sous la chaise haute de votre bébé pour éviter les dégâts. Le nettoyage se fera en un rien de temps et vous pourrez même laver la nappe dans la laveuse avec de vieilles serviettes, du détergent et de l'eau chaude. Suspendez tout simplement la nappe pour la faire sécher. Voilà un excellent truc, surtout si votre tout-petit va manger chez sa grand-mère !

Chère Reine de la propreté,
Mes deux petits jumeaux ont des taches d'onguent à base d'oxyde de zinc sur leurs vêtements. Est-il possible de les faire partir sans abîmer les vêtements ?
— Une mère de jumeaux de Topeka

Chère mère,
Pour les taches d'oxyde de zinc, utilisez de l'eau chaude et du détersif, en frottant le tissu contre lui-même pour faire partir l'huile. Faites ensuite tremper les vêtements dans du vinaigre blanc pendant 30 minutes, puis lavez-les comme d'habitude. Les vêtements de vos jumeaux redeviendront comme neufs... doublement neufs !

Nettoyer des animaux en peluche

Saupoudrez une bonne quantité de bicarbonate de soude ou de fécule de maïs en faisant bien pénétrer avec vos doigts. Enroulez les jouets dans des serviettes ou placez-les dans un sac plastique, puis laissez reposer toute la nuit. Le lendemain matin, sortez les jouets du sac et brossez-les à fond. Il est préférable de les brosser à l'extérieur pour minimiser les dégâts.

Formule contre les taches

Appliquez du jus de citron non dilué sur les vêtements blancs et exposez-les au soleil.

Pour les vêtements de couleur, faites une pâte avec de l'attendrisseur à viande non assaisonné et de l'eau froide ou un produit nettoyant à base d'enzymes (disponible dans les épiceries dans le rayon des détergents pour la lessive). Appliquez et laissez reposer au moins trente minutes avant de les laver. Les frotter avec une barre de savon Fels-Naptha® vous facilitera également la tâche.

Nettoyer les culottes d'entraînement

Pour obtenir des culottes d'entraînement blanches et sans odeur, faites-les tremper dans une solution composée de 30 ml de borax (disponible dans le rayon des détergents pour la lessive de votre épicerie) et 4 l d'eau chaude. Laissez-les tremper pendant une heure avant de les laver.

Le saviez-vous?

Le lave-vaisselle est encore le meilleur endroit pour nettoyer les jouets à mâchouiller. Placez-les dans le panier du haut et lavez-les avec la vaisselle. Cette méthode fonctionne également avec les hochets!

Du chewing-gum ou de la pâte à modeler dans les cheveux

Frottez le chewing-gum avec du cold-cream ou de la gelée de pétrole, puis utilisez une serviette éponge pour enlever le tout. Une fois cette opération complétée, procédez à deux shampooings.

Le bon vieux beurre d'arachide peut également faire l'affaire. Massez le beurre d'arachide et le chewing-gum entre vos doigts jusqu'à ce qu'il se ramollisse et se détache. À l'aide de cubes de glace, que vous aurez placés dans un sac plastique, faites durcir le chewing-gum avant de l'enlever.

Traces de crayons sur les murs

Vaporisez du lubrifiant WD-40™, puis essuyez avec une serviette en papier. Lavez avec de l'eau chaude et du liquide à vaisselle, en faisant des mouvements circulaires. Rincez à fond.

Traces de crayons sur du tissu

Placez la surface tachée sur un tampon fait de serviettes en papier et vaporisez du WD-40™, laissez reposer quelques minutes, puis retournez et vaporisez l'autre côté.

Laissez à nouveau reposer pendant quelques minutes. Versez un peu de liquide à vaisselle et faites-le pénétrer dans le tissu, en prenant soin de remplacer les serviettes en papier à mesure qu'elles absorbent la tache. Lavez le vêtement en utilisant l'eau la plus chaude possible (selon le type de tissu) et un détergent pour la lessive ou une eau de Javel qui convient à tous les types de tissu.

Taches d'aquarelle sur du tissu

Brossez et rincez afin d'enlever le plus d'aquarelle possible de la surface à nettoyer. Appliquez un produit à récurer doux avec une éponge humide et frottez en faisant des mouvements circulaires, en partant du centre vers l'extérieur. Rincez et laissez sécher. Si la tache est encore visible, appliquez du dissolvant pour vernis à ongles sur une boule de coton, épongez la tache et rincez. Répétez si nécessaire.

Taches d'aquarelle sur le tapis

Appliquez de l'alcool à 90 degrés à l'aide d'une éponge et épongez doucement la région à nettoyer. Retournez l'éponge à mesure qu'elle absorbe la tache. Répétez jusqu'à ce qu'il n'y ait plus rien à absorber, puis utilisez une éponge humide et un produit à récurer doux pour enlever ce qui reste de la tache. Rincez le tapis à fond.

Marques de crayons-feutres sur les appareils ménagers, le bois et le plastique

Frottez toutes les taches avec une éponge humide. S'il reste des traces de marqueurs, appliquez un produit à récurer doux à l'aide d'une éponge humide en faisant des mouvements circulaires, puis rincez. Si la tache est toujours là, frottez avec une boule de coton saturée de dissolvant pour vernis à ongles, puis rincez. Cette méthode fonctionne sur les lambris, les bois peints, les tuiles et les planchers en vinyle sans cirage.

Traces de marqueurs sur le tapis

À l'aide d'une éponge, que vous aurez trempée dans l'alcool à 90 degrés, frottez les traces de marqueurs en faisant des mouvements circulaires. Changez d'éponge au besoin. Appliquez ensuite un bon détachant à tapis, comme le détachant instantané Spot Shot®, en suivant les instructions.

Traces de marqueurs sur des vêtements

Rincez la tache à l'eau froide jusqu'à ce qu'il ne reste plus aucune trace de couleur. Placez le vêtement sur des serviettes en papier et saturez-le d'alcool à 90 degrés; servez-vous d'une boule de coton ou d'un petit chiffon pour éponger la tache. Remplacez les serviettes en papier aussi souvent que cela sera nécessaire pour éviter de tacher à nouveau votre vêtement. Traitez la tache avec de la mousse provenant d'une barre de savon Fels-Naphta®, puis lavez le vêtement comme d'habitude.

Traces de craie sur des surfaces dures

Pour enlever les traces de craie blanche ou de couleur sur la maçonnerie, les surfaces peintes, les planchers en vinyle, les tuiles, le plastique et le verre, brossez et rincez afin d'éliminer le plus de craie possible. Faites disparaître les taches restantes avec une éponge ou un chiffon humide que vous aurez trempé dans un produit à récurer doux. Rincez bien la surface.

De la craie sur le tapis

Passez l'aspirateur à fond, en utilisant un accessoire qui concentrera la succion sur la craie. Si la tache est toujours là, utilisez un bon détachant à tapis.

Craie de couleur sur du tissu

Placez la pièce de tissu touchée sur un tampon fait de serviettes en papier et épongez la tache avec de l'alcool à 90 degrés. Faites pénétrer dans le tissu de la mousse provenant d'une barre de savon Fels-Naphta® et lavez-le comme d'habitude.

De la colle sur du tapis ou du tissu

Pour les colles à base d'eau, comme la colle d'écolier Elmer's™, pliez une serviette en papier afin qu'elle recouvre la tache et saturez-la d'eau chaude. Laissez reposer environ quarante-cinq minutes, le temps que la colle ramollisse. Frottez ensuite la tache avec un linge humide en faisant des mouvements circulaires. Répétez ce procédé jusqu'à ce qu'il ne reste plus de colle. Utilisez ensuite un bon détachant à tapis.

Pâte à modeler et produits similaires sur du tapis ou du tissu

Grattez tout ce que vous pourrez à l'aide d'un couteau, en utilisant le côté de la lame qui ne coupe pas. Vaporisez du lubrifiant WD-40™ et laissez reposer entre dix et quinze minutes, puis grattez à nouveau. Répétez si nécessaire, en n'oubliant pas d'essuyer avec un vieux chiffon. Une fois que vous aurez enlevé tous les résidus, appliquez de l'alcool à 90 degrés sur la tache et épongez, épongez, et épongez encore. Répétez si nécessaire.

Sur les surfaces dures, vaporisez du lubrifiant WD-40™ et essuyez avec une serviette en papier ou un vieux chiffon. Faites partir les taches tenaces avec un linge saturé d'alcool à 90 degrés. Lavez la surface avec un mélange de liquide à vaisselle et d'eau chaude, en faisant des mouvements circulaires. Rincez à grande eau.

Taches d'encre et de crayons-feutres sur les jouets en plastique et les poupées

Il est très difficile d'enlever les taches d'encre et de crayons-feutres sur les surfaces en plastique. Appliquez d'abord de l'alcool à 90 degrés avec une boule de coton. Laissez reposer pendant quinze minutes, puis frottez. Pour vous faciliter les choses, appliquez de la pression à l'aide d'un tampon en coton imbibé d'alcool. Vous pouvez aussi essayer de frotter les taches avec un produit pour les cuticules et un chiffon doux. Appliquez le produit pour les cuticules, attendez dix minutes, puis frottez doucement avec un chiffon.

Vos animaux domestiques ont-ils transformé votre maison en basse-cour

Vos animaux domestiques se sont oubliés dans la maison? Vous aviez engagé quelqu'un pour veiller sur eux pendant votre absence, mais le chat n'a pas utilisé sa caisse et le chien n'est pas sorti à l'extérieur? Savez-vous quoi faire si le chat régurgite une boule de poils sur le tapis ou si le chien n'a pas digéré votre spaghetti? Les secours arrivent! Vous trouverez ici toute l'information dont vous aurez besoin pour nettoyer ces petits accidents et les prévenir.

Les odeurs

L'élimination des odeurs provoquées par l'urine et les fèces est l'un des principaux problèmes auxquels vous devrez faire face. Face à pareil dilemme, les taches ne sont qu'une petite partie du problème. Si vous ne désodorisez pas complètement le lieu où votre animal s'est oublié, il y retournera et le salira à nouveau, surtout s'il s'agit d'un chat.

Les odeurs d'animaux sont reliées à une protéine; c'est pourquoi elles ne peuvent pas être éliminées au moyen de procédés normaux. Pour faire disparaître les odeurs, vous devrez utiliser un produit à base d'enzymes qui digéreront la protéine, comme celle que l'on retrouve dans l'urine. Puisque les animaux utilisent principalement leur odorat, si vous n'utilisez pas un procédé de nettoyage approprié, ils reconnaîtront l'odeur et récidiveront.

On peut acheter des produits à base d'enzymes dans les animaleries, les cliniques vétérinaires et les magasins spécialisés dans les produits d'entretien. Plusieurs produits à base d'enzymes sont disponibles sur le marché. Deux produits que j'apprécie tout particulièrement sont disponibles à travers tous les États-Unis. Il s'agit de Outright Pet Odor Eliminator®, fabriqués par Bramton Company, et Nature's Miracle®.

J'ai utilisé ces deux produits et je considère qu'ils sont tous les deux très efficaces. J'ai un faible pour Outright®, car j'ai eu beaucoup de succès pendant quinze ans avec ce produit, non seulement dans le cadre de mon ancien emploi, mais aussi chez moi (grâce à Zak, mon chat du Bengale de huit kilos).

N'allez pas croire qu'il suffit de vaporiser un désodorisant pour que l'odeur disparaisse comme par magie : c'est tout bonnement impossible. Pour éviter de perdre votre temps et votre argent sur un produit qui ne fonctionne pas, suivez ces quelques règles de base pour éliminer les odeurs.

Premièrement : enlevez et épongez

Vous devez enlever tous les résidus solides et éponger tout le liquide en utilisant un tampon épais, des serviettes en papier ou un vieux chiffon jetable. Étendez le tampon sur le tapis et appuyez dessus avec votre pied pour absorber le plus de liquide possible.

Deuxième étape : le traitement

À présent, vous êtes prêt à traiter la tache avec le produit à base d'enzymes de votre choix. Lisez attentivement les instructions sur le produit et suivez-les à la lettre. N'ayez pas peur de saturer votre tapis. Généralement, ce genre de dégât pénètre à travers le tapis jusqu'au sous-tapis ; pour que le traitement à base d'enzymes fonctionne, vous devrez donc le faire pénétrer aussi profondément. N'ayez crainte, l'eau n'endommagera pas votre tapis : un tapis est trempé dans l'eau à plusieurs reprises lorsqu'on le teint. Si vous ne faites pas pénétrer les enzymes assez profondément, vous n'éliminerez pas l'odeur. Cette étape est la plus importante ; assurez-vous donc de saturer toute la région touchée et de bien recouvrir toute la circonférence de la tache. Rappelez-vous, l'urine pénètre profondément dans le tapis et se répand.

Le secret

Recouvrez la région touchée avec un sac à ordures en plastique ou un sac pour le nettoyage à sec. S'il y a du lettrage sur le sac, veillez à ce qu'il ne touche pas le tapis, sinon il s'imprimera dessus. Placez ensuite un objet lourd sur le sac — il faut empêcher les enzymes de sécher avant qu'ils n'aient digéré la protéine que l'on retrouve dans l'urine et les fèces. Laissez le sac en plastique en place pendant au moins quarante-huit heures —résistez à la tentation, n'y touchez pas!

Troisième étape

Découvrez la région traitée et laissez-la sécher complètement. Le séchage peut prendre jusqu'à une semaine, voire dix jours, selon que vous ayez fait pénétrer le produit plus ou moins profondément. Pour accélérer le processus, placez un ventilateur afin qu'il souffle sur la région touchée.

Quatrième étape

Une fois que la région est complètement sèche (et seulement à ce moment-là), vérifiez si l'odeur est toujours présente. Si vous percevez encore une odeur, recommencez le traitement indiqué précédemment. Si l'odeur a disparu, nettoyez votre tapis avec un bon produit nettoyant spécialement conçu pour ce genre de taches. Comme vous le savez, j'aime beaucoup le détachant à tapis instantané Spot Shot®. Je l'utilise depuis des années; son action est rapide et efficace et il ne laissera pas de résidus sur votre tapis qui pourraient encourager votre animal à y revenir.

Si vous avez des animaux domestiques, ayez toujours sous la main un produit nettoyant à base d'enzymes et un détachant à tapis en cas d'urgence.

Pas de panique si vous n'avez pas de produit à base d'enzyme ou de détachant!

Il y a de l'espoir même si vous n'avez pas de produit à base d'enzymes sous la main. Premièrement, épongez autant que possible tout le liquide et enlevez tous les résidus solides. Si vous avez de l'eau gazéifiée, versez-en et épongez en appuyant avec votre pied sur des serviettes en papier ou sur de vieux chiffons (si vous n'avez pas d'eau gazéifiée, utilisez de l'eau froide). Répétez cette opération pour absorber le plus d'urine possible, puis mélangez du vinaigre blanc et de l'eau (80 ml de vinaigre et un litre d'eau fraîche) dans un vaporisateur et vaporisez sur la tache pour faire disparaître l'odeur. Rincez à l'eau claire et épongez. Rendez-vous ensuite le plus tôt possible dans un magasin et achetez un produit à base d'enzymes et un détachant. Utilisez-les en suivant les instructions mentionnées précédemment.

Oh là là! Le tapis a changé de couleur!

Les taches d'urine peuvent altérer la couleur de votre tapis; il peut pâlir ou blanchir. La plupart du temps, on se rend compte du problème la première fois qu'on nettoie le tapis après l'incident. Ce genre de problème survient plus fréquemment lorsque la tache n'est pas traitée de façon appropriée. Si cela se produit, essayez d'éponger la région avec une solution douce à base d'ammoniaque. Si le tapis ne retrouve pas tout à fait sa couleur originale, la tache sera cependant moins visible.

Petits dégâts sur un meuble

Si l'un de vos animaux domestiques s'oublie sur un meuble et salit votre tissu d'ameublement, assurez-vous d'abord que le tissu puisse être nettoyé et traité avec de l'eau. Vérifiez le code de nettoyage qui apparaît sur la plate-forme du sofa ou sous les coussins du siège (on le retrouve habituellement sur une étiquette). La lettre W signifie que le tissu peut être nettoyé avec de l'eau; vous pouvez donc utiliser la méthode décrite à la page 51*. Nettoyez la région touchée en utilisant un bon détachant spécialement conçu pour le tissu d'ameublement. Le code S signifie qu'il faut utiliser un solvant pour le nettoyer et qu'il vaut mieux faire appel à un professionnel. N'appliquez aucun produit à base d'enzymes ou détachant; appelez un professionnel. Dans ces circonstances, il faudra sans doute remplacer la mousse à l'intérieur du coussin une fois le nettoyage complété.

Enlever les poils

L'aspirateur ne réussit pas toujours à enlever tous les poils sur le tissu d'ameublement. Si c'est le cas, essayez l'une des méthodes suivantes :

• Mouillez une éponge et utilisez-la pour enlever les poils sur le meuble; rincez l'éponge de temps en temps.

• Enlevez les poils avec vos mains en portant des gants en caoutchouc.

• Enroulez du ruban gommé autour de vos mains; renouvelez le ruban gommé si nécessaire.

• Essuyez à l'aide d'une éponge pour le corps humide.

• Utilisez une feuille d'assouplissant textile usagée.

Si votre petit animal a uriné sur un matelas, traitez la tache en suivant les instructions présentées aux pages 83* et 84*, en prenant soin toutefois de recouvrir la tache d'un sac en plastique après l'application du produit à base d'enzymes et de placer le matelas sur le côté pour en accélérer le séchage. Dans la mesure du possible, laissez agir les enzymes pendant douze heures. Retirez ensuite le sac en plastique et saupoudrez un peu de borax sur la région touchée. Laissez sécher complètement, puis passez l'aspirateur à fond. Si nécessaire, terminez l'opération en utilisant un détachant à tapis de bonne qualité.

Quand le chat régurgite une boule de poils ou que le chien ne digère pas votre spaghetti

Si vous avez des animaux à la maison, vous savez ce que c'est lorsque votre chat ou votre chien souffre d'indigestion. Vous entendez les premiers signaux, vous vous précipitez pour éloigner le chat ou le chien du tapis (on dirait qu'ils aiment bien laisser leurs petits «cadeaux» à cet endroit), mais vous arrivez trop tard et vous vous retrouvez avec un dégât sur les bras.

Premièrement, résistez à la tentation d'essuyer les vomissures. S'il y a des résidus solides que vous pouvez enlever avec une serviette en papier, enlevez-les en prenant soin de ne pas les faire pénétrer dans le tapis. Si vous essayez de tout essuyer immédiatement, vous aggraverez votre problème. Saupoudrez plutôt une épaisse couche de bicarbonate de soude sur la région touchée et laissez sécher. Le bicarbonate de soude absorbera l'humidité et les acides gastriques. Une fois la région sèche, enlevez tout ce que vous pouvez en vous servant de serviettes en papier ou de l'aspirateur. Après avoir retiré tous les résidus qui se seront détachés, passez l'aspirateur à fond pour enlever tout le bicarbonate de soude. À ce moment-là, et seulement à ce moment-là, servez-vous d'un chiffon et d'un produit nettoyant. Utilisez votre détachant à tapis préféré en suivant attentivement les instructions. Rappelez-vous qu'il faut éponger plutôt que frotter.

Si vous constatez une décoloration à la suite du nettoyage, appliquez du jus de citron non dilué ou du peroxyde d'hydrogène (disponible en pharmacie). Laissez reposer pendant quinze minutes, puis épongez. Si la tache est toujours visible, procédez à une nouvelle application, mais assurez-vous que le tapis ne change pas de couleur. Si un traitement plus énergique est nécessaire, mélangez du jus de citron et de la crème de tartre pour en faire une pâte légère. Appliquez sur la tache, laissez sécher, puis passez l'aspirateur. Dès que vous avez terminé l'un de ces procédés, rincez le tapis à l'eau froide.

Pour éviter que votre chat ne détruise vos plantes

Pour éviter que votre chat n'aille creuser dans vos pots de fleurs, placez à fleur de terre une boule de coton imbibée d'essence de girofle.

Si votre chat mange vos plantes d'intérieur, vous devriez essayer un excellent produit appelé Bitter Apple. Vaporisé sur les feuilles, il n'endommage pas les plantes et ne représente aucun danger pour votre chat. Son goût amer le convaincra immédiatement de ne plus mâcher vos plantes. Informez-vous dans une animalerie près de chez vous.

« Pour que votre petit animal supporte plus facilement les chaudes journées d'été, ajoutez quelques glaçons dans son bol d'eau. »

Si votre animal fait une mauvaise rencontre...

Si votre animal fait la connaissance d'une mouffette, lavez-le avec du Massengill™, en mélangeant le produit directement dans la boîte. Lavez-le à l'extérieur et ne rincez pas. Pour éviter toute irritation, appliquez un peu de gelée de pétrole autour des yeux.

Une situation délicate...

Il n'est pas nécessaire d'avoir recours à des produits coûteux pour faire partir le chewing-gum entremêlé dans les poils de votre animal. Croyez-le ou non, mais le beurre d'arachide est très efficace, tout comme la gelée de pétrole et le « cold-cream ». Massez le beurre d'arachide et le chewing-gum entre vos doigts jusqu'à ce qu'il se ramollisse et se détache. À l'aide de cubes de glace, que vous aurez placés dans un sac en plastique, faites durcir le chewing-gum avant de l'enlever. Il se peut que votre chien n'apprécie pas tellement les cubes de glace... c'est pourquoi je vous conseille plutôt d'utiliser de la gelée de pétrole et du « cold-cream ». Appliquez le « cold-cream » sur le chewing-gum et frottez. Puis utilisez un chiffon turc pour tirer sur les poils et retirer la gelée de pétrole. Continuez jusqu'à ce qu'il n'en reste plus, puis donnez-lui un double shampoing.

Pour chasser les puces, saupoudrez du sel dans les fentes de la niche.

15

Des marbres impeccables – sans remuer ciel et terre

B ien que le dessus des plans de travail dans la cuisine et dans la salle de bain soit habituellement en marbre synthétique, celui que l'on retrouve dans la salle de séjour et qui entre dans la composition des meubles est en général authentique. Utilisez un produit scellant pour la pierre et essuyez rapidement toute éclaboussure, car le marbre se tache très rapidement et absorbe l'humidité. De plus, le marbre se raye facilement s'il y a du gravillon sur le plancher. N'ayez pas de trop grandes espérances si vous achetez un plancher ou des meubles en marbre véritable. Vous ne parviendrez probablement pas à maintenir le lustre que vous admirez dans la salle d'exposition et il est impossible d'éviter toutes les égratignures.

Nettoyez régulièrement le marbre en commençant par l'épousseter, puis en le lavant à l'aide d'un chiffon doux et d'une solution composée d'eau chaude et de savon doux. Évitez de mettre trop d'eau ; utilisez plutôt un linge humide ou une éponge et assurez-vous qu'ils sont toujours propres. Il est préférable de rincer le marbre et de l'essuyer aussitôt avec un chiffon doux. N'utilisez jamais de produits acides, comme du vinaigre ou du jus de citron ; ils laisseraient des traces sur le marbre. Il faut également éviter les tampons à récurer et les produits nettoyants à base de dissolvant.

Tandis que vous nettoyez, si vous tombez sur des éclaboussures qui résistent à votre solution nettoyante, saupoudrez-les de borax Twenty Mule Team®

ou de levure chimique et frottez-les avec un linge ou une éponge humide. Vous pouvez également utiliser un produit polissant commercial disponible dans les quincailleries et les centres de rénovation.

Lorsque vous nettoyez du marbre, utilisez un séchoir à cheveux pour faire ouvrir les pores de la pierre et faciliter l'élimination de la tache.

On peut nettoyer le marbre dans la cuisine et la salle de bain avec 85 ml d'assouplissant textile liquide et 170 ml d'eau. Nettoyez à fond, puis polissez avec un chiffon doux.

Si vous souhaitez nettoyer et restaurer un marbre ancien, il existe une recette à l'ancienne qui circule depuis de nombreuses années. Elle est efficace sur les surfaces très sales et contre les taches tenaces :

Coupez en morceaux trois ou quatre pains de savon de marque Ivory et faites-les dissoudre dans l'eau chaude jusqu'à ce que vous obteniez un sirop d'apparence gélatineux (vous pouvez aussi râper les pains de savon si vous le désirez). Appliquez ce mélange sur le marbre et laissez reposer pendant environ une semaine. Si le sirop commence à sécher, ajoutez simplement un peu d'eau chaude au mélange ou remettez plus de solution. Lorsque la semaine est écoulée, rincez à quelques reprises la solution à base de savon Ivory et faites sécher à l'aide d'un chiffon doux.

Taches de graisse

Elles sont souvent circulaires et plus foncées vers le centre. Lavez la surface avec de l'ammoniaque, rincez à grande eau, puis répétez l'opération — OU recouvrez la surface avec une pâte faite de peroxyde d'hydrogène (20 %) et de blanc de plomb (disponible là

Pour restaurer le lustre de votre marbre, frottez avec un linge que vous aurez préalablement humecté de térébenthine.

où l'on vend de la peinture). Assurez-vous que la pâte reste humide en recouvrant le tout avec une pellicule plastique et du ruban gommé. Au bout de quinze minutes, rincez en prenant soin d'éviter les moulures en bois. Répétez si nécessaire. Polissez et astiquez.

Rouille

Frottez avec un linge rêche ou mélangez un liquide commercial contre la rouille et du blanc de plomb et suivez les mêmes instructions que pour les taches de graisse. Après avoir enlevé la pâte, frottez le marbre avec un linge sec. Cette méthode permet également de faire disparaître les taches de thé et de café.

Eau

Un verre oublié sur une surface en marbre laissera un cerne. Appliquez à l'aide d'un compte-gouttes du peroxyde d'hydrogène, puis ajoutez quelques gouttes d'ammoniaque. Attendez trente minutes, puis lavez la surface avec une serviette en papier, rincez et laissez sécher.

Appliquez une pâte faite de bicarbonate de soude et d'eau sur la roue de polissage de votre perceuse électrique. Il vaut mieux laisser un professionnel s'occuper des grandes surfaces.

Vin

S'il s'agit d'une tache de vin blanc, saturez la surface de peroxyde d'oxygène. Laissez reposer environ quinze minutes, puis rincez et séchez. Pour les taches de vin rouge, utilisez le produit Wine Away red Wine Stain Remover™ en suivant les instructions sur l'emballage.

Taches mystérieuses

Il m'arrive souvent de découvrir des taches dont j'ignore l'origine. Pour enlever une tache d'origine inconnue, essayez du peroxyde d'hydrogène mélangé avec de la crème de tartre. Pour les taches tenaces, appliquez d'abord de la pâte dentifrice blanche et frottez avec un chiffon doux, puis suivez la méthode du peroxyde et de la crème de tartre présentée précédemment.

16

Les invités s'en viennent !

Tout ranger en quelques minutes

J'ai reçu de nombreuses lettres de gens désirant savoir comment ranger une maison en désordre en quelques minutes. Nous sommes tous très occupés de nos jours, mais nous souhaitons néanmoins prendre le temps de nous divertir, de nous détendre à la maison et de nous amuser entre amis, que ce soit en leur offrant un délicieux repas maison ou une double pizza extra fromage ! Mais nous courons souvent d'un endroit à l'autre et manquons de temps pour ranger la maison avant l'arrivée de nos invités. Alors que faire ?

Tout d'abord, rappelez-vous qu'il ne sert à rien de paniquer. Votre maison n'a pas à être parfaite ; il suffit simplement qu'elle soit accueillante. Je vous l'accorde : un petit camion jouet et une paire de chaussures sales dans le vestibule ne favorisent pas exactement un accueil chaleureux. Mais il est possible de prendre les choses en main sans faire trop de chichi.

La première chose que je vous suggère est de faire bouillir un peu d'eau dans laquelle vous ajouterez un peu de cannelle. À présent, ne vous en faites pas ; tout cela est très simple. Je ne tiens pas à vous donner de soucis supplémentaires ! Et je ne vais pas vous suggérer de confectionner des cartes marquant la place de vos convives à table à l'aide de noix de pin ou de je ne sais quoi mais, si vous ajoutez un peu de cannelle dans une casserole contenant de l'eau bouillante et que vous laissez mijoter le tout, votre maison se remplira d'un merveilleux parfum rappelant les chaumières du sud des États-Unis. Ce parfum vous détendra et votre maison n'en sera que plus accueillante pour vos invités. Vous verrez, c'est facile. Cela fait tout en dedans !

Une fois que l'eau s'est mise à frémir, empoignez la corbeille à linge sale et passez de chambre en chambre pour ramasser tous les articles qui ne sont pas à leur place. (Si vos enfants souffrent d'« échappite aiguë » — une invention de mon cru —, vous aurez alors beaucoup de ramassage à faire.) Ramassez les jouets, les baladeurs, les jeux vidéo et les vestes, placez-les dans la corbeille

> Vos enfants souffrent-ils d'échappite aiguë ? Vous savez, ils échappent quelque chose par-ci, puis quelque chose par-là…

à linge sale et rangez la corbeille dans un endroit où elle ne gênera personne. Terminé.

Fermez ensuite la porte de toutes les chambres de vos enfants. Un autre problème de réglé !

Finalement, allez dans la salle de bain qu'utiliseront vos invités. Prenez un linge humide — je vous recommande les linges en microfibre ACT Natural® de Euronet USA — et essuyez toutes les surfaces : éviers, miroirs, robinets… Et presto !

À présent, mettez un peu de musique, tamisez les lumières et détendez-vous. Profitez de la compagnie de vos invités et de votre soirée à la maison.

Une aventure d'un soir…

Êtes-vous le genre de personne qui, après avoir dit au revoir à des connaissances, ajoute invariablement : « Et passez nous voir lorsque vous viendrez en ville. Il nous fera plaisir de vous accueillir pour la nuit » ? Il est l'heure de payer ce petit ajout car, devinez quoi, elles sont là !

Si vous attendez des visiteurs, vous souhaiterez sûrement que tout soit à son meilleur dans la maison, et en particulier la pièce où ils dormiront. Examinez cette pièce comme si vous étiez un invité ou, mieux encore, passez la nuit dans cette chambre pour voir comment on s'y sent.

Premièrement, le lit doit être le plus confortable possible. Cela veut dire le meilleur matelas que vous puissiez vous offrir et un bon surmatelas pour ajouter un peu de confort et de protection. Si vos matelas sont recouverts d'une housse à fermeture à glissière en plastique et d'un bon surmatelas en coton, vous n'aurez aucun doute quant à leur propreté. Laissez simplement les housses sur les matelas lorsque vous les rangerez.

Des draps fraîchement lavés et un choix d'oreillers sont une excellente façon de souhaiter la bienvenue à vos invités. Offrez des oreillers supplémentaires aux invités qui aiment lire au lit. Lorsque je lave les draps après le départ des invités, je m'assure qu'ils sont en bon état et qu'ils sont secs, puis je les range dans une vieille taie d'oreiller pour qu'ils demeurent frais, propres et prêts à être utilisés sans qu'il soit nécessaire de les relaver. En recouvrant vos oreillers d'une housse protectrice munie d'une fermeture à glissière, vous les garderez propres et désinfectés. Lavez les housses en même temps que les draps, puis replacez-les sur les oreillers.

Faites le lit en utilisant des draps assortis à la saison et assurez-vous que vos invités ont facilement accès à des couvertures et à des édredons supplémentaires, si jamais ils en ont besoin.

Faites savoir à vos amis qu'ils sont les bienvenus en vous assurant qu'ils auront tout l'espace dont ils pourraient avoir besoin dans la penderie, même si vous devez pour cela entreposer ailleurs certains de vos vêtements. Mettez plusieurs cintres à leur disposition et assurez-vous que certains d'entre eux sont adaptés pour le support des pantalons, des jupes, etc. Le fait d'ajouter quelques copeaux de cèdre parfumés est une attention toujours appréciée.

Vous avez une longueur d'avance si vous disposez d'une salle de bain réservée pour les invités. Lorsque je reçois à la maison, je prépare toujours un joli panier contenant les bouteilles de shampoing, de revitalisant et de rince-bouche que j'ai accumulées au cours de mes

Si vous avez entreposé plusieurs oreillers sur l'étagère de votre penderie, attachez-les ensemble avec un ruban comme s'il s'agissait d'un paquet-cadeau. Ils seront ainsi plus stables et vous risquerez moins de les voir tomber chaque fois que vous ouvrirez la porte de la penderie.

voyages et de mes séjours à l'hôtel. J'ajoute quelques brosses à dents bon marché, un minitube de pâte dentifrice, du déodorant, du fixatif, de la crème à mains, une trousse de couture, des rasoirs jetables et tout autre article dont mes invités pourraient avoir besoin. Assurez-vous que vous avez suffisamment de serviettes propres et de crochets afin qu'ils puissent y accrocher leur robe de chambre pendant qu'ils prennent leur douche. Il serait également gentil d'ajouter du savon et du gel de douche pour vos invités. Si vous avez de l'espace, vous leur ferez plaisir en leur réservant une étagère ou un endroit où ils pourront déposer leurs accessoires de toilette.

Si la salle de bain familiale est également utilisée par vos invités, tout ce que je viens de dire tient toujours. Si vous pouvez vider un de vos espaces de rangement pour permettre à vos invités d'y placer leurs accessoires de toilette et leur réserver un endroit où accrocher leurs serviettes, tout le monde se sentira beaucoup plus à l'aise. Il est également préférable, pour calmer les esprits inquiets, d'avoir une porte munie d'un bon verrou.

> Trouvez une façon inhabituelle de présenter les serviettes. Vous pouvez par exemple les rouler et les glisser dans un porte-bouteilles décoratif que vous suspendrez sur le mur ou que vous déposerez sur le sol ou la table de toilette.

Les chambres d'amis sont parfois utilisées comme espace de rangement ou débarras. Si cela est le cas chez vous, vos amis se sentiront beaucoup plus à l'aise si vous ramassez quelques-uns de vos effets personnels. Qui voudrait passer la nuit dans une chambre qui ressemble à une consigne publique? Enlevez dans la mesure du possible tout ce qui encombre le dessus des meubles et rangez tout cela dans un panier à linge de rechange ou dans une boîte vide. Il n'est toutefois pas nécessaire de vider complètement la pièce. Les photos de famille sont les bienvenues, de même que les bibelots et les souvenirs personnels. Si vous souhaitez vraiment faire figure d'hôte sans pareil, vous devez absolument vous procurer un joli bouquet de fleurs fraîches. Une fois que cela est fait, vous pouvez souffler. Vos amis sont venus vous rendre visite — et non inspecter le papier peint. Détendez-vous. Amusez-vous. Et n'oubliez pas… la prochaine fois, ce sera à votre tour de leur rendre visite!

Partie 2

L'ANNÉE
QUI VIENT

Qu'entendez-vous
par « propre » ?

Je m'occupe de nettoyage depuis fort longtemps et, pourtant, je suis toujours étonnée de voir le nombre de gens qui ne savent pas ce qu'ils doivent nettoyer et quand ils doivent le faire. Il semble que, pour certaines personnes, le mot nettoyage soit un vilain mot. Elles veulent savoir quand nettoyer ceci ou quand ranger cela — comme si elles avaient un important examen à la fin du semestre. Mais la vie n'est pas ainsi faite. Parfois, on gagne. Parfois, on perd. Votre maison est quelquefois propre et quelquefois… mais laissons cela pour l'instant, voulez-vous ?

Je ne suis pas partisane de suivre les règles et les plans de quelqu'un d'autre. Pour ma part, je planifie selon mes besoins et je n'ai qu'une seule règle : SI CE N'EST PAS SALE, JE NE NETTOIE PAS. Nous sommes tous très occupés et nous avons tous mieux à faire que nettoyer la maison. Personne, à part certains militaires, ne porte de gants blancs de nos jours ; alors, inutile de s'en faire avec le test des gants blancs. Néanmoins, qui accepterait de vivre dans une maison sale ou mal tenue ? Vous conviendrez qu'il est pour le moins difficile de se détendre lorsque des moutons de poussière jouent au rodéo dans les coins de la salle de séjour.

Alors, assoyez-vous et réfléchissez un instant. Qu'entendez-vous par « propre » ? Jusqu'à quel point voulez-vous planifier vos tâches ménagères ? Êtes-vous le genre de personne qui meurt d'envie de ranger les magazines dans la salle d'attente du dentiste, celle vers qui l'on accourt lorsqu'on renverse une boisson gazeuse sur le clavier de l'ordinateur ? Ou êtes-vous plutôt le genre de personne qui range la vaisselle sale dans le four ou qui fait la lessive lorsqu'elle n'a plus rien à se mettre sur le dos ?

Vous n'aurez probablement pas à y réfléchir bien longtemps. Au fond, vous savez qui vous êtes. Vous connaissez votre zone de confort et votre mode de vie. Je soupçonne que, malgré certaines tendances naturelles, la plupart d'entre nous volettent d'un groupe à l'autre. À certains moments, nous avons l'impression que tout est en ordre et sous contrôle et, à d'autres moments, nous nageons en plein chaos. Je ne cherche pas à vous faire changer de groupe, à vous convertir ou à vous faire la leçon. Je voudrais simplement que vous soyez à l'aise, que vous fassiez ce qu'il faut pour le devenir et le rester.

C'est ici que mon livre intervient. J'ai d'abord dressé une liste des tâches ménagères quotidiennes et incontournables (comme laver la vaisselle) et des tâches peu courantes qu'on néglige trop souvent de faire, comme retourner les matelas et vider les gouttières. Je vous encourage fortement à dresser votre propre liste. Certaines personnes, par exemple, préfèrent changer de draps toutes les semaines, alors que d'autres s'accommodent de les laver toutes les deux semaines. N'oubliez pas qu'un bon plan doit être flexible et réaliste. Gardez cela à l'esprit et vous ne pourrez pas vous tromper.

En écrivant ce livre, je voulais d'abord vous aider à établir une routine qui vous convienne. Et quoi d'autre encore ? Vous divertir, bien sûr ! Chaque mois possède ses propres caractéristiques. Février, par exemple, est le mois des factures de chauffage élevées, mais c'est aussi le mois de la Saint-Valentin et de l'amour, autrement dit des fleurs, du champagne et des chocolats (pour commencer…). Je vous confierai donc quelle est la meilleure façon d'entretenir vos fleurs, comment conserver les bulles dans le champagne, et ce qu'il faut faire si vous tachez vos draps ou vos meubles avec du chocolat. (Oh, ne me dites pas que vous ne mangez jamais de chocolat au lit !) Au mois d'avril, je vous expliquerai comment colorer les œufs de Pâques de façon naturelle et amusante, et comment vous préparer pour la saison des allergies. Le chapitre sur le mois d'octobre contient des suggestions pour l'Halloween, et celui sur le mois de décembre, vous l'aurez deviné, des conseils qui vous permettront de terminer l'année en beauté.

Mais ce n'est pas tout. J'ai aussi décidé d'inclure (à la demande générale) quelques recettes de cuisine, ainsi que les recommandations de mon partenaire à quatre pattes : Zack, le chat du palais. Bien qu'il ait déjà collaboré à mes deux précédents ouvrages (essentiellement en s'assoyant sur les manuscrits), Zack souhaitait cette fois-ci s'impliquer davantage ; alors, veuillez jeter aussi un coup d'œil à la chronique du chat. Vous y trouverez des suggestions formulées d'un point de vue félin et vous découvrirez que, derrière chaque femme qui réussit, il y a généralement un chat de grand talent.

Ce livre n'est pas un guide comme les autres. Mais, évidemment, je ne suis pas non plus une Reine comme les autres !

Il était temps

Tâches quotidiennes

Personnellement, je fais tous les jours deux choses : embrasser le Roi et donner à manger au chat. Je fais le lit presque tous les jours (c'est si agréable de rentrer à la maison lorsque le lit a déjà été fait) et j'essaie de laver la vaisselle le plus souvent possible, mais il m'arrive d'être trop occupée ou distraite pour accomplir même ces tâches les plus simples. Nous sommes tous très occupés et nous avons tous trop de travail. C'est pourquoi cette liste des corvées quotidiennes ne sera pas bien longue. Si chaque jour vous vous acquittez de ces quelques tâches, tout ira comme sur des roulettes. Sautez un jour… eh bien, la vaisselle sale sera encore là le lendemain !

* Faire les lits.
* Mettre le linge sale dans le panier.
* Suspendre les vêtements.
* Nettoyer les éclaboussures.
* Laver la vaisselle.
* Essuyer le plan de travail et le dessus de la cuisinière.

Deux fois par semaine

Cette liste est remarquablement succincte — une seule tâche :

✳ Passer l'aspirateur sur les tapis !

On vous pardonnera de ne passer l'aspirateur qu'une fois par semaine (la période de gesta-tion des moutons de poussière étant d'environ six jours) mais, en vous y astreignant deux fois par semaine, vous empêcherez la poussière de s'infiltrer dans les fibres de vos tapis, ce qui aura pour effet de pro-longer leur durée de vie.

> « **Les oiseaux matinaux ont tous les vers qu'ils veuillent. Je préfère me lever tard et manger un muffin.** »
> — **Shirley Lipner**

Tâches hebdomadaires

Les week-ends n'ont pas été inventés pour vous permettre de faire le ménage ; essayez donc de répartir ces tâches sur toute la semaine si vous le pouvez.

✳ Balayer les planchers de bois.

✳ Épousseter les meubles.

✳ Épousseter les bibelots.

✳ Faire la lessive.

✳ Changer les draps.

✳ Nettoyer l'évier.

✳ Nettoyer la douche et la baignoire.

✳ Nettoyer les toilettes.

✳ Nettoyer les miroirs de la salle de bain.

✳ Vider et sortir les poubelles. (Nettoyer la poubelle s'il y a des odeurs persistantes.)

✳ Balayer le porche, le patio et les paillassons.

Toutes les deux semaines

✳ Passer l'aspirateur dans les escaliers.

✳ Épousseter la télévision, le magnétoscope, la chaîne hi-fi, etc.

Tâches mensuelles

✳ Remplacer le sac de l'aspirateur.

✳ Passer l'aspirateur sur les tissus d'ameublement.

✳ Nettoyer les brosses et les éponges pour le maquillage.

✳ Nettoyer les brosses à cheveux et les peignes.

✳ Passer l'aspirateur sur les rideaux.

✳ Nettoyer les miroirs.

✳ Épousseter ou passer l'aspirateur sur les stores et les volets.

✳ Épousseter le ventilateur de plafond.

✳ Épousseter les boiseries et enlever les toiles d'araignée.

✳ Laver les tapis dans la cuisine et la salle de bain.

✳ Passer l'aspirateur sur les bords des tapis.

✳ Vérifier l'état des parquets et cirer les régions très passantes si cela se révèle nécessaire.

✳ Nettoyer le réfrigérateur.

✳ Enlever les taches sur le devant des armoires de cuisine.

✳ Nettoyer le devant de la cuisinière, du réfrigérateur, du lave-vaisselle, etc.

✳ Vérifier le filtre de la chaudière : le changer ou le nettoyer au besoin.

✳ Nettoyer les paillassons avec un jet d'eau.

✳ Balayer le garage.

Tâches trimestrielles

* Balayer ou nettoyer l'allée et la voie d'accès.

* Changer ou nettoyer le filtre de la chaudière.

* Essuyer les ampoules électriques tout en époussetant (assurez-vous qu'elles sont froides).

* Examiner les bibelots et les laver ou les nettoyer à fond si un simple époussetage ne suffit pas.

* Retourner les coussins du canapé et des fauteuils pour favoriser une usure régulière.

* Nettoyer l'humidificateur et le déshumidificateur.

Deux fois par année

* Ceci est indispensable : nettoyer le four.

* Nettoyer la hotte et/ou le système de ventilation de la cuisinière.

* Vérifier le contenu du congélateur et jeter les produits qui ne sont plus frais.

* Nettoyer le congélateur.

* Retourner les matelas.

* Laver les meubles en plastique, en vinyle ou en cuir.

* Nettoyer les carpettes.

* Épousseter les livres, en n'oubliant pas les étagères sous les livres.

* Passer l'aspirateur dans les registres d'air chaud et les conduits de retour d'air froid.

* Passer l'aspirateur sous les meubles.

* Vérifier l'argenterie et la nettoyer si c'est nécessaire.

✳ Remplacer la petit boîte de bicarbonate de soude dans le réfrigérateur.

✳ Épousseter tous les objets que vous avez négligés au cours de l'année.

✳ Laver les couvre-lits et les housses.

✳ Nettoyer vos penderies lorsque vous renouvelez votre garde-robe.

Tâches annuelles

✳ Laver les couvertures et les édredons.

✳ Épousseter les murs.

✳ Laver les murs (tous les deux ans).

✳ Enlever la vieille cire et cirer tous les planchers.

✳ Laver toutes les fenêtres et les moustiquaires.

✳ Laver ou nettoyer à sec tous les rideaux.

✳ Déplacer et nettoyer derrière et sous les gros meubles.

✳ Laver les stores.

✳ Nettoyer les tapis et les tissus d'ameublement.

✳ Nettoyer tous les secteurs que vous avez négligés au cours de l'année.

✳ Faire vérifier et nettoyer le climatiseur.

✳ Faire vérifier et nettoyer la chaudière.

✳ Trier les médicaments dans l'armoire à pharmacie ; nettoyer et ranger celle-ci. Jeter les médicaments périmés.

✳ Nettoyer les armoires de cuisine, les laver et les ranger.

✳ Remplacer les piles des détecteurs de fumée et des autres dispositifs de sécurité.

✳ Vérifier l'état des piles dans vos lampes de poche.

✳ Nettoyer les gouttières.

* Laver toutes les fenêtres à l'extérieur.

* Si vous avez une cheminée, la faire ramoner.

Voilà, vous avez à présent en main votre liste de vérification annuelle. Pour découvrir maintes choses amusantes, lisez la suite!

« Il y a toujours place à l'amélioration. Et dans notre maison, ce n'est pas la place qui manque. »
— Louise Heat Leber

18

Janvier

oici venir le mois de janvier, le temps des bonnes intentions et des
recommencements. Nous avons pris de nouvelles résolutions et, avec un
peu de chance, nous avons récupéré après les excès du temps des fêtes.
Autrement dit, nous sommes prêts à repartir à neuf. Mais tout d'abord, nous
devons mettre de l'ordre dans la maison : il faut ranger les décorations et l'arbre de Noël, les lumières et tout ce papier d'emballage acheté à moitié prix —
cela semblait pourtant une si bonne idée sur le moment… Mais allons, au travail ! En commençant immédiatement, nous aurons peut-être le temps de nous
revoir lors de l'événement du Super Bowl !

À bas les décorations

Décorer peut s'avérer très amusant, surtout lorsque nous voyons poindre les
vacances de Noël. Mais en comparaison, les jours qui suivent ces temps de
réjouissances nous réservent, quant à eux, bien peu de surprises — à moins,
bien sûr, que vous ne fassiez référence à cette tache mystérieuse sur le tapis
du vestibule. Pour venir à bout du nettoyage du temps des fêtes, inspirez et

expirez profondément, remontez vos manches et mettez-vous au travail. Plus tôt vous commencerez, plus tôt vous finirez. N'est-ce pas ce que nous souhaitons tous?

Les lumières

Si vous arrachez simplement les ensembles de lumières de l'arbre de Noël et de la maison pour les jeter pêle-mêle dans une boîte, vous vous le reprocherez l'année suivante lorsque vous les retrouverez entortillés, emmêlés ou défectueux. Enroulez-les plutôt autour d'un rouleau de papier vide. Choisissez un grand rouleau — les rouleaux de papier d'emballage font très bien l'affaire — et faites une entaille à l'une des extrémités. Insérez l'un des bouts de votre jeu de lumières dans l'entaille et enroulez-le autour du rouleau. Lorsque vous serez arrivé à l'autre extrémité, pratiquez une nouvelle entaille pour maintenir le jeu de lumières en place. Effectuez la même opération pour chaque jeu, en prenant soin de bien identifier chacun d'entre eux — lumières pour l'extérieur ou l'intérieur, pour l'arbre de Noël ou pour décorer la maison, etc. Assurez-vous de mettre de côté les lumières qui ne fonctionnent plus et identifiez-les, soit pour les faire réparer, soit pour les mettre au recyclage.

Vous pouvez enrouler sur eux-mêmes, comme un lasso de cow-boy, les jeux de lumières particulièrement longs ou qui ont de grosses ampoules. Les jeux de lumières fragiles, onéreux ou spéciaux peuvent être entreposés dans des contenants en plastique munis d'un couvercle. Les ampoules ne se briseront pas et vous pourrez les empiler sans les endommager.

Les arbres de Noël

Comme il vaut mieux être deux pour démonter l'arbre de Noël, demandez à quelqu'un de vous aider. L'idéal est de mettre l'arbre dans un sac; vous éviterez ainsi de répandre des aiguilles de sapin dans toute la maison. Achetez un sac assez large pour couvrir la base de l'arbre, et suffisamment profond pour envelopper celui-ci en entier. La première étape consiste à transvider le plus d'eau possible — une poire à jus fera l'affaire. Étendez ensuite une grande bâche, comme un rideau de douche en plastique, sur le sol. Vérifiez si tous les objets fragiles sont en lieu sûr, et faites attention de ne pas heurter les lampes du plafond. Desserrez le support et déposez doucement l'arbre sur la bâche imperméable, en prenant soin de ne pas répandre trop d'aiguilles ou de ne pas renverser l'eau qui reste dans le réservoir. (Rappelez-vous la première règle en matière de nettoyage : s'il n'y a pas de dégât, il n'y a rien à nettoyer!) Ne tirez pas sur le sac n'importe comment et ne donnez pas de petits coups. Allez-y doucement et déroulez graduellement le sac comme si vous enfiliez des collants. (Si vous avez déjà porté des collants, bien entendu…) Une fois l'arbre dans le sac, refermez ce dernier solidement et traînez-le vers l'extérieur. Vous pouvez, bien sûr, soulever l'arbre, mais vous risquez de l'échapper et d'endommager quelque chose.

Les arbres artificiels peuvent être entreposés entièrement assemblés dans des sacs spécialement conçus pour les arbres de Noël. Ouvrez simplement le sac, repliez les branches en suivant les indications (vous avez gardé le manuel d'instructions, n'est-ce pas?), placez délicatement l'arbre dans le sac et refermez la fermeture à glissière! Si vous n'avez pas suffisamment d'espace de rangement, vous serez peut-être obligé de le démonter et de le mettre dans une boîte. Si tel est le cas, assurez-vous d'identifier les branches, la base et la tige — à moins, bien sûr, que vous aimiez les casse-têtes.

Décorations

Premièrement, assurez-vous que les décorations ont été époussetées avant de les ranger. Si les feuilles d'assouplissant textile usagées font très bien l'affaire, vous devrez cependant en disposer d'une grande quantité. Époussetez les décorations avec une feuille, puis enveloppez-les de façon à ce que l'autre côté de la feuille soit en contact avec les décorations. Les feuilles protégeront vos décorations, et les résidus d'assouplissant textile élimineront l'électricité

Le saviez-vous?

On peut facilement nettoyer les chandelles décoratives à l'aide d'une boule de coton humectée d'alcool à 90 degrés.

statique — et par le fait même, la poussière — lorsque vous les accrocherez dans l'arbre l'année suivante! Une fois que vous les aurez enveloppées, placez-les doucement dans une boîte de rangement, telle une boîte à chaussures ou une quelconque boîte de carton. Ces grosses boîtes métalliques qui contiennent du pop-corn font aussi d'excellentes boîtes de rangement.

Peu importe le contenant utilisé, assurez-vous de ne pas le remplir au maximum ou de ne pas exercer une pression excessive sur le couvercle pour le refermer. Essayez autant que possible de ne pas utiliser de ruban adhésif. Le ruban adhésif risque d'endommager la boîte et, si vous entreposez vos boîtes dans le grenier, le ruban peut devenir collant et gluant durant les chaudes journées d'été. Pour éviter ce genre de gâchis, utilisez plutôt des cordons élastiques; ils maintiendront le couvercle fermement en place.

Encore une fois, assurez-vous d'identifier la boîte de rangement et d'entreposer séparément les décorations coûteuses ou qui ont une valeur sentimentale. Rangez les décorations de forme allongée et fragiles à l'intérieur de rouleaux de papier hygiénique vides et les plus petits articles dans des boîtes d'œufs en carton. Restaurez vos boules en soie qui s'effilochent en les vaporisant avec de la laque pour les cheveux ou de l'amidon en aérosol.

Papier d'emballage

Pour éviter d'en racheter inutilement l'année suivante, vérifiez toujours s'il vous reste des rouleaux de papier d'emballage à la maison! Soit vous placez le papier dans un endroit bien en vue, de façon à ne pas le manquer lorsque vous commencerez à décorer, soit vous prenez en note le nombre de rouleaux disponibles. Vous ne ferez pas beaucoup d'économies si vous en achetez en double!

Je range toujours mon papier d'emballage sous le lit. Les longues boîtes de rangement en plastique, conçues à cet effet, sont très pratiques; elles sont relativement peu chères et sont disponibles dans la plupart des solderies. Si vous n'avez pas de boîtes de rangement, placez vos rouleaux sur le sol et attachez-les ensemble avec un cordon ou un élastique. Pour les maintenir fermement en place, placez un cordon élastique à chaque extrémité. Évitez qu'ils ne se salissent durant l'entreposage en les plaçant dans un grand sac à ordures. Certaines personnes préfèrent ranger leur papier d'emballage et leurs rubans dans une vieille valise. L'idée est bonne, en autant que vous vous rappeliez dans quelle valise vous les avez placés. Vous ne voudriez pas vous retrouver aux Bahamas avec du papier d'emballage assorti d'une boucle rouge pour unique vêtement ! Comme je l'ai déjà mentionné, il est important de bien étiqueter les articles de Noël.

Je déteste lorsque cela se produit...

Vous venez d'apercevoir la boucle parfaite au fond du sac, mais malheur ! elle est tout aplatie ! Pas de problème. Pour redonner vie à vos boucles aplaties, placez-les dans la sécheuse pendant quelques minutes (sans chaleur, uniquement de l'air). Et à la vitesse de l'éclair elles retrouveront tout leur éclat !

Rubans et boucles

* Rangez les boucles préformées dans une boîte de rangement en plastique ou dans une boîte à chaussures pour éviter qu'elles ne se froissent. Si vous avez acheté un ensemble de boucles, sortez-les du sac et placez-les dans une boîte. Ces sacs sont toujours trop petits pour pouvoir les protéger ; c'est pourquoi la plupart de ces boucles deviennent aplaties ou tordues.

* Maintenez fermement en place vos rouleaux de papier en plaçant autour d'eux un élastique en caoutchouc ou un élastique pour les cheveux. Vous éviterez ainsi qu'ils se déroulent.

Pompons, bracelets et perles — en d'autres mots, objets hétéroclites !

* Les guirlandes sont habituellement trop volumineuses pour être enroulées autour d'un seul rouleau de papier ; attachez plutôt plusieurs rouleaux ensemble à l'aide d'un élastique et enroulez la guirlande autour de ces derniers. Assurez-vous d'enrouler la guirlande autour du rouleau comme une canne de Noël en sucre, d'une extrémité à l'autre, en la fixant dans les entailles que vous aurez pratiquées à chaque extrémité. Ne tirez jamais sur la guirlande de haut en bas ; vous risquez de l'étirer ou de la casser.

✴ Époussetez les fleurs en soie avec un séchoir à cheveux avant de les ranger (utilisez de l'air froid).

Conservez les boîtes de lingettes pour bébé. Elles sont très pratiques pour ranger les étiquettes et les bouts de ruban qui serviront à décorer vos cadeaux.

✴ Si vous rangez votre vaisselle de Noël dans des sacs plastique ou dans des sacs Ziplock™, vous n'aurez pas à la laver avant de l'utiliser l'année prochaine.

✴ Assurez-vous de laver vos nappes et vos serviettes de table de Noël avant de les ranger. Sinon, les taches s'oxyderaient pendant l'entreposage et il deviendrait alors difficile, voire impossible, de les faire partir.

✴ Rangez les personnages de la crèche avec soin. Emballez chaque personnage séparément dans du papier de soie ou dans une feuille d'assouplissant textile. Je vous déconseille les serviettes en papier, car leurs fibres s'accrochent aux bords rugueux. Si vous éraflez une figurine, essayez d'apporter une retouche avec un crayon de couleur.

✴ Les couronnes de Noël artificielles peuvent être entreposées d'année en année dans une taie d'oreiller (tout dépendant de la taille de la couronne) ou dans un grand sac plastique.

Rangez vos bibelots fragiles dans des boîtes d'œufs en carton.

Enveloppez-les dans du papier de soie, mais allez-y doucement lorsque vous les déballerez l'an prochain — vous ne voudriez quand même pas endommager les branches. Si le ruban sur la couronne est aplati, redonnez-lui du volume avec un fer à repasser.

✴ Plusieurs organismes caritatifs récupèrent les vieilles cartes de Noël. Le St. Jude's Ranch, par exemple, est un organisme à but non lucratif qui accueille les enfants et leur enseigne un métier et une façon de gagner de l'argent en récupérant le recto des cartes de Noël pour en faire de nouvelles. Cet organisme accepte les cartes intégrales et celles dont il manque le verso. Pour plus d'information, appelez au 1 800 492-3562, ou visitez leur site Internet au www.stjudesranch.org.

Dressez une liste et vérifiez-la deux fois

Prenez en note tous les articles saisonniers que vous avez rangés et l'endroit où vous les avez rangés. Si vous faites une liste des choses dont vous aurez besoin l'an prochain — comme du papier d'emballage, des cartes de Noël, des rallonges électriques, des pantalons plus grands —, vous serez en meilleure posture pour profiter des soldes. Mais plus important encore, vous éviterez les mouvements de panique de dernière minute lorsque vous réaliserez que vos trois jeux de lumières ne se rendent pas jusqu'à la prise de courant. N'oubliez pas : l'enthousiasme, c'est bénéfique. La panique, c'est néfaste.

C'est la soirée du Super Bowl !

J'adore les réjouissances qui entourent la présentation du Super Bowl. Tout le monde semble de si bonne humeur. De bons amis, de la bonne bouffe, et beaucoup de plaisir. Que demander de plus ?

Pour gagner la partie

Vous ne pleurez pas lorsqu'on renverse du lait ; alors, pourquoi verser une larme pour un peu de bière ? Si quelqu'un renverse de la bière sur le tapis, la première chose à faire est d'éponger le plus de liquide possible, puis de verser une bonne quantité d'eau gazéifiée (club soda) sur la région touchée, en n'oubliant pas d'éponger, d'éponger et d'éponger encore. Utilisez ensuite un bon détachant à tapis comme Spot Shot Instant Carpet Stain Remover® en suivant attentivement les instructions. Évitez autant que possible les détachants qui contiennent des agents antitaches. Car si la bière ne remonte pas à la surface après le premier essai, ces agents risquent de fixer la tache dans le tapis et vous vous retrouverez avec une marque permanente.

La salsa — la sauce, et non la danse — est délicieuse, mais elle tache énormément. Versez de l'eau gazéifiée (club soda) le plus rapidement possible sur les éclaboussures de salsa, puis traitez la tache avec un détachant comme Wine Away Red Wine Stain Remover® ou Red Erase®. Ces deux produits font disparaître les taches de couleur rouge sur les tapis, les tissus d'ameublement et les vêtements.

J'adore la purée d'avocat, mais que de dégâts à l'horizon ! Pensez-y : des taches huileuses et vertes. Nettoyez les éclaboussures de purée d'avocat sur les tapis et les tissus d'ameublement en grattant à l'aide d'un objet effilé, mais peu tranchant, comme une carte de crédit. (Celle que vous avez utilisée pour régler les frais de votre soirée conviendra tout à fait.) Enlevez le plus de purée possible, puis rincez à l'eau gazéifiée (club soda) et épongez,

> Vous avez taché vos vêtements avec de la bière ? Rincez à l'eau froide, faites pénétrer quelques gouttes de détergent liquide pour vaisselle et lavez comme d'habitude.

épongez, épongez ! Laissez reposer 10 minutes, puis rincez à l'eau froide. Lorsque la surface est sèche, appliquez un bon produit nettoyant pour les tapis et les tissus d'ameublement en suivant les instructions sur la boîte. S'il y a encore des traces de couleur, mélangez 125 ml de peroxyde d'hydrogène et 5 ml d'ammoniaque, vaporisez généreusement, laissez reposer 15 minutes, puis épongez. Poursuivez le traitement jusqu'à ce que la tache disparaisse, puis rincez à l'eau gazéifiée (club soda) et épongez jusqu'à ce qu'il ne reste plus de liquide.

Si vous avez taché un vêtement avec de la purée d'avocat, utilisez le produit nettoyant Zout® ou de l'alcool à 90 degrés. Tamponnez doucement pour faire pénétrer l'alcool dans la tache, puis laissez reposer 15 minutes avant de le mettre dans la machine à laver.

Si le lendemain, votre maison souffre des relents de mégots de cigarette, amenez un peu de vinaigre blanc à ébullition, puis laissez mijoter pendant 30 minutes en prenant soin de ne pas laisser le vinaigre s'évaporer complètement. Laissez refroidir le vinaigre et, au bout de quelques heures, les odeurs désagréables auront été absorbées.

Si la fumée a imprégné les tissus d'ameublement, placez un drap propre sur les meubles et saupoudrez-le avec le produit ODORZOUT™. Laissez reposer toute la nuit, puis enlevez le drap et secouez-le à l'extérieur. ODORZOUT™ est un produit naturel qui n'endommagera pas vos meubles. Pour chasser les odeurs du tapis, saupoudrez directement sur le tapis, puis passez l'aspirateur le lendemain matin.

On a renversé un cendrier? N'allez pas chercher l'aspirateur — du moins, pas tout de suite. Vous risquez de provoquer un incendie qui vous fera regretter votre petit problème de cendrier! Ramassez les mégots et jetez-les dans un contenant métallique jusqu'à ce qu'ils soient froids. Utilisez ensuite un balai et une pelle à poussière pour récupérer la cendre sur les planchers

Le saviez-vous?

Faire mijoter des écorces d'orange et de citron donnera à votre maison un parfum de fraîcheur naturelle.

durs. S'il y a de la cendre sur le tapis, utilisez uniquement le tuyau de l'aspirateur — n'utilisez pas la brosse batteuse, car elle pourrait écraser la cendre et la faire pénétrer encore plus profondément dans le tapis. Si vous ne supportez pas la fumée de cigarette, vous devriez sans doute jeter le sac de l'aspirateur aux ordures ou vider le contenant métallique. Ne versez jamais d'eau sur de la cendre. Vous vous retrouveriez avec une substance noire et visqueuse sur les bras, ce qui serait bien pire qu'un peu de cendre.

Quelqu'un a brisé un verre? Cela devait arriver. Ramassez les plus gros morceaux, puis utilisez une pomme de terre coupée en deux pour récupérer les plus petits éclats. (Vous avez bien lu, une pomme de terre.) Coupez la pomme de terre en deux, puis appuyez sur le verre avec le côté intérieur. Passez ensuite l'aspirateur pour ramasser les derniers morceaux, en n'utilisant d'abord que le tuyau pour concentrer la succion, puis en passant l'aspirateur à fond. N'utilisez jamais un aspirateur muni d'une brosse batteuse pour aspirer du verre avant d'avoir d'abord ramassé tout ce que vous pouviez avec la pomme de terre et le tuyau de l'aspirateur. La brosse batteuse ne ferait que disperser les éclats de verre, ce qui rendrait le nettoyage encore plus difficile.

Aux fourneaux!

Servir de la purée d'avocat est une merveilleuse tradition du Super Bowl. À présent que vous savez comment la nettoyer, vous pouvez en servir avec style! Voici ma recette préférée :

LE GUACAMOLE DU SUPER BOWL DE CHI CHI

4 avocats bien mûrs, broyés ou en purée (vous pouvez le faire dans un robot ménager)

125 ml de piments verts en conserve coupés en dés

60 ml d'oignon émincé

15 ml de sel

60 ml de jus de citron

Mélanger tous les ingrédients, recouvrir et réfrigérer. Servir avec des croustilles de maïs. Donne environ 750 ml.

19

Février

Février est le mois des grands froids et des factures de chauffage élevées. Dieu merci, c'est aussi le mois de l'amour. Oubliez la froidure hivernale en vous blottissant contre votre amoureux. Laissez ces fleurs vous rappeler le printemps qui approche, et illuminez vos longues nuits d'hiver avec quelques bijoux étincelants. Et si le passage de Cupidon a laissé des marques, ne cherchez pas plus loin comment tout nettoyer en moins de deux!

Faire sa part pour la nation

Les câlins sont une façon économique de se garder au chaud. Vous voulez économiser l'eau? Prenez votre bain avec un ami! Bien sûr, il y a d'autres façons de réduire votre facture de chauffage.

✳ Pourquoi chauffer une maison vide? Baissez le thermostat lorsque votre famille est à l'extérieur durant le jour — à environ 18 degrés Celsius —, puis remontez le chauffage durant la soirée. Si vous baissez à nouveau le chauffage lorsque tout le monde est bien au chaud dans son lit, vous réduirez encore davantage votre facture. Un thermostat programmable peut ajuster la température en fonction de vos besoins. Cela vaut vraiment le coup.

✳ L'air humide retient mieux la chaleur; alors, investissez dans un humidificateur (ou modifiez votre système de chauffage actuel) et vous pourrez encore baisser votre thermostat de deux ou trois degrés. Cela peut représenter douze pour cent d'économie sur votre facture de chauffage!

✳ Laissez à des professionnels le soin de nettoyer votre système de chauffage au gaz. Un entretien annuel lui permettra de fonctionner au maximum de ses capacités. Les systèmes de chauffage à l'huile devraient être entretenus deux fois par année. Ceux d'entre vous qui ont eu la malchance d'être victimes d'un retour de flammes savent de quoi je parle. Plus c'est propre, mieux c'est.

✳ Arrêtez le lave-vaisselle durant le cycle de séchage et laissez la vaisselle sécher à l'air libre en entrouvrant la porte du lave-vaisselle.

✳ Vous avez préparé un délicieux rôti? Laissez la porte du four entrouverte (après avoir fermé le four, bien entendu) et laissez l'air chaud se répandre dans la pièce. Ignorez ce dernier conseil si vous avez de jeunes enfants — inutile de courir le risque de provoquer des brûlures.

✳ Nettoyez régulièrement les radiateurs, les registres et les conduits d'air. Passez l'aspirateur en utilisant un accessoire muni d'une brosse et utilisez un manche télescopique pour atteindre les endroits difficiles d'accès. Assurez-vous qu'il n'y a pas de débris et qu'ils ne sont pas obstrués par des rideaux ou des meubles.

✳ Remplacez fréquemment le filtre de la chaudière. Un filtre propre distribue plus efficacement la chaleur. Vérifiez l'état du filtre tous les mois, disons le premier de chaque mois. Passez l'aspirateur pour enlever la poussière et remplacez le filtre lorsque cela ne suffit pas à le nettoyer. Les filtres jetables devraient être remplacés tous les trois mois.

✳ L'air chaud peut aussi s'échapper par le climatiseur; je vous conseille donc de l'entreposer si vous le pouvez. Si ce n'est pas possible, faites de votre mieux pour le préparer à l'hiver. Recouvrez l'extérieur avec du carton, puis enveloppez-le dans du plastique résistant. Les toiles et les nappes de plastique conviennent parfaitement. Maintenez le tout en place avec un cordon élastique pour éviter que les coins ne se déchirent sous l'effet du vent.

✳ Économisez de l'énergie, hiver comme été, en ajustant la direction de votre ventilateur de plafond. Une rotation dans le sens contraire des aiguilles d'une montre poussera l'air chaud vers le sol — ce qui est parfait pour l'hiver. Une rotation dans le sens des aiguilles d'une montre aspirera l'air chaud et fera circuler une douce brise à travers la pièce.

✳ Économisez l'eau en prenant une douche au lieu d'un bain. En moyenne, nous utilisons environ 100 litres d'eau lorsque nous prenons un bain, comparativement à 40 litres pour une douche.

> Vous économisez sans doute de l'eau en sélectionnant l'option «petite brassée» sur votre machine à laver, mais l'appareil effectuera quand même le même nombre de rotations. Évitez de laver de petites brassées de linge si vous le pouvez.

✳ Ne laissez pas l'eau s'écouler pendant que vous vous brossez les dents. Ouvrez le robinet lorsque vous êtes prêt à vous rincer la bouche.

✳ Dans la mesure du possible, utilisez de l'eau chaude ou froide pour laver vos vêtements, mais utilisez toujours de l'eau froide pour rincer.

✳ Nettoyez le filtre à charpie de votre sécheuse chaque fois que vous l'utilisez. Les vêtements sécheront plus rapidement et vous économiserez de l'électricité.

✳ Cette petite robe noire allume peut-être les passions, mais il est inutile de la garder au chaud. Fermez les portes de votre garde-robe.

Joyeuse Saint-Valentin !

Fleurs, bijoux, bonbons? J'adore la Saint-Valentin, même si le Roi a choisi un autre jour pour me demander en mariage!

Des pétales épatants

✳ Essayez si possible de choisir des fleurs fraîches. Choisissez celles qui ont des tiges
saines, des feuilles et des pétales sans taches.
Les fleurs en bouton dureront plus longtemps
que celles qui sont pleinement épanouies.

✳ Assurez-vous de retirer toutes les feuilles sous la surface de l'eau. Elles
risquent de la contaminer.

✳ Taillez les tiges en biseau en les tenant sous l'eau courante, puis
immergez-les dans l'eau fraîche. Il est préférable de procéder à cette
opération le matin, lorsque la température est fraîche.

✳ Les grosses tiges (comme celles des glaïeuls, des chrysanthèmes, des
saules blancs, des forsythias et même des roses) doivent être fendues en
deux à l'aide d'un couteau bien aiguisé avant d'être placées dans l'eau.
Cela permettra à la tige de boire l'eau plus facilement. Vous pouvez
aussi écraser la base de la tige avec une cuillère en bois.

✳ Changez l'eau tous les jours. Et pour que vos fleurs vivent plus
longtemps, ajoutez l'un des ingrédients suivants :

    5 ml de sucre et environ 1 ml de jus de citron
    Plusieurs cachets d'aspirine dissous dans un peu d'eau chaude
    15 ml d'eau de Javel. Cela empêchera l'eau de se brouiller ; très pra-
    tique si vous utilisez un vase transparent.

✳ Prolongez la vie de vos fleurs en les gardant au frais et en évitant de les
exposer directement à la lumière du soleil.

✳ Enlevez les anthères des lys. Ces longues pousses remplies de pollen
peuvent déteindre sur vos vêtements, vos tapis et vos murs, et ces taches
sont très difficiles à nettoyer.

D'habiles arrangements

✳ Les fleurs sont trop courtes pour votre vase ? Enfoncez les tiges dans des
pailles avant de les mettre dans l'eau.

✳ Le vase est trop profond? Remplissez-le de billes avant d'ajouter l'eau et les fleurs.

✳ Les fleurs sont fanées? Coupez les tiges à environ 3 cm de l'extrémité, puis placez-les dans l'eau chaude pendant 20 ou 30 minutes avant de les remettre dans un vase propre rempli d'eau fraîche.

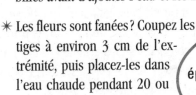

Nettoyez les vêtements tachés par du pollen en les épongeant avec de l'alcool à 90 degrés. N'utilisez aucun produit contenant de l'ammoniaque. La tache deviendrait indélébile.

✳ Assurez-vous que la mousse florale est bien imbibée d'eau avant d'ajouter les fleurs.

Le saviez-vous?

Les tulipes sont les seules fleurs qui continuent à pousser une fois qu'elles ont été coupées!

✳ Arrangez d'abord les grandes fleurs, puis procédez avec les plus petites et la verdure.

✳ Les cafetières, les théières et les pots de lait font d'adorables vases.

✳ Utilisez des rouleaux en plastique pour les cheveux pour vos arrangements floraux. Placez-les à la verticale au fond du vase et introduisez les tiges dans les cylindres pour les maintenir en position.

✳ Essayez d'assortir les fleurs et les vases. Les vases en forme d'amphore conviennent parfaitement aux fleurs n'ayant qu'un bouton, comme les tulipes, et les urnes conviennent mieux aux fleurs qui s'inclinent naturellement. Les vases cylindriques et étroits conviennent mieux aux grandes fleurs comme les glaïeuls.

✳ En plaçant votre arrangement floral devant un miroir, vous doublez l'effet de vos fleurs.

Les diamants sont les meilleurs amis d'une femme

Qui n'aime pas recevoir des bijoux en cadeau? Mais qui sait comment en prendre soin?

✳ L'alcool à 90 degrés est un excellent nettoyant pour les bijoux de fantaisie. Versez un peu d'alcool sur la pièce que vous aurez préalablement placée dans un plat peu profond ou un petit contenant, puis brossez-la doucement avec une brosse à dents à poils souples. Soyez prudent : plusieurs bijoux de fantaisie sont collés, les tremper dans l'alcool risque de dissoudre la colle. Essayez de ne pas les saturer d'alcool. Rincez-les rapidement sous l'eau froide, puis essuyez-les.

✳ Les bijoux de fantaisie qui ne contiennent pas de colle peuvent être nettoyés avec des tablettes pour nettoyer les dentiers. Placez quelques tablettes dans un peu d'eau chaude et laissez tremper les bijoux pendant environ 5 minutes. Rincez et séchez bien. Pour les pièces plus complexes, utilisez un séchoir à cheveux.

✳ Nettoyez les bijoux élaborés à l'aide d'une brosse à dents à poils souples et de la pâte dentifrice blanche. Rincez en utilisant une brosse à dents propre et de l'eau, puis séchez.

✳ Nettoyez vos diamants en les plaçant dans une passoire pour le thé, puis en les immergeant dans une casserole d'eau bouillante dans laquelle vous aurez ajouté plusieurs gouttes d'ammoniaque et une goutte ou deux de savon liquide à vaisselle. Laissez-les tremper quelques secondes, puis rincez-les à l'eau froide. Pour leur donner plus d'éclat, trempez les diamants

> Redonnez du lustre à vos perles en les frottant doucement avec un linge imbibé d'huile d'olive.

dans un peu de vodka ou d'alcool non dilué pendant une minute ou deux, puis rincez-les et tapotez-les pour les faire sécher. Ce procédé fonctionne avec toutes les pierres dures, comme les diamants, les rubis et les saphirs. N'utilisez pas cette méthode avec les émeraudes.

✳ Les émeraudes sont extrêmement fragiles. Elles se fendillent aisément et elles absorbent l'eau ; je vous conseille donc de les polir avec un linge en microfibre de marque ACT Natural™. Surtout, ne les plongez pas ou ne les immergez pas dans l'eau. Si vous voulez les nettoyer en profondeur, confiez-les à un spécialiste.

✳ Redonnez du lustre à votre argenterie avec un mélange de bicarbonate de soude et de jus de citron. Appliquez le mélange avec une brosse à dents souple, puis laissez sécher. Enlevez ensuite la pâte avec une brosse à dents propre (sans ajouter d'eau) et polissez avec un chiffon doux et propre.

✳ Les pièces en jade peuvent être nettoyées dans un peu d'eau savonneuse tiède. Séchez immédiatement.

✳ Les opales et les turquoises sont des pierres poreuses ; on ne doit donc jamais les laver. Brossez-les avec une brosse à dents sèche et souple, puis polissez-les avec un linge en cuir de type chamois ou utilisez un linge en microfibre de marque ACT Natural™.

✳ Lavez vos bijoux en or dans un bol d'eau savonneuse. Frottez-les doucement avec une brosse à dents souple pour nettoyer les fentes, les petits détails et les maillons

✳ Pour éviter que vos colliers ne s'emmêlent, refermez-les avant de les ranger. Les chaînettes qui s'emmêlent facilement peuvent être insérées dans une paille. Coupez la paille pour qu'elle soit deux fois plus courte que la chaînette, glissez la chaînette à l'intérieur, puis refermez le fermoir à l'extérieur de la paille. Fini les enchevêtrements !

Je déteste lorsque cela se produit...

Les chaînettes emmêlées vous donnent des ulcères ? Versez une goutte d'huile pour bébé sur la chaîne en question, puis démêlez-la en tirant doucement sur les fermoirs à l'aide de deux aiguilles à coudre.

Les petits malheurs de la Saint-Valentin

L'amour devrait durer toujours, pas les taches de chocolat.

✳ Les vêtements tachés de chocolat nécessitent un traitement spécial. Grattez tout ce que vous pouvez à l'aide d'un objet plat et effilé, en prenant soin de ne pas faire pénétrer le chocolat plus profondément dans le tissu. Appliquez doucement un peu de détachant Zout®, laissez reposer environ 5 minutes (mais ne laissez pas sécher), puis rincez sous un puissant jet d'eau chaude. Si la tache de graisse est toujours visible, épongez-la avec une solution pour le nettoyage à sec, comme Engergine Cleaning Fluid®. Pour les taches vraiment tenaces, faites tremper le vêtement dans le produit Brilliant Bleach® de Soapworks. Suivez attentivement les instructions sur la boîte.

✳ Traitez immédiatement les tapis tachés de chocolat avec votre détachant à tapis préféré. Je vous suggère personnellement d'essayer le détachant à tapis Spot Shot®. Pour les taches récalcitrantes, saturez la zone avec 125 ml de peroxyde d'hydrogène et 5 ml d'ammoniaque. Laissez reposer pendant 20 minutes, puis épongez. Vous devrez peut-être répéter ce procédé. Une fois que la tache a disparu, rincez la zone avec de l'eau gazéifiée (club soda), puis épongez en appuyant sur des vieilles serviettes épaisses avec votre pied. Ceci devrait venir à bout de l'humidité. Laissez sécher complètement avant de marcher sur le tapis.

✳ Si vous renversez du champagne, versez de l'eau gazéifiée (club soda) et épongez immédiatement. Le sel contenu dans l'eau gazéifiée (club soda) préviendra la formation de taches permanentes et le gaz carbonique délogera les particules incrustées dans les fibres. Deux solutions pour le prix d'une!

✳ Les taches d'alcool brunissent avec le temps; il est donc important d'agir rapidement.

✳ Si vous renversez du champagne sur vos vêtements, utilisez d'abord de l'eau gazéifiée (club soda), puis traitez la tache avec un bon détachant pour la lessive.

✳ Utilisez le détachant à tapis instantané Spot Shot® pour traiter les taches de champagne sur vos tapis, mais épongez d'abord les taches en utilisant de l'eau gazéifiée (club soda). Traitez vos tissus d'ameublement de la même façon, puis faites sécher à l'aide d'un séchoir à cheveux pour éviter l'apparition de cernes.

✳ Les taches de champagne rosé peuvent être traitées avec le produit Wine Away Red Wine Stain Remover®.

* Pour éviter de tacher vos vêtements avec du parfum, parfumez-vous avant de vous habiller. Assurez-vous que le parfum s'est évaporé avant de mettre vos vêtements.

* Les parfums sont composés d'alcool et d'huile — autrement dit, ils sont sans pitié pour les tissus. Traitez les taches de parfum avec le produit détachant Zout®, puis lavez vos vêtements le plus rapidement possible. Si vous devez les nettoyer à sec, assurez-vous d'indiquer à votre teinturier où se trouve la tache.

> Pour conserver les bulles dans le champagne pendant des heures, insérez le manche d'une cuillère en métal dans le goulot de la bouteille. Je ne sais pas pourquoi cela fonctionne, mais ça marche !

* Ne repassez jamais un morceau de tissu taché de parfum. Vous risquez de fixer la tache à tout jamais ou, pire encore, de décolorer le tissu !

* Vous pouvez faire partir les taches de parfum sur les tissus rugueux en les frottant avec de la mousse de savon Fels-Naphta® et de l'eau chaude. Faites pénétrer la mousse dans le tissu, laissez reposer 15 minutes, puis lavez comme d'habitude.

* Utilisez un produit nettoyant pour les mains sans eau, comme GOJO™, lorsque vous voulez enlever les taches d'huile de massage. Faites pénétrer dans le tissu — massez-le si vous voulez ! — puis rincez à l'eau chaude. Vous pouvez aussi utiliser une pâte composée de savon liquide pour vaisselle et de borax 20 Mule Team®. Lavez normalement en utilisant votre détergent habituel et l'eau la plus chaude possible pour le tissu. Ajoutez 125 ml de borax pour faire partir tous les résidus d'huile.

* Recouvrez immédiatement les taches d'huile sur le tapis avec du bicarbonate de soude. Attendez que le bicarbonate de soude absorbe l'huile — cela peut prendre jusqu'à plusieurs heures —, puis passez l'aspirateur en n'utilisant que le tuyau pour concentrer la succion. Nettoyez à fond avec le tuyau avant d'utiliser la brosse batteuse pour enlever les restes de bicarbonate de soude. Complétez le nettoyage avec votre détachant à tapis préféré.

Mars

C'est le printemps! Les fleurs éclosent, les oiseaux chantent, tout est fraîcheur et renouveau, et vous êtes impatient de débuter votre grand ménage du printemps. Aïe! Ai-je bien dit «ménage du printemps»? On ne peut pas dire que j'en rêve. Et vous? Le nettoyage printanier était une nécessité à l'époque où l'on recouvrait de planches les cabanes en rondins pour les isoler du froid. Avec l'arrivée du printemps, on avait enfin la chance de nettoyer toute la suie et la saleté qui s'étaient accumulées durant les longs mois d'hiver — d'où l'expression «ménage du printemps». Ceux qui vivent toujours dans des cabanes en rondins souhaitent peut-être poursuivre cette noble tradition mais, en ce qui nous concerne, nous avons mieux à faire.

Cela ne veut pas dire qu'à certains moments de l'année je n'ai pas envie de nettoyer un peu plus en profondeur. Ce peut être après les vacances de Noël, avant la venue de tante Martha… ou même au printemps. C'est à vous de décider quand vous souhaitez le faire. Pour savoir ce que vous devez faire, lisez la suite.

En avant!

Ne nettoyez pas votre fouillis

Lorsque vient le moment de nettoyer, le plus difficile est de faire le tour de toutes ces choses que vous avez accumulées au fil du temps. Si vous voulez vraiment améliorer votre processus de nettoyage, prenez quelques minutes, allez de pièce en pièce et faites l'inventaire de tout ce qui se présente à votre vue et de tout ce qui se cache dans vos placards. Je parierais ma couronne (celle en carton du moins…) que vous possédez des choses que vous n'avez pas utilisées depuis trois, cinq, dix ans, voire plus encore. Pensez-y deux secondes. Voulez-vous vraiment garder cette girafe mauve? Voulez-vous vraiment la nettoyer?

Si l'idée de vous départir de vos objets de collection vous est insupportable (j'adore les chats et les cochons — ne me demandez pas pourquoi), vous pourriez peut-être en exposer quelques-uns et entreposer les autres, en les faisant alterner de temps en temps. Vous aurez ainsi moins d'objets à nettoyer.

Si vous avez beaucoup de petits trésors, songez à investir dans un meuble de rangement vitré. Le verre protégera vos bibelots de la poussière, et vous n'aurez plus qu'à les nettoyer une fois par année.

Allez-vous vraiment relire tous ces anciens numéros du National Geographic? Ne soyez pas timoré. Débarrassez-vous-en.

S'il manque une patte et un bout de queue à la figurine de chat que vous a donnée tante Lucille il y a dix ans, regardez-la une dernière fois, souriez en repensant aux souvenirs et dites-lui au revoir. Ne gardez pas d'objets brisés ou irréparables.

Pensez-y avant d'acheter le dernier gadget à la mode. Si vous ne l'achetez pas, vous n'aurez pas à le nettoyer.

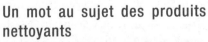

Un mot au sujet des produits nettoyants

Rassemblez tous vos produits nettoyants dans une même boîte avant de débuter votre ronde — idéalement, choisissez une boîte avec des

Vous n'arrivez pas à mettre la main sur une attache et la poubelle est pleine? Utilisez de la soie dentaire ou un élastique. Comme ils sont tous les deux résistants, vous n'aurez pas à vous en faire s'il pleut.

poignées. Si vous avez plus d'une salle de bain, pensez à acheter des produits nettoyants pour chacune d'elles. Cela coûtera plus cher sur le moment, mais vous ne souffrirez plus d'avoir à trimballer ces produits d'un étage à l'autre.

Assurez-vous d'avoir suffisamment de linges propres et de sacs pour l'aspirateur. Si vous prévoyez jeter beaucoup de choses, soyez sûr d'avoir de bons sacs solides. N'oubliez pas de vérifier vos réserves de savon et de nettoyant tout usage. Il n'y a rien de pire que de vous arrêter au beau milieu d'un travail parce que vous n'avez pas ce qu'il faut sous la main.

Les produits les plus coûteux ne sont pas toujours les plus efficaces. Essayez les marques et les produits maison; ils sont souvent aussi efficaces que leurs équivalents les plus chers.

Évitez d'être dépendant des produits chimiques « durs ». Le bicarbonate de soude, le vinaigre blanc, le borax 20 Mule Team®, le savon Fels-Naphta®, le jus de citron, le sel et l'eau gazéifiée (club soda) font aussi bien l'affaire et ne représentent aucun risque pour votre famille et l'environnement. Le bicarbonate de soude est un excellent déodorant et une fabuleuse poudre à récurer. Le vinaigre blanc est un supernettoyant qui élimine les résidus de savon et la moisissure comme pas un. Le borax est un additif pour la lessive dont vous ne devriez jamais vous départir et le savon Fels-Naphta® enlève les taches tenaces. Et n'oublions pas l'eau gazéifiée (club soda), le jus de citron et le sel. L'eau gazéifiée (club soda) fonctionne pour toutes sortes d'éclaboussures; le jus de citron est un agent de blanchiment naturel; et le sel peut être utilisé à toutes les sauces, pour nettoyer les fleurs artificielles ou déboucher les canalisations.

Cherchez des produits qui éliminent les odeurs plutôt que des produits qui les camouflent. Assurez-vous autant que possible d'acheter des produits non parfumés. Je vous conseille d'utiliser du bicarbonate de soude ou un bon déodorant naturel comme ODOURZOUT™.

N'oubliez pas de remplacer la boîte de bicarbonate de soude dans le réfrigérateur. Versez le contenu de la vieille boîte dans la bonde de l'évier, puis ajoutez 125 ml de vinaigre blanc; vous créerez ainsi un petit volcan qui nettoie et rafraîchit naturellement vos canalisations.

Méfiez-vous des produits anti-bactériens. À moins de vous préparer à subir une intervention chirurgicale, utilisez plutôt un bon vieux savon et de l'eau.

Pour éliminer les odeurs dans les vieilles malles et les tiroirs, placez une tranche de pain blanc dans un bol et recouvrez-la de vinaigre blanc. Placez le tout dans la malle ou le tiroir, refermez-les et attendez 24 heures. Lorsque vous retirerez le pain et le vinaigre, l'odeur aura disparu!

Du café frais moulu fera disparaître les mauvaises odeurs dans le réfrigérateur.

Un contenant rempli de litière pour chats éliminera les odeurs de moisi dans les placards et les sous-sols.

Placez des feuilles de papier journal froissées dans vos tiroirs pour enlever les odeurs de moisi.

Mettez des feuilles d'assouplissant textile dans les bagages, les bacs de rangement, les placards et les tiroirs pour obtenir un parfum de fraîcheur et de propreté.

> « Le ménage ne peut pas vous tuer, mais pourquoi prendre le risque? »
> — Phyllis Dillis

Commençons par le commencement

Choisissez une approche et soyez constant. Si vous décidez de nettoyer pendant une heure, tenez-vous-en à votre résolution. Si vous décidez de nettoyer une pièce aujourd'hui et une autre demain, soyez aussi résolu. L'indécision et la distraction peuvent réellement affecter votre efficacité au travail. Si vous commencez par faire quelque chose et que vous finissez par en faire une autre, vous vous retrouverez avec une série de projets à moitié complétés et vous aurez l'impression de n'avoir rien accompli. Cela peut s'avérer très frustrant; c'est le moins qu'on puisse dire.

N'oubliez pas : si ce n'est pas sale, ne nettoyez pas!

Pour ma part, je préfère commencer par la pièce qui demande le moins d'effort, généralement celle que nous utilisons le moins. Ce peut être la chambre d'amis, la salle de séjour… voire la cuisine. Hé! Je ne juge personne. Voyez cela comme une sorte de réchauffement. Commencez par les tâches les plus simples et vous obtiendrez rapidement de bons résultats. Cela vous motivera à aller de l'avant!

Généralement, on doit travailler de haut en bas. La poussière sur les lampes, le dessus des meubles, etc., tombera sur les tapis et les planchers. En terminant par les planchers, vous saurez donc que la maison est vraiment propre.

Ne revenez pas sur vos pas. Terminez une tâche avant d'en entreprendre une autre. Écoutez de la musique entraînante pour vous donner du rythme et un air d'aller.

Allons-y !

L'époussetage vient en premier. Mais ne prenez pas n'importe quel vieux linge et, pour l'amour du ciel, n'utilisez jamais un plumeau avec des plumes. Ils font peut-être fantasmer les hommes, mais ils ne font que disperser la poussière. Croyez-moi, ils sont plus qu'inutiles. Je vous recommande fortement les linges à épousseter lavables en laine d'agneau. La laine d'agneau attire et retient la poussière ; vous ne risquez donc pas de répandre de la poussière d'un endroit à un autre. Comme la laine d'agneau est également lavable, ces linges peuvent durer des années. (Les produits en laine d'agneau sont disponibles sous plusieurs formes : gants pour l'époussetage, plumeau télescopique pour les endroits difficiles d'accès, etc.)

Utilisez un plumeau télescopique en laine d'agneau pour épousseter les ventilateurs de plafond.

Ne faites pas que déplacer vos bibelots lorsque vous époussetez, époussetez-les eux aussi.

Après avoir épousseté vos appareils électroniques, frottez-les avec un peu d'alcool à 90 degrés. Appliquez l'alcool avec un chiffon propre, puis polissez pour faire sécher les appareils. Assurez-vous toutefois de couper le courant avant de les nettoyer.

Après l'époussetage, nettoyez à fond les tissus d'ameublement. Si vous utilisez un aspirateur, servez-vous des accessoires appropriés — la petite brosse pour les coussins, le long embout pour les fentes et les endroits difficiles d'accès. Si vous possédez un divan-lit, ouvrez-le et passez l'aspirateur sur le matelas. (La plupart de ces matelas ne se retournent pas, inutile d'essayer.) N'oubliez pas de passer l'aspirateur sur les coussins.

Pour nettoyer les murs (sans grimper dans les rideaux), fixez une serviette au bout d'un balai et faites-la glisser le long du mur. Secouez la serviette de temps en temps, et changez-la lorsqu'elle devient sale. Travaillez de haut en bas, et non de gauche à droite, en faisant des mouvements avec lesquels vous êtes confortable. Ne faites qu'une pièce à la fois.

Il n'est pas nécessaire de laver les murs tous les ans, à moins que vous soyez un fumeur. Alors, inutile de laver des murs qui ne sont pas sales. Si toutefois une pièce vous semble défraîchie, en lavant les murs vous vous épargnerez sans doute l'effort d'avoir à la repeindre.

Planchers

La poussière peut rayer les planchers de bois ; vous devriez donc donner un coup de balai avant de les laver. Faites de longs mouvements en partant des coins vers le centre de la pièce. Balayez toute la poussière — les miettes de pain, la litière et toutes ces petites choses non identifiables — dans une pelle à poussière.

À présent, vous êtes prêt à laver les planchers avec votre produit nettoyant préféré. Vous n'avez pas de produit nettoyant préféré ? Essayez du thé ! Les acides tanniques qu'il contient donneront un lustre merveilleux à vos planchers. Faites tout simplement infuser plusieurs sachets de thé dans un ou deux litres d'eau. Vous pouvez en boire une tasse si vous voulez, mais laissez le reste refroidir à la température de la pièce avant de l'utiliser. Trempez ensuite un chiffon doux dans le thé, puis essorez-le. Assurez-vous que le chiffon est humide, et non mouillé. Vous risquez de gauchir vos planchers ou d'endommager leur fini si vous utilisez trop de liquide. Au cas où je ne me serais pas bien fait comprendre : Oui, je vous suggère de vous mettre à genoux. Je suis désolée, mais il n'y a pas de raccourci ; si vous voulez réellement nettoyer vos planchers, c'est la seule façon de faire.

* Commencez par les bords et frottez en faisant de petits mouvements circulaires.

* Rincez fréquemment votre linge et ne vous arrêtez pas avant d'avoir nettoyé tout le plancher.

* Pour les planchers en vinyle ou les carrelages, utilisez la même méthode de nettoyage, mais remplacez le thé par 4 l d'eau chaude et 30 ml de borax 20 Mule Team®.

* Pour les planchers en marbre, essayez la vadrouille en microfibre de marque ACT Natural™. Elle s'utilise sans eau, grâce à ses milliers de

petits « doigts » qui délogent la saleté sans rayer les planchers. De plus, cette vadrouille ne laisse pas de pellicule.

Et n'oubliez pas...

✳ Lavez l'intérieur des armoires de la cuisine avec de l'eau chaude savonneuse. Pour faire partir les taches collantes, utilisez un peu de bicarbonate de soude.

✳ Broyez des écorces de citron et des cubes de glace dans votre broyeur pour le garder propre et aiguiser les lames.

✳ Passez l'aspirateur sur votre matelas en vous servant de l'embout pour le tissu d'ameublement, puis retournez-le pour qu'il s'use uniformément. En plaçant un sac plastique, comme un sac de teinturier, entre le matelas et le sommier, vous vous faciliterez les choses. (Mais ne prenez pas de chance si vous avez de jeunes enfants et faites travailler vos muscles.)

✳ Puisque vous retournez votre matelas, n'oubliez pas de laver le couvre-matelas, les draps et les oreillers avant de refaire le lit.

> Vous pouvez prolonger la vie de vos rideaux en passant fréquemment l'aspirateur.

✳ Oui, même les fours autonettoyants doivent être nettoyés.

✳ Lavez les draperies une fois par année, mais lisez attentivement les étiquettes et n'essayez pas de laver des draperies qui devraient être nettoyées à sec.

✳ Toutes les pièces ne nécessitent pas les mêmes efforts et la même attention ; décidez donc avant de commencer ce que « propre » signifie pour vous.

✳ Si vous utilisez l'espace sous votre lit comme aire de rangement, retirez les boîtes de rangement, passez l'aspirateur sur le tapis et nettoyez les boîtes avant de les replacer.

✳ Si vos boiseries ont besoin d'être nettoyées, vous devriez les laver avec précaution, même si vous n'avez pas l'intention de laver tout le mur.

✳ Enlevez les globes des lustres et des plafonniers, lavez-les, puis remettez-les en place. Par la même occasion, si les ampoules sont froides, époussetez-les.

✳ Si les charnières grincent chaque fois que vous ouvrez une porte, lubrifiez-les en vaporisant un peu de silicone.

✳ N'oubliez pas les poignées de porte — lavez-les et polissez-les. On les utilise constamment et on oublie trop souvent de les nettoyer.

Portez du vert pour la Saint-Patrick, mais évitez les taches de gazon !

À présent que les blanches étendues de l'hiver ont commencé à disparaître, assurez-vous que les premières verdures du printemps ne se retrouvent pas sur vos vêtements !

Avec l'aide d'un peu de pâte dentifrice blanche, vous pouvez faire partir les taches de gazon sur vos vêtements. Faites pénétrer la pâte dentifrice dans le tissu en utilisant une vieille brosse à dents souple, puis rincez et lavez. Vous pouvez aussi utiliser le détachant Zout®. Avec votre pouce et votre index, faites pénétrer une généreuse quantité de détachant dans le tissu, puis lavez comme d'habitude.

Les jeans tachés de gazon devraient être traités avec de l'alcool à 90 degrés. Saturez la tache, laissez reposer 10 à 15 minutes, puis mettez le jean dans la machine à laver. Vérifiez si la tache a disparu avant de mettre le jean dans la sécheuse, car la chaleur fixerait la tache pour de bon. Donc, si vous devez répéter ce procédé, il vaut mieux que vous vous en rendiez compte avant de mettre le jean dans la sécheuse.

Pour enlever les taches de gazon sur les chaussures de sport en cuir blanc, essayez un peu de mélasse. Vous avez bien lu — de la *mélasse* ! Appliquez une bonne cuillerée de mélasse sur la tache, puis laissez reposer toute la nuit. Le lendemain matin, lavez les chaussures avec de l'eau et du savon ; les taches de gazon devraient partir avec la mélasse.

Les chaussures en tissu, comme les chaussures Ked®, peuvent être nettoyées avec du bicarbonate de soude. Passez une brosse à dents sous l'eau, puis trempez-la dans le bicarbonate de soude. Brossez vigoureusement, puis rincez et laissez sécher au soleil. Vous n'avez pas de bicarbonate de soude ? Utilisez à la place de la pâte dentifrice blanche.

Si vos chaussures en suède bleu ont viré au vert, frottez les taches avec une éponge en nylon que vous aurez trempée dans la glycérine. Frottez jusqu'à ce que la tache ait disparu, puis épongez avec un linge imbibé de vinaigre blanc non dilué. Brossez les poils pour qu'ils soient orientés dans la bonne direction, puis laissez les chaussures sécher au soleil.

Pour les taches de gazon sur le tapis, utilisez un détachant à tapis de bonne qualité comme Spot Shot Instant Carpet Stain Remover®. Suivez tout simplement les instructions sur la boîte. Pour les taches tenaces, appliquez de l'alcool à 90 degrés ; attendez 10 minutes, épongez, puis traitez la tache avec votre détachant à tapis préféré.

21

Avril

La saison des allergies et des rapports d'impôt? Sans les fêtes de Pâques, avril serait un mois bien cruel. Mais ne vous tracassez pas. Vous pouvez raccourcir la saison des allergies en imperméabilisant votre maison. Pour ce qui est de l'impôt, eh bien, je ne peux rien vous conseiller, mais je peux vous aider à éliminer vos marques de crayons et vos taches de sueur. Concentrez-vous donc sur Pâques et les beautés d'avril — ces ciels bleus qui nous rappellent que les meilleures choses dans la vie sont souvent gratuites.

La fièvre du printemps

Selon les experts, les allergies sont une réaction à des substances inoffensives qui n'indisposent pas la majorité des gens. Hum! Si tel est le cas, pourquoi sommes-nous si nombreux à souffrir d'allergies? Les allergies saisonnières sont causées par divers facteurs, comme les arbres, le gazon et le pollen. Les allergies non saisonnières sont provoquées, entre autres, par les particules de poussière, les squames d'animaux, les moisissures et les acariens. Mais peu importe les causes, on éternue, on renifle, on tousse et généralement on se sent mal — mais vous n'avez pas à accepter tout cela sans broncher.

Pourriez-vous vous en passer?

Plusieurs détergents contiennent du pétrole distillé, un irritant majeur pour les personnes qui souffrent d'allergies. Si les vêtements fraîchement lavés vous font éternuer ou vous donnent des démangeaisons, pensez à changer de détergent. Faites preuve de discernement et choisissez des produits qui ne contiennent ni teinture ni parfum, et vérifiez les étiquettes pour vous assurer qu'il en est bien ainsi — tenez-vous loin de ces substances. J'aime bien PUREX®, un détergent doux qui fait des merveilles pour la lessive. Les gens qui souffrent d'allergies ou d'asthme auraient avantage à utiliser des produits qui respectent l'environnement, comme les produits fabriqués par Soapworks®. Si vous ou un membre de votre famille souffrez d'allergies, vous vous devez de comparer les différentes marques.

Les personnes qui souffrent d'allergies devraient utiliser des pompes distributrices plutôt que des aérosols, qui dispersent dans l'air d'infimes particules irritantes.

Les feuilles d'assouplissant textile peuvent exacerber les réactions allergiques — vous devriez apprendre à vous en passer.

* Si vous devez utiliser de la laque en aérosol pour les cheveux, appliquez-la à l'extérieur de la maison.

* Faites le tour de vos produits d'entretien et éliminez ceux qui sont fortement parfumés, qui contiennent des produits chimiques ou qui sont périmés. Les produits peuvent subir des transformations avec le temps, augmentant du coup les risques d'irritation.

* Ne mélangez jamais des produits chimiques.

* Choisissez des produits nettoyants naturels, comme le bicarbonate de soude, le jus de citron, l'eau gazéifiée (club soda), le vinaigre blanc, etc.

* Les polis à meubles peuvent attirer la poussière et les acariens. Il est préférable de ne pas les utiliser.

* Les animaux en peluche récoltent beaucoup de poussière; si vos enfants souffrent d'allergies, il serait préférable de limiter leurs contacts avec ces jouets. Tous les vêtements et les jouets en peluche peuvent causer

des problèmes d'allergies. Si votre enfant a des problèmes, éliminez les jouets un par un afin de déterminer ceux qu'il peut tolérer ou non.

Le saviez-vous?

Les jouets en peluche qui ne sont pas lavables peuvent quand même être nettoyés. Placez-les dans un sac plastique avec un peu de bicarbonate de soude et de sel, et secouez-les vigoureusement plusieurs fois par jour pendant quelques jours d'affilée. Cela contribuera à éliminer la poussière, les saletés et les odeurs.

Des filtres qui ne servent pas uniquement pour le café

* S'il y a un filtre, nettoyez-le! Vérifiez celui de l'aspirateur, des ventilateurs, du purificateur d'air, etc.

* Changez le filtre de la chaudière au moins une fois par mois ou investissez dans un filtre lavable. Assurez-vous de le laver fréquemment.

* Si vos symptômes sont sévères, vous devriez envisager de porter un masque de filtration lorsque vous passez l'aspirateur ou lorsque vous époussetez.

* Ne soyez pas à la remorque de votre tapis

* La poussière et les squames s'accrochent aux fibres des tapis; si vous avez des symptômes graves, vous devriez peut-être envisager de les remplacer par du bois, du stratifié ou de la céramique. Vous pouvez laver ces planchers fréquemment, et ils contribueront à tenir les allergènes à distance.

* Si vous souffrez de graves allergies, mais que vous n'êtes pas en mesure de remplacer vos tapis, appliquez de la mousse de benzoate de benzyle ou des acides tanniques (3 %), puis passez l'aspirateur en utilisant un appareil pourvu d'un bon système de filtration. Les acides tanniques décomposeront les allergènes, et le benzoate de benzyle tuera les acariens, vous permettant ainsi de vous débarrasser plus facilement de ces petites bêtes et de leurs déchets.

✳ Vous risquez de soulever les acariens et leurs déchets si vous passez l'aspirateur trop souvent. Passer l'aspirateur une fois par semaine est suffisant.

✳ Passez l'aspirateur sur tous les planchers durs avant de passer la vadrouille pour éviter de soulever la poussière.

✳ Lavez les planchers durs avec un bon produit nettoyant conçu spéciale-ment pour les personnes souffrant d'allergies. Essayez le produit At Home All-Purpose Cleaner de Soapworks®.

✳ Utilisez une vadrouille de bonne qualité lavable à la machine. Essayez la vadrouille en microfibre ACT Natural™.

✳ Changez fréquemment le sac de votre aspira-teur. Si au lieu d'un sac, votre aspirateur possède un réservoir, videz-le chaque fois que vous passez l'aspirateur.

Évitez de placer vos plantes d'intérieur directement sur les tapis et les carpettes. L'humidité qui s'en dégage peut causer de la condensation, et éventuelle-ment de la moisissure — un irritant majeur pour ceux qui souffrent d'allergies.

Canapé

✳ Tenez-vous loin des tissus pelucheux ou duveteux qui sont difficiles à nettoyer. Achetez uniquement des tissus d'ameublement lavables à l'eau.

✳ Passez l'aspirateur sur vos tissus d'ameublement une fois par semaine.

✳ Évitez les meubles qui ont des franges et les tissus côtelés. Ils sont tris-tement célèbres pour leur facilité à attraper la poussière et sont diffi-ciles à nettoyer.

✳ Lorsque vous faites le tour des magasins, cherchez des meubles dont les coussins ne sont pas amovibles. Achetez des meubles d'une seule pièce et tissés serré.

Et maintenant au lit

✳ En scellant la porte de votre chambre à coucher avec du ruban isolant, vous contrôlerez mieux votre environnement pendant votre sommeil.

✳ Ne laissez pas vos animaux domestiques entrer dans votre chambre à coucher.

✳ Même le plus innocent des papiers peints peut provoquer l'apparition de moisissure ; évitez donc de recouvrir vos murs — et en particulier ceux de votre chambre à coucher— avec du tissu ou du papier peint.

✳ Utilisez un purificateur d'air dans votre chambre à coucher.

✳ Passez fréquemment l'aspirateur sur votre matelas. Investissez dans une bonne housse, une housse qui formera une couche protectrice mais qui laissera aussi respirer le matelas.

✳ Lavez toute votre literie à l'eau chaude (54 degrés Celsius) au moins tous les dix jours. Cela inclut les couvertures, les oreillers, les édredons et les couvre-matelas.

✳ Si vous ne pouvez pas laver vos oreillers et vos édredons aussi souvent que vous le souhaiteriez, mettez-les dans la sécheuse à « air ». Cela devrait vous aider.

✳ Ne laissez pas la poussière se déposer sur le couvre-lit, les volants, les oreillers décoratifs, etc. Mieux encore, débarrassez-vous de ces volants.

✳ Évitez les oreillers de plumes et en duvet. Ils peuvent provoquer des symptômes allergiques, même si vous n'êtes pas présentement allergique. Utilisez des oreillers en mousse recouverts d'une housse hypoallergénique munie d'une fermeture à glissière.

Et n'oubliez pas...

✳ Lavez fréquemment les fenêtres et les moustiquaires.

✳ Évitez d'ouvrir les portes et les fenêtres autant que possible, surtout les jours où il y a du vent.

✳ Plantez des arbres et des fleurs qui produisent peu de pollen, comme le lierre, les violettes africaines, ou des plantes vertes, comme les philo-dendrons, les plantes d'appartement, les piléas rampants et la plante-qui-prie (maranta).

✳ Installez un filtre à air sur votre chaudière ou achetez un purificateur d'air portatif.

✳ Ne gardez pas de fleurs fraîches à l'intérieur de la maison, même si elles sont très belles.

✳ Faites ramoner régulièrement votre cheminée et assurez-vous que le registre est bien fermé.

✳ Utilisez des linges à épousseter en laine d'agneau. Ils contiennent de la lanoline qui emprisonne la poussière, l'empêchant ainsi de se disperser.

✳ Si vous n'aimez pas utiliser les linges à épousseter en laine d'agneau, utilisez un linge humide propre.

✳ Les insectes adorent l'eau dormante ; ne laissez donc pas l'eau stagner dans les fontaines et au pied de vos plantes.

✳ Éliminez les arrangements floraux contenant des fleurs séchées. Ils attirent la poussière et sont difficiles à nettoyer.

✳ Investissez dans un déshumidificateur et entretenez-le convenablement. Videz son réservoir toutes les semaines et profitez-en pour le nettoyer. Lavez-le avec une solution composée d'un litre d'eau chaude et de 30 ml d'eau de Javel. N'oubliez pas d'essuyer la bobine et de vérifier régulièrement la propreté du réservoir.

✳ Assurez-vous que vos rideaux sont faits de matière synthétique. Les fibres naturelles produisent plus de peluches et peuvent aggraver les symptômes d'allergies.

✳ Les acariens vivent dans les endroits humides. Faites donc tout ce qui est en votre pouvoir pour garder l'air sec — à part bien sûr déménager en Arizona !

✳ Mettez un couvercle sur vos casseroles pour éliminer la vapeur.

✳ Utilisez la hotte de la cuisinière lorsque vous faites à manger.

✳ Ne suspendez jamais de linge dans la maison pour le faire sécher.

• Brossez votre animal à l'extérieur et souvent. Essayez de le laver une fois par semaine — s'il vous laisse faire!

• Les personnes qui souffrent d'allergies ne devraient pas vider la caisse du chat. Si vous devez le faire, portez un masque et jetez les déchets à l'extérieur, jamais dans la poubelle.

• Si votre animal déteste les bains, frottez son poil avec le linge en microfibre ACT Natural™. Vous éliminerez ainsi l'excédent de poils, les squames et les résidus de salive qui sont responsables des problèmes d'allergies.

• Ne laissez pas votre chien courir dans les bois, les champs ou les hautes herbes; il risque de ramener des spores de moisissures, de l'herbe sèche, des feuilles et du pollen. Quelle vie de chien!

Le temps des impôts

Après les problèmes d'allergies, il est temps de nous occuper d'un autre irritant saisonnier — les impôts! Lisez la suite pour apprendre comment vous occuper des taches et des autres petites contrariétés qui surviennent à ce moment-ci de l'année. Pensez à moi comme à votre propre groupe de support personnel!

Non, je ne vous apprendrai pas à blanchir de l'argent.

Premièrement, faites des réserves d'aspirine. Vous pouvez les utiliser pour traiter les taches sous les aisselles (Quoi? vous ne suez jamais?), ainsi que les maux de tête qui ne manquent pas durant la saison de l'impôt! Pour faire disparaître les taches sur les tee-shirts et les autres vêtements en coton, faites dissoudre 8 à 10 aspirines dans 250 ml d'eau chaude, puis saturez-en le vêtement dans la région des aisselles. Laissez tremper 30 minutes, puis lavez comme d'habitude. Si vous portez le même tee-shirt nuit après nuit (eh! je ne juge personne), frottez les taches avec une barre de savon Fels-Naphta®, puis changez de tee-shirt!

Des marques de crayons? Prenez une gomme propre et souple, et frottez doucement la tache jusqu'à ce qu'elle disparaisse.

Si vous êtes l'une de ces personnes sûres d'elles-mêmes qui rédigent leur rapport d'impôt au stylo, traitez les taches d'encre en faisant tremper le vêtement dans du lait pendant quelques heures avant de le laver. Vous pouvez aussi éponger la tache avec un peu d'alcool à 90 degrés ou avec le produit Ink Away®, disponible dans les magasins de fournitures de bureau.

Vous vous êtes coupé avec du papier? Après avoir désinfecté la plaie, refermez-la avec du ruban adhésif Scotch®. Le ruban protégera la coupure de l'air et contribuera à ce que la plaie ne s'entrouvre pas davantage. Et si la plaie ne s'entrouvre pas, cela ne fera pas mal!

Si vous n'avez pas de ruban adhésif sous la main, une goutte de supercolle fera l'affaire. Un vrai petit remède miracle. Une goutte de colle sur une coupure et la douleur disparaît! Est-ce dangereux? Non, mais évitez d'en mettre si la coupure est profonde et, s'il vous plaît, ne vous collez pas les doigts ensemble. Les fonctionnaires du gouvernement n'accepteront pas cela comme une excuse si vous remettez votre rapport d'impôt en retard! Si jamais vous vous collez les doigts, un peu de dissolvant contenant de l'acétone vous sortira de ce mauvais pas — rapidement!

Bon, vous avez presque terminé. Vous avez préparé votre retour d'impôt, votre chèque, l'enveloppe est cachetée et vous vous apprêtez à quitter la maison pour vous rendre au bureau de poste lorsque, soudain, vous réalisez que vous avez oublié d'inclure votre chèque.

Mince! Ne désespérez pas. Mettez la main sur le produit Un-Du™. Il vous permettra d'ouvrir votre enveloppe en moins de deux, sans la déchirer ou la froisser, et vous pourrez la recacheter sans problème. Les produits Un-Du™ sont disponibles dans les centres de rénovation, les quincailleries et les solderies. On peut les utiliser de multiples façons : pour enlever les autocollants qu'ont apposés vos enfants sur les murs, les étiquettes de prix (sauf sur les tissus) et les autocollants sur votre pare-chocs lorsque vous changez d'affiliation politique. On devrait les retrouver dans toutes les maisons.

Si vous n'avez pas de Un-Du™, mettez l'enveloppe dans le congélateur pendant environ une heure, puis insérez un crayon sous le rabat. Avec un peu d'adresse, cette enveloppe s'ouvrira avant que vous n'ayez eu le temps de dire « Mata Hari »!

Vous ne leur devez rien? Vous êtes mon héros! Vous dites que vous allez recevoir un retour d'impôt? Téléphonez-moi...

Pâques!

Il est temps de nous tourner vers un sujet plus réjouissant que les percepteurs d'impôts! Je garde de si bons souvenirs de l'époque où nous nous rassemblions autour de la table pour colorer des œufs de Pâques avec papa et la Reine Mère. C'est quelque chose que le Roi et moi adorions faire, et nous aimions bien inviter le plus grand nombre d'amis et de membres de notre famille à y participer. Ma mère a toujours insisté pour couvrir la table de la cuisine avec une vieille nappe en plastique pour prévenir les taches et les éclaboussures (vous savez à présent de qui je tiens cela!) afin que nos créations n'endommagent pas la table. Voici ce que vous pouvez faire :

Placez un linge de table propre ou une poignée dans le fond d'une casserole et ajoutez de l'eau froide. Déposez doucement les œufs dans la casserole, mais ne la remplissez pas au maximum. Le coussin au fond de la casserole aidera à prévenir les fêlures mais, pour être sûr de les éliminer complètement, ajoutez 15 ml de vinaigre blanc. (Le vinaigre scellera les fêlures et facilitera la cuisson des œufs.) À feu moyen, amenez doucement l'eau à ébullition, puis laissez mijoter environ 20 minutes, jusqu'à ce que les œufs soient prêts.

✳ Conservez la fraîcheur de vos œufs crus en les enduisant d'une mince couche de matière grasse végétale. La matière grasse scelle l'œuf et le protège de l'air, lui permettant ainsi de rester frais plus longtemps.

✳ Si vous cassez un œuf cru durant ce processus, saupoudrez-le d'une épaisse couche de sel, attendez quelques minutes, puis essuyez-le avec une serviette en papier sèche. Le sel fera « cuire » l'œuf, facilitant ainsi le nettoyage. Une poire à jus peut aussi faire l'affaire.

✳ Avant de colorer vos œufs, remplissez quelques verres d'eau chaude (les verres en plastique risquent de se tacher). Ajoutez 15 ml de vinaigre dans chaque verre. Grâce à l'acide contenu dans le vinaigre, la teinture adhérera mieux aux œufs.

✳ Vous pouvez utiliser des ingrédients naturels pour colorer vos œufs de Pâques. La moutarde et le curcuma créent de merveilleuses nuances de jaune, le café et le thé bruniront les œufs; en faisant tremper de l'oignon rouge dans de l'eau, vous obtiendrez

> Vérifiez la fraîcheur des œufs en les plaçant dans un bol rempli d'eau froide. Les œufs qui remontent à la surface sont impropres à la consommation et devraient être mis au rebut.

une teinture mauve; le jus de canneberge et de cerise chaud donnera des rouges éclatants, et le soda à l'orange chaud de l'orange! Servez-vous de votre imagination pour créer de nouvelles couleurs et de nouveaux mélanges.

✳ N'oubliez pas : si vous plongez une œuf dur dans l'eau froide immédiatement après la cuisson, vous n'aurez pas à craindre l'apparition d'un cerne grisâtre autour du jaune.

✳ Vous cherchez un truc pour distinguer les œufs durs des œufs crus? Faites-les tourner sur le plan de travail. Un œuf dur tournera aisément sur lui-même, tandis qu'un œuf cru tournera de façon erratique.

✳ Un dernier conseil : si vous avez exposé vos œufs de Pâques dans un panier, ne les mangez pas. Les œufs deviennent rapidement avariés à la température de la pièce; la personne qui en mangerait risquerait d'être gravement malade.

22

Mai

Mai est l'un de mes mois préférés. Le temps incertain des premiers jours printaniers est chose du passé, et les longs mois d'été semblent s'étendre devant nous. Il n'y a pas de meilleur moment pour refaire connaissance avec le jardin. Mon amour du jardinage m'est venu naturellement : je l'ai hérité de ma maman! La Reine Mère m'a appris à jardiner de façon naturelle, sans faire de chichi et sans utiliser de produits chimiques. Voilà l'héritage que je veux vous transmettre! Je vais aussi partager avec vous quelques recettes maison pour fabriquer des produits de soins personnels, car il n'y a rien de plus agréable que de se dorloter un peu après un chaud après-midi dans le jardin. Et puisque mai est le mois de la fête des Mères, pourquoi ne pas vous faire plaisir?

Des idées plein mon jardin

Avant de commencer

Prenez un peu d'avance sur l'été! Plantez vos graines dans des boîtes d'œufs en carton contenant un peu de terre — ne compactez pas trop la terre et voyez à ce qu'elle ne déborde pas sur les côtés. La terre doit être humide, mais faites attention de ne pas trop l'arroser. Après les dernières gelées, il est temps de sortir les semis de leurs cartons et de les planter dans le sol. Vous êtes impatient? Accélérez le processus de germination en plaçant une pellicule de plastique sur les semis pour conserver l'humidité et la chaleur. Laissez la pellicule en place jusqu'à ce que les jeunes plants sortent du sol.

* Dans le jardin, essayez de porter des gants en latex plutôt qu'en tissu. Ils se nettoient plus facilement — vous n'avez qu'à les rincer sous l'eau et les laisser sécher à l'air — et ils ne se raidissent pas comme les gants en toile.

> Pour éloigner les moustiques, attachez une feuille d'assouplissant textile autour de votre ceinture lorsque vous jardinez.

* Pour obtenir un traitement hydratant pendant que vous jardinez, frottez-vous les mains avec de la crème pour les mains ou de la gelée de pétrole avant d'enfiler vos gants.

* Vous n'aimez pas porter de gants? Grattez une barre de savon avec vos ongles avant d'aller jardiner pour empêcher la saleté de pénétrer dessous et prévenir les cassures.

* Utilisez un petit chariot pour transporter votre équipement autour du jardin. Surveillez les ventes de garage pour faire une bonne affaire.

* Ayez toujours avec vous un vaporisateur contenant de l'eau et quelques gouttes de savon liquide pour vaisselle. Si vous apercevez des insectes en train d'attaquer vos fleurs, vaporisez-les et ils ficheront le camp!

* Vous auriez besoin d'un coussin pour vos genoux? Prenez un morceau de mousse de 5 à 8 cm d'épaisseur, enveloppez-le dans une pellicule de plastique ou placez-le dans un grand sac réutilisable et vous voilà prêt à partir.

Fertilisants

* Les coquilles d'œufs concassées sont un formidable fertilisant. Parfaites pour le jardin et les plantes d'intérieur, elles aèrent également le sol.

* Enfouissez un peu de café moulu dans votre jardin pour fournir aux sols alcalins les acides dont ils ont grandement besoin. Vous remarquerez que les plantes verdissent davantage.

✳ L'eau des aquariums est extrêmement riche en nutriments. Utilisez-la dans le jardin, ainsi que pour arroser vos plantes d'intérieur.

✳ Puisque les plantes raffolent de l'amidon, conservez l'eau dans laquelle vous avez fait cuire des pâtes. Assurez-vous simplement de laisser refroidir l'eau avant de l'utiliser.

✳ Des journaux humides placés sur le sol autour de vos plantes conserveront l'humidité du sol et tiendront les mauvaises herbes à distance. Assurez-vous que les journaux sont bien gorgés d'eau — vous avez besoin du poids de l'eau pour les maintenir en place — puis recouvrez-les d'un peu de terre. Comme le papier journal est biodégradable, il se dissoudra de lui-même avec le temps.

Insecticides

✳ Chassez les insectes nuisibles, comme les pucerons, les mites et les aleurodes, de vos roses, de vos hibiscus et de vos autres plantes en les vaporisant avec un mélange composé d'un litre d'eau et de 2 ml de savon liquide pour vaisselle. Appliquez de nouveau la solution toutes les deux semaines.

✳ Faites dissoudre de 5 à 8 ml de bicarbonate de soude dans un litre d'eau pour tuer les insectes qui s'en prennent à vos fleurs. Vaporisez-les tous les 7 ou 10 jours.

✳ Utilisez du lait en poudre pour tuer les pucerons sur vos rosiers. Mélangez 175 ml de lait en poudre dans un litre d'eau chaude et vaporisez. Les pucerons resteront prisonniers des résidus de lait et mourront. Utilisez le boyau d'arrosage pour rincer les rosiers de temps en temps, puis appliquez à nouveau la solution si nécessaire.

Plantez de l'ail, du persil ou du basilic pour éloigner les insectes de vos fleurs. Les soucis peuvent aussi convenir, vous n'avez qu'à les planter en bordure de votre jardin.

✳ Voici une excellente façon naturelle de contrôler l'apparition de taches noires sur vos roses. Ajoutez 15 ml de bicarbonate de soude et d'huile végétale à 4 l d'eau. Ajoutez ensuite une goutte de détergent liquide et secouez vigoureusement. Vaporisez ce mélange directement sur le feuillage tous les 5 ou 7 jours lorsque le temps est humide. Assurez-vous de vaporiser sur les deux côtés des feuilles.

✳ Chassez les insectes nuisibles qui mangent vos plantes les plus tendres en mélangeant 15 ml de moutarde forte ou de poivre de Cayenne dans un litre d'eau. Vaporisez directement sur le feuillage. Ces feuilles «épicées» feront fuir toutes ces petites bêtes nuisibles!

Qui l'aurait cru?

✳ Les collants usagés font d'excellentes attaches pour les plantes et les plants de tomates. Ils sont résistants et flexibles, et juste assez doux pour ne pas couper les plantes.

La taille des rosiers et des buissons est un sujet pour le moins épineux mais, si vous tenez les tiges qui ont des épines avec des pinces pour le barbecue ou des pinces à linge, fini les doigts sanglants!

✳ Insérez une barre de savon dans un sac en tulle et attachez-le autour du robinet extérieur. Après avoir jardiné, vous pourrez vous laver les mains en un rien de temps.

✳ Si vous avez les mains très sales, frottez-les avec une pâte épaisse faite de flocons d'avoine et d'eau. Frottez bien vos mains ensemble avant de les rincer, puis lavez-les comme d'habitude.

✳ Tuez les mauvaises herbes avec un grog naturel composé de 30 ml de vinaigre blanc, 30 ml de gin bon marché et 250 ml d'eau. Versez le tout sur les mauvaises herbes et dites-leur adieu.

Entretien du gazon

Le matin est le meilleur moment de la journée pour arroser votre pelouse, car le gazon encore humide de rosée absorbe mieux l'eau que le gazon complètement sec. Étant donné que le gazon desséché repousse l'humidité, n'attendez pas que votre gazon soit complètement déshydraté avant de sortir l'arroseur automatique. Et évitez d'arroser la nuit si vous le pouvez. L'arrosage nocturne contribue à l'apparition de champignons.

Vous pouvez couper le gazon même s'il est encore humide en vaporisant un peu d'huile végétale sur les lames de la tondeuse. Le gazon mouillé ne collera pas aux lames et vous aurez le temps de faire autre chose durant la journée. Vous pouvez aussi appliquer de la cire pour voiture, mais je vous conseille d'éviter le lave-auto!

Comment sait-on qu'il est temps d'arroser le gazon? J'aime bien faire le test du pied nu. S'il est agréable de marcher pieds nus sur le gazon — si le gazon n'est pas cassant et qu'il rebondit sous vos pas —, il n'est pas nécessaire d'arroser. Mais si le gazon vous pique les pieds et reste couché après votre passage, il est temps d'arroser.

Un bon arrosage assurera la santé de votre gazon. Cela signifie de solides racines et une couleur agréable. Je place toujours une boîte de nourriture pour chats vide sur le gazon lorsque j'arrose. Lorsque la boîte est pleine, je sais que j'ai déversé environ 3 cm d'eau, et c'est plus que suffisant.

Essayez de ne pas couper le gazon trop souvent. Les pelouses rasées de près conviennent peut-être aux terrains de golf, mais il est en fait préférable de laisser l'herbe plus longue, car elle retient mieux l'humidité. Utilisez les ajustements appropriés sur votre tondeuse pour obtenir de meilleurs résultats.

Vos outils

Prenez soin de vos outils et vous les conserverez toute votre vie.

Placez un récipient rempli de sable dans votre garage ou votre remise et plongez-y vos pelles et vos truelles lorsque vous avez terminé vos travaux. Le sable est un excellent abrasif naturel qui nettoiera vos outils et les empêchera de rouiller. Non seulement ce bac à sable va-t-il minimiser les dégâts dans votre garage, mais aussi saurez-vous toujours où trouver vos outils de jardinage!

Peinturez les manches de vos outils de couleurs brillantes afin qu'ils soient plus faciles à repérer sur le vert du gazon. Non seulement cela, mais vous pourrez aussi identifier vos outils si vous les prêtez à quelqu'un.

Si la rouille a défiguré vos outils en métal, frottez-les avec une brosse en acier, puis utilisez une lime à métaux pour redonner vie aux tranchants émoussés. Des produits spécialement conçus pour lutter contre la rouille sont disponibles en quincaillerie. Vous n'avez qu'à suivre les instructions sur la boîte.

Fatigué des taupes et des spermophiles ? Certaines personnes ne jurent que par le ricin, mais les feuilles et les cosses de cette plante sont toxiques pour les enfants et les animaux domestiques — Aïe ! Et moi ? Essayez plutôt des cheveux humains. Les cheveux sont un agent irritant pour ces petits rongeurs mais, rassurez-vous, cela ne leur fait aucun mal. Demandez à votre coiffeur un sac rempli de mèches et insérez les cheveux dans le trou de leur terrier. Ces petites créatures vont déménager très rapidement. (S'il vous reste des cheveux, vous pouvez toujours confectionner une perruque pour l'oncle Jack.)

Si des chiens, des ratons laveurs ou d'autres animaux viennent fouiller dans vos poubelles, attachez quelques chiffons imbibés d'ammoniaque autour des poignées. Ils viendront les renifler et découvriront que vos poubelles ne sont plus aussi attirantes. Nom d'un chien !

Éloignez les puces et les mouches qui se rassemblent à l'extérieur autour de la niche et de l'écuelle de votre animal en plantant de la rue (Ruta graveolens) à proximité. Vous pouvez aussi l'utiliser pour frotter vos meubles afin d'éloigner les chats qui, comme moi, voudraient s'y faire les griffes. Faites simplement attention de ne pas décolorer le tissu d'ameublement.

Gardez les chats et les chiens du voisinage à bonne distance de vos fleurs en répandant autour et dans vos parterres un mélange composé d'une part égale de boules à mites et de poivre de Cayenne. Fini les visiteurs à quatre pattes ! Mais loin de moi l'idée de faire une chose pareille…

Vous pouvez protéger vos outils en métal en appliquant une mince couche de Clean Shield Surface Treatment® ou de cire en pâte. La cire formera une barrière entre le métal et les éléments, ce qui devrait ralentir le processus d'oxydation.

Des poignées rugueuses sont synonymes de mains calleuses; assurez-vous donc de bien entretenir vos outils. Utilisez un peu de papier sablé fin pour adoucir les poignées en bois qui sont devenues rugueuses et grossières. Appliquez une généreuse couche d'huile de lin après le sablage pour protéger le bois des craquelures et des fendillements.

Si vous avez encore du mal à tenir les poignées, essayez de les insérer dans des tubes de mousse isolante servant à l'isolation des conduits d'eau. Découpez la mousse dans le sens de la longueur, puis insérez la poignée dans le tube et enveloppez le tout avec du ruban ultrarésistant. Non seulement la mousse protégera-t-elle vos mains du bois, mais aussi protégera-t-elle le bois des éléments.

> Vaporisez vos outils de jardinage avec un produit antiadhésif pour la cuisson avant de les utiliser. Ensuite la saleté sera plus facile à enlever.

N'oubliez pas de ranger vos outils à l'abri des intempéries.

Une mère pour toutes les saisons

Lorsque vous entendez les mots «fête des Mères», je suis sûre que vous pensez, tout comme moi, à votre Reine Mère. Naturellement, nous voulons tous faire plaisir à nos mères... voilà la question. Lisez la suite pour découvrir comment vous pouvez fabriquer votre propre ligne de produits d'entretien naturels et faciles à faire. Donnez-les en cadeau à votre maman et ce sera pour elle la fête des Mères tous les jours!

En plein visage

Si vous avez la peau sèche, frottez votre visage avec des flocons d'avoine pour l'hydrater et déloger les impuretés. Mélangez 60 ml de flocons d'avoine, 5 ml de miel et suffisamment de lait, de babeurre ou de yogourt nature pour former une pâte. Appliquez généreusement sur votre visage — en évitant la région des yeux —, puis massez doucement en faisant de petits mouvements circulaires. Laissez le masque sécher avant de rincer à l'eau chaude. Une fois que le masque est enlevé, revigorez votre visage en l'aspergeant avec de l'eau froide. Appliquez ensuite votre crème hydratante préférée ou, pour un traitement facial plus en profondeur, enchaînez avec un masque astringent aux flocons d'avoine.

Votre grand-maman adorait les masques astringents aux flocons d'avoine, et vous allez comprendre pourquoi. Mélangez 15 ml de flocons d'avoine avec un blanc d'œuf, puis appliquez le mélange sur votre visage et laissez sécher. Rincez à l'eau froide.

Vous souffrez d'éruptions cutanées? Appliquez une mince couche de lait de magnésium sur votre visage une fois par semaine. Laissez sécher, puis rincez à l'eau froide.

Votre peau est très sèche? En ajoutant un peu de mayonnaise à votre masque astringent, vous obtiendrez un fini plus satiné.

Besoin d'un petit coup de fouet en fin de journée? Essayez de l'hamamélis. Au travail, conservez une petite bouteille et quelques boules de coton dans un tiroir de votre bureau. Trempez les boules de coton dans l'hamamélis, puis tamponnez votre visage et votre cou… et préparez-vous à renaître! C'est aussi simple que cela. Si vous le pouvez, gardez l'hamamélis au réfrigérateur. Et si vous aimez les gâteries, versez-en dans un vaporisateur et offrez-vous une petite giclée après le travail!

Pauvres yeux
Ces remèdes ne sont pas nouveaux, mais cela vaut la peine de les répéter.

* Une tranche de concombre frais sur chaque paupière soulagera les yeux fatigués. Et cette pause de 15 minutes ne vous fera pas de mal non plus!

* Les sachets de thé froid font des merveilles sur les yeux bouffis; assurez-vous donc de toujours en avoir dans le réfrigérateur.

* Un peu de Préparation H™ fera disparaître les yeux bouffis. Évitez toutefois les contacts avec les conduits lacrymaux et les globes oculaires.

* Appliquez un peu d'huile de ricin autour de vos yeux avant d'aller au lit. Évitez toutefois la région des yeux proprement dite et assurez-vous de ne pas utiliser trop d'huile.

Votre glorieuse crinière
Pour redonner du lustre aux cheveux secs, utilisez une huile chaude, légère et naturelle, comme l'huile de maïs ou de tournesol. Ceux d'entre vous qui ont

les cheveux très secs apprécieront peut-être l'huile d'olive, mais assurez-vous de n'en utiliser qu'une petite quantité. L'huile d'olive ne se rince pas facilement. Un dernier avertissement : l'huile chauffe rapidement et peut causer de graves brûlures. Alors, évitez le micro-ondes. La meilleure et la plus sûre façon de faire chauffer de l'huile pour un traitement du cuir chevelu consiste à verser de l'huile dans un coquetier, puis à placer le coquetier dans une tasse ou un petit bol rempli d'eau chaude ou d'eau bouillante. Faites chauffer l'huile jusqu'à ce qu'elle soit tiède — 15 ml d'huile devrait suffire —, puis appliquez-la sur les cheveux secs avec la paume de vos mains. Assurez-vous que le cheveu et l'extrémité du cheveu soient bien enduits d'huile (mais pas saturés, néanmoins) en évitant de faire pénétrer l'huile jusqu'à la racine, ce qui aurait pour effet d'aplatir vos cheveux. Recouvrez vos cheveux d'un sac plastique et laissez-le en place le plus longtemps possible — idéalement jusqu'au lendemain. Complétez par un shampooing en profondeur, en prenant soin de savonner à deux reprises. Oubliez le revitalisant et préparez-vous à recevoir des compliments !

Vous pouvez aussi utiliser de la mayonnaise, qui est en fait un mélange

Je déteste lorsque cela se produit...

Vous avez les cheveux en pagaille à cause de l'électricité statique ? Frottez vos brosses et vos peignes avec une feuille d'assouplissant textile avant de vous coiffer. Fini les ennuis avec la statique !

d'œuf et d'huile. Mais ne faites pas chauffer la mayonnaise, car elle risquerait de se séparer. Prenez-en une petite quantité dans le pot — 15 à 30 ml devraient suffire, à moins que vos cheveux soient très longs — et laissez-la tiédir à la température de la pièce pendant quelques heures. Frottez ensuite vos cheveux avec juste assez de mayonnaise pour bien les enduire (en vous rappelant d'éviter d'en mettre sur les racines), puis peignez-les minutieusement. Attendez environ 30 minutes, puis shampouinez et rincez avec de l'eau et du citron avant de procéder au rinçage final à l'eau froide.

Montrez-moi vos mains

Fabriquez votre propre crème pour les mains en mélangeant deux parts de glycérine et une part de jus de citron. Massez vos mains avec ce mélange après les avoir lavées et à l'heure du coucher. Cette crème absorbante est très efficace et dégage un parfum agréable !

Adoucissez les mains et les pieds rugueux en les frottant avec une part égale d'huile à cuisson et de sucre granulé.

Pour ramollir les cuticules, faites tremper vos doigts dans un bol rempli d'huile d'olive chaude. Repoussez-les doucement avec un tampon en coton. Si les cuticules sont très sèches, enduisez-les d'un peu d'huile d'olive à l'heure du coucher.

Le jus de citron est très efficace pour enlever les taches et blanchir les mains. En bouteille ou frais pressé, frottez vos mains avec du jus de citron avant de les laver avec un bon savon et de l'eau.

Votre vernis à ongles durera plus longtemps si vous appliquez un peu de vinaigre blanc sur vos ongles. Enduisez-les à l'aide d'un tampon en coton avant d'appliquer votre vernis à ongles. L'acidité du vinaigre aide le vernis à se fixer sur l'ongle ; il s'étendra mieux et il résistera plus longtemps.

Accélérez le temps de séchage de votre vernis à ongles en plongeant vos doigts fraîchement vernis dans l'eau froide. Secouez ensuite vos mains pour les faire sécher. Et pour éviter d'abîmer votre vernis, appliquez de l'huile pour bébé sur vos ongles fraîchement vernis !

Aux fourneaux!

Idéalement, servir le petit-déjeuner au lit le jour de la fête des Mères!

PAIN PERDU À LA FLEUR D'ORANGE

12 tranches de pain

6 jaunes d'œufs

125 ml de crème moitié-moitié ou de lait entier

125 ml de jus d'orange

15 ml de zeste d'orange

1 ml de sel

60 ml de beurre

Laissez le pain sécher à l'air ambiant toute la nuit.

Le lendemain matin, dans un bol de taille moyenne, battez légèrement les jaunes d'œufs, puis mélangez la crème moitié-moitié, le jus d'orange, le zeste d'orange et le sel. Trempez les tranches de pain dans le mélange, en prenant soin de les enduire des deux côtés.

Faites chauffer le beurre dans une poêle à frire, puis faites cuire le pain des deux côtés jusqu'à ce qu'il soit doré.

Servez avec du sirop et tout votre amour. Donne 6 portions.

23

Juin

L'été est enfin arrivé. Les enfants ont fini l'école et il est temps de prendre la route pour passer des vacances en famille. Mais êtes-vous angoissé à l'idée d'entendre le sempiternel refrain Quand est-ce qu'on arrive? Rassurez-vous, les choses n'ont pas à se dérouler de cette façon. Les enfants ne sont pas obligés de s'ennuyer et vous non plus d'ailleurs. Il y a plusieurs choses que vous pouvez faire pour rendre ce voyage agréable — amusant et sans risque. Alors, faisons fonctionner nos méninges et amusons-nous un peu.

Sur la route

Toute la famille part en voyage… en voiture. Vous allez y passer des heures et des heures. Si cette éventualité vous tracasse, rassurez-vous, vous n'êtes pas le seul. Dévorez ces quelques pages avant de vous lancer sur le bitume.

Avant de partir

Cela fait toujours du bien de s'éloigner de la maison pour quelque temps. Et si vous prenez le temps de bien préparer la maison avant de partir, votre retour n'en sera que plus agréable.

✳ Verrouillez les portes et les fenêtres, mais laissez les stores et les rideaux ouverts. Utilisez une minuterie automatique pour contrôler l'éclairage dans la maison.

✳ Nettoyez le réfrigérateur et retirez tous les aliments périssables.

✳ Vous aimeriez savoir si le congélateur s'est arrêté durant votre absence? Prenez une glace en bâtonnet pour les enfants — celles qui sont vendues dans des emballages en plastique transparent — et faites-la congeler, puis appuyez-la à la verticale contre la porte du congélateur. Si le congélateur tombe en panne durant votre absence, la glace pendra à l'intérieur de la porte plutôt que de se tenir debout. Vous saurez dès lors que la nourriture dans le congélateur est impropre à la consommation.

✳ Rangez vos objets de valeur dans un endroit sûr. Le congélateur, la boîte à bijoux et le tiroir de la commode ne sont pas des endroits sûrs…

> Si vous l'avez lu dans un livre ou dans un article de journal, il y a de bonnes chances que ce ne soit pas un endroit sûr où ranger vos objets de valeur. Les voleurs lisent, eux aussi. Servez-vous de votre imagination et soyez discret.

✳ Fermez tous les petits appareils électriques. Débranchez les lumières et les fontaines décoratives.

✳ Les fumeurs voudront s'assurer que les cendriers sont vides. Les mégots dégagent leur mauvaise odeur longtemps après que la cigarette se soit éteinte, et il n'y a rien de pire que de rentrer dans une maison qui empeste comme un vieux cendrier.

✳ Suspendez la livraison des journaux et du courrier.

✳ Pour vous assurer que vos plantes ne manquent pas d'eau lorsque vous n'êtes pas à la maison, rassemblez-les dans la baignoire et laissez-les dans environ 3 cm d'eau. Les plantes absorberont l'eau graduellement et pourront survivre une semaine ou deux. Si vos pots ne sont pas perforés, remplissez un verre d'eau, insérez l'une des extrémités d'une grosse ficelle dans le verre, puis enfouissez l'autre extrémité dans le pot. Croyez-le ou non, mais cette petite solution maison permettra à la plupart de vos plantes de rester humides pendant votre absence!

✴ Laissez une clé et un numéro de téléphone à un voisin en qui vous pouvez avoir confiance afin qu'il ouvre l'œil durant votre absence.

Quoi emporter

Les vacances ne se déroulent jamais de la même façon; alors, décidez avant de faire vos bagages quel genre de vacances vous souhaitez passer. Si votre routine quotidienne implique que vous vous leviez à six heures et demie tous les matins pour aller travailler, j'imagine que le bruit de votre réveille-matin est la dernière chose que vous ayez envie d'entendre. Toutefois, si vous voulez être les premiers au guichet de Disneyland, vous allez avoir besoin de votre réveil.

Voici une liste pour vous mettre en train :

✴ Un petit ensemble de couture

✴ Un séchoir à cheveux de voyage

✴ Un parapluie ou un imperméable

✴ Un permis de pêche ou de chasse

✴ Un réveille-matin

✴ Un couteau de l'armée suisse

> Amenez avec vous un contenant de savon liquide presque vide rempli d'eau. Vous aurez ainsi sous la main un nettoyant fort pratique en cas d'urgence.

✴ Un petit sac de rangement pliable pour transporter les choses supplémentaires que vous allez acheter

✴ Une petite quantité de détergent à lessive pour réparer les «Oups!»

✴ De l'équipement pour faire de l'exercice

✴ Un appareil photo et de la pellicule

✴ Des piles

✴ Quelques sacs à ordures en plastique pour ramener votre linge sale

✴ Des costumes de bain

✴ Plusieurs tee-shirts

* Une pince à épiler — cela peut s'avérer très pratique

* Des sacs Ziploc™ de 4 l, pour les costumes de bain, etc.

* Quelques pinces à linge et des épingles de sûreté

> Vaporisez le devant de la voiture avec un produit antiadhésif pour la cuisson avant de prendre la route. Les insectes et la saleté partiront plus facilement au lavage.

Et n'oubliez pas l'essentiel

* Vos médicaments et une paire de lunettes de rechange

* Des aspirines pour les enfants et des médicaments contre les maux de ventre

* Des lunettes de soleil, de la lotion de bronzage, de l'anti-moustiques

* Une trousse de premiers soins, des serviettes et des mouchoirs en papier

* Vos papiers d'assurance maladie et les assurances de la voiture

* Un double de vos clés de voiture

* Une roue de secours, un cric, une lampe de poche, un grattoir pour le pare-brise et une trousse de dépannage

* Quelques litres d'eau fraîche — pour vous et votre radiateur

* Des cartes routières

* Le numéro 1-800 de votre compagnie de carte de crédit

* Un carnet et un crayon

* Des pièces d'identité avec photo

Pour les passagers du siège arrière

Voyager avec des enfants demande une attention toute particulière et de la préparation, sans oublier une bonne dose d'imagination et de patience. Planifiez à l'avance. Tenez vos enfants occupés et essayez d'éviter les mésaventures avant qu'elles ne se produisent. Vous ne regretterez pas de l'avoir fait.

Choses à faire et à ne pas faire pour voyager sans risque

✔ Verrouillez toutes les portières et apprenez aux enfants à ne pas jouer avec les poignées.

✘ Ne permettez pas aux enfants de sortir leur tête, leurs bras ou leurs mains à l'extérieur de la voiture lorsque les vitres sont baissées.

✔ Donnez le bon exemple et attachez toujours votre ceinture de sécurité lorsque vous montez dans la voiture.

✘ Ne laissez jamais vos enfants et vos animaux domestiques seuls dans la voiture — même pour un bref instant.

✔ Faites toujours asseoir vos enfants sur le siège arrière.

✔ Assurez-vous de faire fréquemment des haltes afin de permettre aux enfants de se dégourdir les jambes.

✘ Ne permettez pas aux enfants de sucer des suçons en voiture. Un arrêt brusque pourrait avoir des conséquences désastreuses.

✔ Assurez-vous d'apporter suffisamment d'eau froide.

Et ce n'est pas terminé

Les enfants ont du ressort, mais leurs petits corps sont très sensibles à leur environnement. Gardez donc vos petits passagers à l'œil, et soyez attentif aux symptômes du mal des transports et aux maux de ventre. Parfois, une courte halte et un peu d'air frais permettent d'éviter bien des problèmes.

✳ Gardez une brosse à dents neuve et un petit tube de pâte dentifrice à la menthe dans la boîte à gants. Si l'un de vos petits est malade ou s'il vomit, il se sentira beaucoup mieux après s'être brossé les dents.

> Évitez autant que possible les collations sucrées. Les enfants bourrés de sucre ne sont pas des passagers modèles.

Évitez néanmoins les pâtes dentifrices sucrées ou parfumées, car elles pourraient aggraver la nausée.

✳ Lorsque vous préparez les collations que vous emporterez en voyage, évitez les petits aliments avec lesquels les enfants risquent de s'étouffer, comme les bonbons durs et les arachides.

✳ Les lingettes pour bébé nettoient efficacement les mains et les visages collants — ceux de vos enfants et les vôtres. Utilisez-les pour vous laver les mains après avoir rempli votre réservoir d'essence.

✳ Les petits devront changer de vêtements. Tout le monde aime avoir un tee-shirt de rechange propre et frais. Et n'oubliez pas les couches !

Passons aux choses amusantes

✳ Les enfants adorent jouer avec les articles de bureau, que ce soit du ruban adhésif, du papier, des notes autocollantes — et ils ne risquent pas de se blesser, non plus. Toutefois, ne leur donnez pas de crayons ou de stylos, et surtout pas de ciseaux.

✳ Jouer avec de l'argent jouet est fort amusant. Votre enfant peut ouvrir son propre centre d'achats sur le siège arrière ! Évitez néanmoins de donner des pièces de monnaie aux jeunes enfants.

✳ Pour faire des sculptures et des bijoux, emportez des carrés de papier d'aluminium. Vos enfants pourront les réutiliser encore et encore. (Ne donnez pas de papier à de jeunes enfants qui pourraient être tentés de le mettre dans leur bouche.)

✳ Les enfants de l'ère numérique aiment encore chanter des chansons et réciter des comptines. Encouragez-les à composer leur propre refrain. Et n'ayez pas peur de faire appel à leur créativité !

✳ Les albums à colorier — ceux dont les couleurs sont déjà sur les pages — sont très populaires auprès des jeunes enfants. Tout ce dont vous avez besoin, c'est d'un petit pinceau et quelques centimètres d'eau dans une tasse. Pas d'histoires, ni d'éclaboussures.

✳ N'oubliez pas les classiques. Le pendu, le tic-tac-toe et « Jean dit » sont d'excellents passe-temps, tout comme les mots croisés.

✳ N'oubliez pas les bulles!

✳ Avant de partir, demandez à vos enfants de fabriquer des marionnettes en papier. Cela les tiendra occupés et vous permettra de préparer votre voyage sans être constamment interrompu. Et évidemment, les enfants seront bien contents d'emporter avec eux leurs dernières créations.

✳ Les enfants adorent utiliser des jumelles.

✳ Les tatouages, ceux que l'on imprime avec un linge humide, sont aussi très amusants.

✳ Les jeux de cartes «À la pêche» sont très divertissants. Même les enfants qui sont trop jeunes pour comprendre le jeu s'amuseront avec les cartes. Alors ça mord, quelqu'un?

✳ Tout le monde sait que les livres audio agrémentent merveilleusement les longs trajets, mais les petits enfants risquent de s'ennuyer s'ils ne font qu'écouter. Alors, pourquoi ne pas leur permettre d'enregistrer leurs propres livres? Puisque la plupart des magnétophones possèdent une touche enregistrement, pourquoi ne pas acheter quelques cassettes à la solderie et laisser votre enfant développer ses dons radio-phoniques? Il peut décrire le décor, inventer des histoires et des chansons, enregistrer une lettre pour grand-maman — il peut même vous interviewer!

✳ Les enfants raffolent des appareils photo jetables. Pensez à en acheter un à chaque enfant.

✳ Les tout-petits peuvent utiliser de la réglisse et des Cherrios® ou des Fruit Loops® pour confectionner des colliers et des bracelets. Lorsqu'ils en auront assez, ils pourront manger leurs créations!

✳ Achetez de petits jouets à bon marché dans une solderie, comme des dinosaures en plastique et des petits trolls. Enveloppez-les dans du papier coloré et distribuez-les après la collation pour leur faire plaisir. Les enfants adorent déballer des jouets, même qu'ils préfèrent parfois cette activité aux jouets eux-mêmes. Gardez hors de la portée des tout-petits ceux qu'ils pourraient mettre dans leur bouche.

S'il vous plaît, assurez-vous que quelqu'un s'occupera bien de moi durant votre absence. J'ai bien sûr besoin de nourriture et d'eau, mais j'ai aussi besoin qu'on me tienne compagnie. Je m'ennuie affreusement lorsque vous n'êtes pas là. Et s'il vous plaît, assurez-vous de laisser une note sur la porte ou sur la fenêtre pour indiquer aux gens que je suis à l'intérieur. On oublie parfois les animaux domestiques dans toute l'agitation que suscite un incendie ! Je frissonne à l'idée de ce qui pourrait arriver…

Si vous m'amenez avec vous, assurez-vous que j'ai une place bien à moi dans la voiture, avec de l'eau et de la nourriture. Si possible, emportez mon lit — ou abritez-moi du soleil.

Donnez fréquemment à votre chien la chance d'aller faire de l'exercice et ses besoins. Tenez-le toujours en laisse ; vous savez que les chiens aiment bien fuguer.

N'oubliez pas d'emporter ma caisse et de la litière. Une caisse jetable fera l'affaire. Mais ne vous attendez pas à ce que j'aille au petit coin à 120 kilomètres à l'heure avec tous ces camions qui nous doublent. J'ai besoin d'un peu d'intimité.

Assurez-vous que nous portons notre collier, au cas où nous nous perdrions.

✳ Les tôles à biscuits et le papier parchemin font d'excellentes tables de travail pour les enfants. Assurez-vous cependant de ne pas donner aux tout-petits des objets tranchants ou potentiellement dangereux, comme des crayons et des stylos. Le moindre choc pourrait s'avérer désastreux s'ils ont ces objets entre les mains. Les crayons de cire et les gros marqueurs sont ce qu'il y a de mieux.

✳ Yahtzee® est un excellent jeu à emporter en voyage.

Pour bien nettoyer la voiture

Les longs voyages peuvent laisser des traces sur votre voiture. Voici ce qu'il faut faire pour lui redonner son aspect d'origine — en un rien de temps!

✳ Utilisez une pâte faite de bicarbonate de soude et d'eau pour nettoyer et faire reluire l'extérieur du pare-brise.

✳ Versez un peu de bicarbonate de soude dans le cendrier de la voiture. Cela n'empêchera peut-être pas les gens de fumer, mais cela contribuera du moins à neutraliser les odeurs.

On peut facilement faire partir les taches de rouille sur les pare-chocs — frottez-les tout simplement avec une boule de papier d'aluminium! Si les taches sont tenaces, essayez de les enlever en trempant le papier d'aluminium dans un verre de cola! (Ne me demandez pas pourquoi…)

✳ Gardez quelques feuilles d'assouplissant textile usagées dans la boîte à gants. Utilisez-les pour essuyer le tableau de bord, nettoyer les conduits d'aération, et pour polir le rétroviseur. Rangez-les dans un sac Ziploc™ et vous aurez encore de l'espace pour vos cartes routières et vos coupons de restauration rapide!

✳ Si les oiseaux vous laissent un petit cadeau non désiré sur la voiture, prenez simplement de la crème pour les mains sans eau et étendez avec soin à l'aide d'un vieux chiffon. Laissez reposer quelques minutes, puis enlevez le tout en frottant.

✳ Faites partir les résidus de goudron en les saturant d'huile de lin. Appliquez généreusement de l'huile sur les régions touchées, laissez tremper pendant un certain temps, puis essuyez avec un vieux chiffon lui aussi imbibé d'huile de lin. Assurez-vous de jeter le chiffon dans une poubelle à l'extérieur.

✳ Fabriquez votre propre lave-glace en mélangeant 2 l d'alcool à 90 degrés, 250 ml d'eau et 5 ml de savon liquide pour vaisselle. Ce liquide ne gèlera pas même à moins 30 degrés. Durant l'été, versez 500 ml d'alcool à 90 degrés et 5 ml de liquide pour vaisselle dans le réservoir à lave-glace, puis remplissez-le d'eau. Ce mélange nettoiera le pare-brise même lorsqu'il pleut ou qu'il fait chaud.

> Ne prêtez jamais votre voiture à quelqu'un à qui vous avec donné naissance.
> — Erma Bombeck

✳ Un peu de bicarbonate de soude sur un chiffon doux humide nettoie à merveille le chrome, les phares et l'émail.

✳ Essuyez de temps en temps les essuie-glaces pour enlever la pellicule de saleté qui s'y dépose.

✳ Lavez la voiture à l'ombre pour éviter de laisser des marques.

✳ Utilisez de l'eau chaude et quelques gouttes de liquide à vaisselle pour laver la voiture. Commencez par le toit, puis lavez et rincez une section à la fois pour éviter que le savon ne sèche sur la voiture.

✳ Séchez la voiture avec une vieille serviette de bain, puis frottez-la avec un chamois de bonne qualité pour obtenir un lustre éclatant.

La fête des Pères

Vous ne pensiez quand même pas que nous allions laisser le mois s'écouler sans célébrer la fête des Pères, n'est-ce pas? J'ai toujours pensé que le plus beau cadeau était d'offrir du temps. Alors, pourquoi ne pas donner congé à votre père pour la journée et lui permettre de vagabonder sur le parcours pour une merveilleuse partie de golf. Et lorsqu'il rentrera, traitez tendrement ses bâtons, avec tout le soin qu'ils méritent…

Attention !

Nettoyez les bâtons de golf en frottant doucement la tête et la tige avec de la laine d'acier fine (0000) sèche. Ne mouillez pas la laine d'acier. Époussetez les bâtons avec un linge humide avant de les polir avec un chiffon doux sec.

Vous pouvez facilement nettoyer la poignée en utilisant du savon et de l'eau — mais le genre de savon que vous utiliserez fera toute la différence. Trempez un chiffon doux dans l'eau chaude, puis utilisez la mousse provenant d'une barre de savon hydratant, comme Dove® ou Caress®. N'utilisez pas de savon déodorant, car il risquerait d'assécher le cuir. Frottez vigoureusement pour faire partir la saleté, en n'oubliant pas de rincer votre linge à mesure qu'il se salit. Répétez jusqu'à ce que la poignée soit propre, puis appliquez à nouveau de l'eau et du savon une dernière fois. Ne rincez pas — polissez plutôt la poignée avec un chiffon doux. Ce procédé donnera de la souplesse à la poignée et préviendra le dessèchement et le fendillement. Pour les taches vraiment tenaces ou pour rajeunir les vieux bâtons de golf, utilisez le nettoyant pour les mains sans eau GOJO™, puis frottez-les jusqu'à ce qu'ils soient propres. Lavez ensuite les bâtons en utilisant la formule eau et savon présentée précédemment, puis séchez-les complètement.

Pour que vos gants de golf restent souples entre deux parties, placez-les dans un sac plastique avec une fermeture. Si vous devez les nettoyer, utilisez la méthode pour les poignées présentée précédemment, et gardez-les dans vos mains pour préserver leur forme durant le processus. Travaillez uniquement avec un linge humide, en vous assurant de ne pas saturer les gants d'eau. Terminez le nettoyage en les polissant à l'aide d'un chiffon doux qui nettoie et assèche, puis laissez-les sécher naturellement à l'air libre, en évitant de les exposer directement à la lumière. Pour restaurer les gants desséchés, essayez de les frotter avec un peu de crème pour les mains tandis que vous les portez!

Les chaussures de golf demandent elles aussi une attention toute particulière. Brossez la semelle avec une brosse rigide pour enlever toute la saleté et les débris. Si vous avez joué sur un terrain détrempé, attendez que les chaussures soient sèches. Lavez les chaussures en cuir au besoin avec du savon hydratant Dove®, puis traitez les éraflures avec un peu de pâte dentifrice blanche ou un produit à cuticules. Pour ce qui est des chaussures en tissu, nettoyez-les à fond avec un linge en microfibre humide. Traitez toujours vos chaussures avec un bon produit imperméabilisant si vous devez jouer sous la pluie ou dans la rosée du matin. Vous avez un petit problème d'odeurs ? Pour les éliminer, versez un peu d'ODORZOUT™ dans un bas ou une chaussette, puis placez ceux-ci dans vos chaussures avant de les ranger.

Nettoyez les balles de golf en les faisant tremper dans une solution composée de 250 ml d'eau chaude et 60 ml d'ammoniaque. Frottez-les doucement, rincez et laissez sécher. Rangez vos balles supplémentaires dans des boîtes d'œufs en carton. Les compartiments sont tout juste de la bonne taille !

> Vous avez du mal à identifier vos balles de golf et de tennis ? Une petite goutte de vernis à ongles coloré fera aussi bien l'affaire que n'importe quel monogramme.

24

Juillet

Même ceux qui passent leur temps affalés devant le téléviseur s'aventurent hors de la maison en juillet. Alors, sortez votre équipement de base-ball, sautez sur votre vélo, mettez vos patins à roues alignées ou plongez dans la piscine pour chasser les bleus de l'été. Un peu trop fatigant pour vous? Alors, pourquoi ne pas vous affaler sur une chaise longue ou dans un hamac sur un joli terrain de camping pendant une semaine ou deux? Voilà une merveilleuse et reposante façon de recharger vos batteries, de laisser les enfants se défouler et de passer un peu de temps en famille.

Que les jeux commencent!

Allons jouer au base-ball… mais assurez-vous d'abord de la propreté et du bon état de votre équipement. Sinon, une, deux, trois prises, et vous êtes retiré!

Lavez votre gant de base-ball avec un linge humide et du savon hydratant Dove®. Polissez-le avec un chiffon doux — inutile de rincer. Pour garder le cuir doux et souple, frottez le gant de temps en temps avec un peu de gelée de pétrole. Rangez votre balle dans la paume de votre gant pour qu'il en garde la forme.

Vous voulez connaître la meilleure façon de nettoyer votre bicyclette? Traitez-la comme une voiture! Lavez le cadre avec de l'eau chaude et un peu de détergent liquide pour vaisselle. Rincez bien, séchez, puis appliquez une couche de cire pour les voitures afin de prévenir la rouille. Lavez la selle avec un peu de savon et un chiffon doux, puis polissez pour faire sécher.

> **Mon appareil préféré au gym est la machine distributrice.**
> — Caroline Rhea

Vos balles de ping-pong sont cabossées? Placez-les dans un bol rempli d'eau et laissez-les flotter quelques minutes. Les bosses devraient disparaître d'elles-mêmes. Malheureusement, les balles craquelées ou extrêmement bosselées ne peuvent être réparées.

Lavez de temps à autre votre planche à roulettes avec de l'eau et un bon vieux savon. Prêtez une attention toute particulière aux roulettes en les frottant avec une brosse afin de déloger la terre et les cailloux incrustés qui pourraient vous ralentir.

Pas facile de chasser les mauvaises odeurs de nos patins — qu'ils soient à roues alignées ou à glace. Je vous recommande de saupoudrer un peu d'ODORZOUT™, un déodorant de première qualité. Versez-en dans vos patins, laissez agir toute la nuit, puis secouez-les le lendemain. ODORZOUT™ élimine les odeurs, il ne les masque pas; vos patins resteront donc frais plus longtemps. Vous n'en avez pas? Essayez avec du bicarbonate de soude.

Pour nettoyer les bottillons de vos patins, utilisez un linge en microfibre, comme ceux fabriqués par ACT Natural™. Le linge ACT Natural™ peut s'utiliser seul, sans produits chimiques qui risqueraient d'endommager ces précieux patins.

Avant d'échanger votre équipement de hockey pour vos accessoires de base-ball, assurez-vous de ranger les palets dans le congélateur. Ils resteront plus fermes et seront plus résistants de cette façon.

Pour éviter les ampoules, enduisez vos pieds de gelée de pétrole sous vos chaussettes. Appliquez une mince couche sur les parties sensibles avant de faire de l'exercice. Et ne portez jamais des chaussettes de sport plus d'une fois.

Qui a dit qu'il n'y avait pas de solution?

L'été n'est pas qu'une affaire de jeux et de divertissements. Il y a aussi des nuits chaudes et des piqûres d'insecte, des coups de soleil à apaiser et des meubles de jardin à nettoyer — toutes ces choses que nous appelons dans notre métier les bleus de l'été. Lisez la suite pour découvrir quelques solutions pratiques.

✳ Enlevez les saletés et les moisissures de la pataugeoire de votre enfant en la rinçant avec de l'eau chaude et du bicarbonate de soude.

✳ Si vous êtes couvert de sable, saupoudrez-vous avec de la poudre pour bébé et le sable partira de lui-même.

✳ Une chaude nuit en perspective et vous n'avez pas de climatiseur? Saupoudrez de la poudre pour bébé sur vos draps; elle absorbera l'humidité et vous assurera une bonne nuit de sommeil. Vous n'avez pas de poudre? Utilisez de la fécule de maïs à la place!

✳ Frottez les parties de votre corps exposées avec du vinaigre blanc non dilué pour repousser les insectes.

✳ Appliquez une compresse d'eau chaude salée sur les piqûres de moustique et de chique. Pour un soulagement prolongé, mélangez un peu de sel et de matière grasse, comme de la graisse Crisco®, et appliquez ce mélange directement sur la morsure.

✳ Les déodorants qui contiennent de l'aluminium (et la plupart en contiennent) peuvent être appliqués sur les morsures d'insecte pour diminuer la démangeaison.

✳ On utilise beaucoup les portes coulissantes durant l'été; assurez-vous donc que leurs rails sont propres et bien lubrifiés. Une façon facile? Vaporisez du poli à meubles sur les rails, puis essuyez-les avec un linge sec ou une serviette en papier. Le

> Cette pellicule de givre sur le carton de crème glacée n'est pas une couche protectrice, et on peut l'éviter. Recouvrez tout simplement le dessus de la crème glacée avec du papier ciré et pressez fermement. Fini les «cristaux protecteurs» !

poli ramassera la saleté et lubrifiera les rails mieux que tout autre détergent. Si vous voulez améliorer le glissement entre deux nettoyages,
essuyez les rails avec un carré de papier ciré. Cela fonctionne à tous les
coups!

✳ Les rideaux de douche en plastique font d'excellentes nappes. Ils sont
lavables et peu onéreux.

✳ Les draps font de meilleures serviettes de plage que les serviettes. Ils ne
retiennent pas le sable et ils se lavent plus facilement lorsque vous revenez
à la maison. Achetez quelques draps supplémentaires d'occasion dans un
magasin où les profits sont versés à des œuvres charitables.

✳ Le poivre noir fait fuir les fourmis. Saupoudrez-en sous les tapis et dans
le fond de vos armoires. Tenez les poissons d'argent à distance avec du
sel d'Epsom : versez-en dans les armoires et dans le fond de vos tiroirs.

✳ Si les enfants ont des coups de soleil, baignez-les pendant une demi-
heure dans une baignoire remplie d'eau froide (mais pas trop froide)
contenant un peu de bicarbonate de soude. Ce procédé fonctionne aussi
pour la varicelle et les morsures d'insecte.

✳ Inutile d'utiliser des produits chimiques ou coûteux pour nettoyer vos
meubles de jardin. Rincez-les avec de l'eau chaude et du bicarbonate de
soude. Saupoudrez un peu de bicarbonate de soude sur les marques
rebelles — cet abrasif naturel les fera facilement partir au lavage.

Je déteste lorsque cela se produit...

Du goudron sous la plante des pieds? Faites-le partir en frottant
vigoureusement avec de la pâte dentifrice.

En camping

Si un service aux chambres particulièrement lent est l'idée que vous vous faites du camping, vous devriez peut-être sauter cette section.

Les indispensables

✴ Il fait très noir sur les terrains de camping le soir venu. Assurez-vous donc d'apporter une torche, une bougie ou une lampe de poche. Encore mieux, apportez-les toutes les trois. Et n'oubliez pas les piles!

✴ Vous vous rappelez ce couteau de l'armée suisse que vous avez reçu en cadeau pour Noël il y a trois ans? Eh bien, le moment est venu de vous en servir. Vous aurez également besoin de bons couteaux de cuisine; alors, n'oubliez pas d'en apporter.

✴ Conservez votre papier hygiénique au sec dans un contenant à café muni d'un couvercle. Y a-t-il quelque chose à ajouter?

> Ceux qui croient pouvoir faire du feu en frottant deux bâtons se surestiment beaucoup. Ne jouez pas les «Robinson Crusoé». Apportez des allumettes ou un briquet.

✴ Apportez quelques chandelles, un lampion ou une bougie chauffe-plat.

✴ Assurez-vous d'apporter un peu de détergent liquide pour vaisselle, un tampon à récurer et quelques serviettes absorbantes.

✴ Prendre un petit-déjeuner chaud fait partie des plaisirs du camping, mais les œufs et le bacon ne se mangent pas avec les doigts. N'oubliez pas la coutellerie, les ustensiles de cuisine, une casserole pour faire bouillir de l'eau et une poêle à frire.

✴ Apportez avec vous de la corde en nylon. Vous pouvez l'utiliser pour un tas de choses, comme suspendre des vêtements pour les faire sécher, mettre votre nourriture hors de portée des animaux ou monter à la hâte un abri d'urgence. Vous pouvez même l'utiliser pour remplacer ces cordes de tente que vous avez perdues. Servez-vous de votre imagination... mais ne ligotez pas les enfants!

✳ Les bandanas sont extrêmement versatiles. Ils peuvent servir de serviettes de table, de gants de toilette, de bandages et d'écharpes. Glissez-en un sous votre casquette de base-ball pour protéger votre cou du soleil et obtenir une allure « légion étrangère » !

✳ Une trousse de premiers soins est indispensable. Assurez-vous que la vôtre contient des bandages, de l'antiseptique, une pince à épiler, une aiguille fine pour les échardes, de l'Immodium® pour les maux de ventre, de l'aspirine ou un substitut, une lotion écran total et une lotion pour se soulager des coups de soleil, un insecticide et un sifflet pour appeler de l'aide en cas d'urgence.

> Les téléphones cellulaires sont peut-être fantastiques, mais les piles d'un sifflet ne sont jamais à plat.

✳ Apportez du savon. Vous trouverez de l'eau en arrivant sur place.

✳ De la soie dentaire et une aiguille à repriser peuvent s'avérer fort utiles pour réparer les vêtements et la tente.

✳ Du ruban adhésif en toile est indispensable.

Pour partir le feu

Il existe une façon simple de faire sécher le petit bois mouillé. Construisez un petit tipi avec le bois d'allumage, mais laissez un espace où insérer une bougie chauffe-plat ou un lampion. Allumez le lampion, insérez-le sous le petit tipi, puis attendez que le bois sèche et crépite. Le temps que le lampion se consume, vous devriez avoir un feu en route.

> Les pommes de pin font un excellent bois d'allumage. Ils prennent feu rapidement et brûlent longtemps.

Apportez quelques tubes en carton, comme des rouleaux de serviettes en papier ou de papier hygiénique. Chiffonnez quelques feuilles de papier journal et insérez-les à l'intérieur des tubes (je trouve personnellement que la section affaires convient le mieux), en vous assurant que du papier dépasse à chaque extrémité. Jetez-en quelques-uns au milieu des brindilles et du petit bois, et vous aurez un feu ardent en un rien de temps !

Mon père et moi avons découvert — bien accidentellement — que la graisse de cuisson est idéale pour allumer un feu! Utilisez des serviettes en papier pour essuyer les casseroles et les poêles graisseuses, puis rangez-les dans des sacs en plastique qui se referment. La prochaine fois que vous devrez allumer un feu de camp, enveloppez quelques brindilles dans ces serviettes et mettez-y le feu!

Conserver les allumettes au sec est parfois tout un défi mais, si vous trempez la tête de l'allumette et une partie de l'allumette dans la cire, vous verrez qu'elles résisteront à l'eau. Vous n'aurez plus qu'à les allumer comme d'habitude — en les frottant, vous ferez partir la cire qui les recouvre. (Ce procédé fonctionne uniquement avec des allumettes en bois.)

Frottez l'extérieur de vos casseroles et de vos poêles avec du savon avant de les utiliser. Si vous frottez le fond et les côtés de votre poêle, la suie s'essuiera facilement en même temps que le savon.

Flâner dans la tente

* Les roches, les brindilles et les objets coupants peuvent endommager votre tente. Assurez-vous donc que le sol est libre avant de vous installer.

* Évitez de porter vos grosses chaussures à l'intérieur de la tente.

* Soyez extrêmement prudent autour des flammes nues. Les tentes en nylon prennent feu très facilement.

* Rangez les montants de la tente avec soin pour éviter les accidents.

* Une exposition prolongée aux rayons du soleil peut affaiblir les fibres de la tente; alors, lorsque cela est possible, montez votre tente dans un site ombragé.

* Placez une bande de ruban fluorescent autour des piquets de votre tente et vous ne trébucherez plus jamais dessus!

* Enfoncez les piquets à environ trente centimètres dans le sol pour obtenir une stabilité adéquate, même lorsqu'il vente. Les piquets

devraient être enfoncés à un angle de 45 degrés et inclinés vers l'extérieur. Peinturez chaque piquet jusqu'à la marque des 30 centimètres et vous n'aurez plus à deviner à quelle profondeur ils se trouvent!

Nettoyer la tente

Assurez-vous de ranger votre tente correctement — cela signifie que vous devez d'abord la nettoyer. Si vous l'entretenez de façon appropriée, votre tente peut durer des années.

Secouez tous les débris hors de la tente avant de la plier et de la ranger. Enlevez les taches avec une brosse humide et une barre de savon Fels-Naphta®, puis rincez. Faites-la sécher à l'air complètement. Une tente encore humide est un lieu propice à la formation de moisissure.

Les piquets devraient être rangés sur le côté de la tente, mais assurez-vous d'abord de les mettre dans un sac en tissu ou même dans quelques vieilles taies d'oreiller — quelque chose qui empêchera les piquets de déchirer ou de percer la tente.

Réagissez rapidement aux premiers signes de moisissure, que ce soit une odeur de pourriture organique, des taches noires ou de petites taches blanches et poudreuses. Lavez la tente à l'éponge avec une solution composée de 125 ml de Lysol® et 4 l d'eau chaude. Laissez la solution sécher sur la tente (comme s'il s'agissait d'un revitalisant) et laissez-la sécher entièrement à l'air libre avant de la ranger. Si la moisissure est très avancée, utilisez un mélange composé de 125 ml de jus de citron (fraîchement pressé ou en bouteille) et de 4 l d'eau chaude. Frottez les parties touchées par la moisissure, puis laissez sécher au soleil.

Vaporisez un produit lubrifiant à base de silicone sur les fermetures à glissière pour faciliter leur utilisation et pour éviter qu'elles ne gèlent. Vous pouvez aussi les frotter avec de la paraffine ou de la cire de chandelle.

Réparer la tente

Les piquets et les montants de la tente sont responsables de la majorité des déchirures. Soit que le montant glisse et déchire le tissu autour de l'œillet, soit que la toile est attachée trop fermement aux piquets dans le sol. Gardez cela à l'esprit lorsque vous montez votre tente.

Comme ce type de toile est habituellement trop épais pour la plupart des machines à coudre domestiques, si votre tente n'est pas en bon état, vous devrez sans doute la faire réparer par un spécialiste ou un fabricant de voiles.

Il existe toutefois une alternative moins coûteuse : vous pouvez tout simplement coller sur la tente un carré de toile de la taille appropriée. Assurez-vous que le carré dépasse de 3 à 5 centimètres la région de la déchirure. Pour obtenir une réparation plus solide, placez une pièce de toile des deux côtés de la tente. Utilisez de la colle à tissu ou même un fusil à colle, en n'oubliant pas d'imperméabiliser la réparation une fois que la colle est sèche.

Le ruban adhésif en toile est parfait pour les réparations urgentes. Assurez-vous simplement de mettre du ruban des deux côtés de la déchirure. Et n'oubliez pas : ce n'est qu'une mesure provisoire.

> Ne sous-estimez jamais le pouvoir d'une grosse aiguille à repriser et d'un peu de soie dentaire.

Faites réparer votre tente convenablement une fois de retour à la maison.

Il est possible de réparer les tentes en nylon ou en coton conçues pour la randonnée à l'aide d'une machine à coudre domestique. Procurez-vous une trousse de réparation (disponible là où l'on vend des tentes).

L'affaire est dans le sac

Gardez votre sac de couchage propre et à l'abri des moisissures en le lavant dans une machine à laver de grande capacité. Ajoutez 125 ml de Borax 20 Mule Team®, en plus de votre détergent habituel, et 125 ml de vinaigre blanc lors du rinçage, au lieu d'un assouplissant textile.

Afin de prévenir la formation de moisissure, assurez-vous que votre sac de couchage est parfaitement sec avant de le ranger. Lorsque vous êtes prêt à le ranger, versez environ 60 ml d'ODORZOUT™ dans un bas de nylon et placez-le à l'intérieur du sac pour prévenir les odeurs. Un bon saupoudrage de bicarbonate de soude contribuera également à le garder frais. Rangez votre sac de couchage dans une très grande taie d'oreiller pour le garder propre.

25

Août

Où l'été s'en est-il allé ? Hier encore, nous préparions le jardin pour la venue du printemps, et nous nous demandons à présent comment profiter du dernier mois de l'été. Je ne voudrais pas jouer les trouble-fêtes, mais il est temps de jeter un coup d'œil à la maison avant le début de l'automne. Cela signifie qu'il faut prêter attention à ces tâches que tout le monde semble ignorer — nettoyer l'entrée de garage et les gouttières. Mais après tout, il n'y a pas que les corvées dans la vie, nous avons encore le temps d'entreprendre un dernier pique-nique.

Dilemmes d'entrée

Les entrées de garage sont rudement malmenées, mais il semble que nous leur prêtons peu d'attention jusqu'à ce qu'elles soient recouvertes de taches d'huile et de mauvaises herbes. Remettre à plus tard l'entretien de votre entrée, comme la plupart des travaux, ne fera qu'accroître vos difficultés et vous demandera plus de temps lorsque vous déciderez finalement de vous y mettre.

Alors, déblayez régulièrement votre entrée de garage, disons une fois par mois durant l'été, et lavez-la à fond au moins une fois par année. Vous ne regretterez pas de l'avoir fait.

Pour bien balayer votre entrée, utilisez un balai-brosse à poils durs ou un balai à long manche, et faites de petits mouvements vifs pour envoyer tous les débris loin du centre de l'entrée.

✳ Lavez les entrées en ciment avec une solution composée d'eau et de cristaux de soude. Faites dissoudre 250 ml de cristaux de soude Arm and Hammer™ dans un seau rempli d'eau chaude, puis appliquez la solution à l'aide d'un balai à long manche ou d'un balai-brosse à poils durs. Frottez bien, puis rincez à l'eau claire.

✳ Pour les taches rebelles, utilisez du nettoyant pour le four. Vaporisez, laissez reposer quelques heures, puis rincez bien. Assurez-vous toutefois de tenir les enfants et les animaux domestiques à bonne distance.

✳ Pour les marques et les taches incrustées, appliquez une épaisse couche de détachant pour la lessive, comme Zout®, et laissez reposer environ cinq minutes avant de saupoudrer les taches avec un détergent pour la lessive en poudre. Ajoutez un peu d'eau pour bien faire mousser, puis frottez avec un balai-brosse et rincez.

✳ La litière pour chats Kitty Litter™ absorbe très bien l'huile. Assurez-vous toutefois de bien faire pénétrer la litière dans la tache en appuyant dessus avec votre pied.

✳ On peut nettoyer les dalles de patio avec des cristaux de soude ou un détachant pour la lessive. Toutefois, n'utilisez pas la méthode du nettoyant pour le four; vous risqueriez de décolorer ou d'endommager les dalles.

✳ Tuez les mauvaises herbes qui poussent dans les fissures de votre entrée et de votre patio en les saturant avec 4 l d'eau chaude auxquels vous aurez ajouté 60 ml de sel.

✳ Pour prévenir la pousse des mauvaises herbes, saupoudrez du sel directement dans les fissures. C'est tout — laissez la nature s'occuper du reste.

Chat de gouttière

Les gouttières sont conçues pour recueillir l'eau de pluie et la neige fondue qui sont sur votre toit et les acheminer loin de votre maison. Ce ne sont pas des espaces de rangement pour les feuilles, les Frisbee™ et les balles de tennis. Gardez-les propres.

Vérifiez leur état en plaçant un boyau d'arrosage directement dans la gouttière. Si l'eau circule dans les gouttières et se déverse normalement dans le dégorgeoir, tout va bien. Toutefois, si l'eau déborde sur les côtés, il est temps de nettoyer à fond ces gouttières.

Utilisez une échelle pour nettoyer les gouttières. N'essayez jamais de les atteindre à partir du toit; ce serait courir après les ennuis. Si le sol sous votre échelle est meuble, insérez les pieds de l'échelle dans des boîtes de conserve, comme des boîtes de thon. Ces boîtes de conserve contribueront à distribuer le poids de l'échelle, vous évitant ainsi de glisser ou de vous enfoncer dans le sol de façon inégale.

Lorsque vous êtes sûr que l'échelle est solide, grimpez à la hauteur des gouttières et videz-les de tous les débris qui s'y sont accumulés (je vous conseille de porter des gants). Suspendez quelques sacs à ordures sur les côtés de votre échelle et utilisez-les pour recueillir les débris. Lorsqu'un sac est rempli, laissez-le tomber sur le sol et commencez à remplir un second sac. (Mais n'oubliez pas de crier : « Attention là-dessous ! »)

Une fois que vous aurez retiré tous les débris, rincez le dégorgeoir pour vous assurer que l'eau circule librement. Normalement, en dirigeant un jet d'eau puissant directement dans le dégorgeoir, on arrive à évacuer tout ce qui pouvait l'obstruer. Si cela ne fonctionne pas, essayez d'insérer le boyau d'arrosage à partir du bas. Cela devrait ramollir les débris. Un dernier jet d'eau à partir du haut devrait ensuite suffire à déloger les autres débris.

Vous pouvez éviter tous ces problèmes l'an prochain en plaçant une grille ou un treillis au-dessus des gouttières. Cela empêchera l'accumulation des feuilles et des autres débris.

En pique-nique

Une journée ensoleillée, une nappe à carreaux, de bonnes choses à manger… pour moi, c'est le paradis! Il n'y a rien de tel qu'un pique-nique pour clore un joyeux après-midi en plein air, mais les insectes et les risques d'empoisonnement alimentaire peuvent gâcher la journée. Lisez la suite pour apprendre comment chasser ces invités importuns et soulager les brûlures des derniers rayons de l'été. Oh, et sans oublier comment entretenir la grille de votre gril!

Des insectes enquiquineurs

✳ Les insectes sont attirés par les couleurs intenses, vives et foncées. Gardez cela à l'esprit lorsque vous choisissez votre nappe, vos assiettes en papier ainsi que les vêtements que vous allez porter. Ce n'est pas le moment de jouer les excentriques!

✳ Il est toujours bon d'avoir des chandelles à la citronnelle en cas de besoin. Vous ne devriez jamais partir en pique-nique sans elles.

✳ Les insectes raffolent des raisins, des melons et des jus de fruits sucrés, ainsi que des aliments très odorants comme le thon, les fromages forts et les viandes. Pensez-y avant de préparer votre pique-nique.

> Les mouches sont en train de ruiner votre pique-nique? Tenez-les à distance en essuyant la table avec du vinaigre blanc non dilué ou en plaçant quelques écorces de citron sur la nappe.

✳ Choisissez un endroit pour pique-niquer loin des rivières, des lacs et des cours d'eau. Les insectes ont tendance à se regrouper autour des points d'eau.

✳ Puisque les odeurs sonnent l'heure du déjeuner pour les insectes, conservez vos aliments dans des contenants en plastique hermétiques jusqu'à ce que vous soyez prêt à manger.

✳ Assurez-vous de recouvrir les plats de service afin que les insectes ne puissent les atteindre — ne serait-ce qu'un instant. Les couvercles en forme de dôme sont excellents, tout comme les filets en nylon, qui sont d'ailleurs peu coûteux. Vous n'avez ni l'un ni l'autre? Placez un large bol à l'envers sur les plats.

✳ Ne laissez pas les insectes s'infiltrer dans votre soda ou votre verre de jus. Couvrez les verres avec un morceau de papier d'aluminium, puis percez un trou à l'aide de votre paille.

✳ Comme les fourmis ne savent pas nager, la meilleure façon de les repousser consiste à asseoir les pattes de la table à pique-nique dans des boîtes de conserve remplies d'eau. Si les pattes de la table sont trop grosses, utilisez des assiettes à tarte jetables ou de vieux Frisbees™.

✳ Éloignez les insectes de votre pique-nique en leur organisant leur propre pique-nique. Placez une assiette remplie d'eau sucrée à quelques mètres de votre table. Les insectes se rueront sur leur repas et vous laisseront déguster le vôtre en toute tranquillité! (N'oubliez pas de récupérer votre assiette avant de partir.)

> Lorsqu'on s'amuse à l'extérieur, les coupures et les égratignures sont fréquentes. Pour ne pas souffrir à nouveau lorsque vous retirerez votre pansement, frottez tout simplement un peu d'huile pour bébé autour de celui-ci avant de l'enlever.

Pour nourrir votre esprit

Vous pouvez vous permettre de manger de façon désinvolte lors d'un pique-nique, mais cela ne veut pas dire que vous devez l'être lorsque vient le temps de préparer et de conserver la nourriture. Les bactéries se développent rapidement lorsque le temps est chaud; c'est pourquoi on peut facilement tomber malade à cause d'un empoisonnement alimentaire. Prenez ces quelques précautions et vous passerez une agréable journée, sans stress.

✳ Conservez les aliments chauds à la chaleur et les aliments froids au frais. Cela signifie que vous devrez emporter une glacière pour les aliments froids, et une autre pour les chauds.

> Si votre glacière est trouée ou déchirée, vous pouvez la réparer avec de la cire de chandelle. Faites chauffer doucement l'extrémité d'une chandelle au-dessus d'une flamme, puis frottez-la sur la déchirure jusqu'à ce que la soudure ne soit plus visible. Il se formera une cicatrice de cire qui devrait normalement prévenir toute nouvelle déchirure.

✳ Isolez vos aliments en les enveloppant dans du papier journal ou des sacs en papier brun.

✳ Les gros blocs de glace conservent les aliments plus frais et durent plus longtemps que leurs homologues de petite taille ; alors, servez-vous de votre imagination lorsque vous devez choisir un contenant pour la glace. Les contenants de lait en carton, par exemple, font très bien le travail ! Rincez-les (inutile d'utiliser du savon), remplissez-les d'eau jusqu'à environ 5 centimètres du bord, puis placez-les dans le congélateur pendant que vous vous préparez. Ne coupez pas la partie supérieure du carton et évitez de déchirer celui-ci. En scellant le bec verseur lorsque vous êtes prêt à partir, vous serez assuré que le bloc de glace restera froid plus longtemps.

✳ Pensez à votre glacière en mousse comme à une « chaudière ». Placez tous vos aliments chauds ensemble et enveloppez-les dans du papier. Leur chaleur combinée agira comme un thermos et conservera les aliments chauds pendant quelques heures.

✳ Ajoutez la mayonnaise à la nourriture uniquement lorsque vous êtes prêt à manger, pas avant. Le problème ne vient pas de la mayonnaise ; ce sont plutôt les aliments auxquels on l'ajoute qui contiennent des bactéries. La mayonnaise se dégrade rapidement à la chaleur et peut contribuer au développement des bactéries contenues dans les autres aliments.

Je déteste lorsque cela se produit...

Le ketchup s'écoule trop lentement à votre goût ? Tapez fermement sur le côté de la bouteille et le ketchup jaillira aussitôt.

✳ Le ketchup et la moutarde se dégradent par temps chaud ; alors, laissez les grosses bouteilles à la maison. Il est temps d'utiliser tous ces sachets de ketchup et de moutarde que vous avez ramenés des restaurants rapides.

✳ Ne mangez jamais des restes de pique-nique ou des aliments qui sont restés dehors plus de deux heures.

✳ Si l'aliment a une odeur ou un goût étrange, jetez-le. Ne prenez pas de risques.

Sur le gril

N'utilisez jamais de gazoline ou de kérosène pour allumer le feu. Ces substances sont extrêmement inflammables et très difficiles à contrôler, en plus d'être peu sûres lorsqu'il y a de la nourriture à proximité.

N'essayez pas de faire reprendre un feu qui couve avec une giclée d'allume-feu liquide pour charbon de bois. Le feu peut s'embraser et vous pouvez être engouffré dans les flammes. Ravivez le feu en humectant quelques morceaux de charbon de bois intacts avec de l'allume-feu, puis placez-les prudemment — un à la fois — avec les autres morceaux de charbon de bois.

Soyez prudent lorsque vous devez vous débarrasser des cendres. Versez de l'eau, remuez-les avec une fourchette en métal, puis versez à nouveau de l'eau. Vous pouvez aussi vous en débarrasser en les déversant dans un contenant de métal, mais attendez au moins douze heures avant de mettre celui-ci avec les autres détritus.

> Des grillades sur la plage? Nettoyez la grille en la frottant avec du sable!

Nettoyez l'extérieur des grils au gaz et au charbon de bois avec le nettoyant pour les mains sans eau GOJO™. Trempez une serviette en papier dans le GOJO™, étendez bien le nettoyant sur l'extérieur du gril et voyez comme la saleté, la graisse et la sauce barbecue partent du premier coup! Polissez avec une serviette en papier propre et votre gril reluira comme un sou neuf, en plus de bénéficier d'une nouvelle couche protectrice.

Une façon facile de nettoyer la grille du gril? Posez la grille à l'envers sur le gazon et laissez-la toute la nuit à l'extérieur. La rosée ramollira tous les aliments brûlés et, le lendemain matin, vous n'aurez plus qu'à essuyer le tout!

Placez une couche de sable dans le fond de votre gril au charbon de bois pour éviter que le charbon de bois n'endommage le fond de votre gril.

Faites partir les aliments brûlés avec du café noir. Versez simplement du café sur la grille encore chaude et essuyez avec une feuille de papier d'aluminium.

Des nouvelles toutes chaudes sur les coups de soleil

Aïe! Vous avez oublié la lotion solaire et maintenant le mal est fait. Cela arrive même aux meilleurs d'entre nous. Les coups de soleil font mal, très mal. Mais vous pouvez suivre ces quelques étapes pour apaiser la sensation de brûlure et calmer la douleur. Lisez ceci.

✴ Un bain rafraîchissant fait toujours du bien. Ajoutez un peu de bicarbonate de soude ou environ 125 ml de sel. Restez dans l'eau environ 30 minutes, puis appliquez de la gelée d'aloès sur la peau encore humide pour garder la température le plus bas possible. (Ce procédé fonctionne aussi pour les morsures d'insecte et la varicelle!)

✴ Une mince couche de Préparation H® apaise les brûlures et les démangeaisons, en particulier celles qui affectent les parties délicates du visage. Oui, je suis tout à fait sérieuse.

✴ Fabriquez des compresses avec une part de lait et trois parts d'eau, puis étendez les compresses sur les régions brûlées pour obtenir un soulagement immédiat. La protéine contenue dans le lait attirera la chaleur.

✴ Les sachets de thé humides apportent un soulagement bien mérité aux paupières brûlées et enflées. Posez les sachets sur vos yeux clos, puis détendez-vous une trentaine de minutes.

✴ Les lotions trop épaisses peuvent emprisonner la chaleur au lieu de l'apaiser; alors, utilisez plutôt des lotions qui contiennent de l'aloès.

✴ Votre grand-mère se souvient peut-être de ce remède du bon vieux temps : battez un blanc d'œuf et 5 ml d'huile de ricin, puis appliquez le mélange sur les régions touchées. Laissez sécher, puis rincez à l'eau froide.

✴ Vaporiser une solution composée d'une part de vinaigre de cidre et d'une part d'eau tiède rafraîchira les brûlures au contact.

✴ La vitamine E est un merveilleux hydratant pour la peau.

Cela ne vous met-il pas en rogne lorsque la nourriture pour animaux sèche et colle sur l'écuelle ? Pour ma part, oui — et ce n'est pas moi qui doit la nettoyer ! Il existe cependant une solution : vaporisez l'écuelle avec un produit antiadhésif pour la cuisson avant d'y mettre la nourriture. Fini les aliments collés, fini les corvées de nettoyage.

Un petit peu d'huile dans ma nourriture facilitera aussi le nettoyage de mon écuelle. Et c'est bon pour ma fourrure !

Beaucoup de gens utilisent un Dustbusters® pour ramasser les débris de litière (apparemment, tous les chats ne sont pas aussi méticuleux que moi), mais peu de gens savent qu'on peut ajouter une feuille d'assouplissant textile usagée au filtre de l'aspirateur. Les feuilles d'assouplissant textile se nettoient facilement et dégagent un parfum de fraîcheur !

26

Septembre

Les enfants sont grognons. Les parents se réjouissent. Nous sommes sûrement en septembre — c'est la rentrée des classes! Peu importe que votre enfant en soit à sa première ou à sa dernière année (et même que ce soit vous qui retourniez à l'école), la rentrée peut s'avérer exaltante ou… stressante. Alors organisez-vous. Établissez des règles. Prenez en compte votre horaire et celui de votre famille et, avec un peu d'imagination, vous commencerez l'année scolaire du bon pied.

L'école en folie

Commençons par le commencement

Essayez de ne pas acheter de nouveaux vêtements à vos enfants avant d'avoir fait le point sur ce qu'ils possèdent. Allez d'abord fouiller dans leur penderie, puis vous irez profiter des ventes de la rentrée.

Choisissez un après-midi — un après-midi pluvieux de préférence — et passez au crible la penderie de vos enfants. S'ils sont à l'âge où ils s'intéressent aux vêtements qu'ils portent, demandez-leur de vous aider et considérez cela comme un projet conjoint. Voilà une excellente occasion de leur montrer les avantages d'être bien organisé. Arrivez armé de quelques grands sacs en plastique et d'une ou de deux plaisanteries. Laissez-les choisir la musique qu'ils souhaitent écouter et laissez-les décider (avec votre aide) de ce qui reste et de ce qui doit partir. Plus vous impliquerez vos enfants dans le processus, plus ils auront tendance à coopérer. Et si en bout de ligne vous vous disputez, rappelez-leur que vous avez fait ces choix ensemble !

La première étape pour organiser la penderie ? Débarrassez-vous de tous les vêtements qui sont trop petits ou que les enfants ne porteront plus. S'il faut les réparer, c'est le moment de vous y mettre. Il faut refaire les ourlets, réparer les fermetures à glissière, coudre les boutons et s'occuper du raccommodage. Puis servez-vous de ces grands sacs en plastique et débarrassez-vous de tout ce qui n'est plus utilisable. Il manque une chaussette pour faire la paire ? Débarrassez-vous-en. Les sous-vêtements n'ont plus d'élastique ? Recyclez-les en chiffons. Soyez sans pitié. Si un vêtement n'est plus à la hauteur, jetez-le. Ces jeans déchirés lui tiennent peut-être à cœur mais, si on ne peut plus les réparer, suggérez à votre fils de leur dire adieu et jetez-les à la poubelle. Votre fille adorait peut-être ce chemisier rose mais, s'il était trop petit l'an dernier, elle ne le portera sûrement pas cette année. Donnez-le aux bonnes œuvres et passez à l'article suivant. Ce n'est pas le temps d'être sentimental. Vous avez une penderie à ranger.

Examinez à présent cette penderie épurée et voyez ce qui reste. Personnellement, je préfère tout retirer et repartir à zéro. Prenez tous les vêtements et placez-les sur le lit. Il est plus facile de faire des piles séparées — une pile pour les chemises et les chemisiers, une pour les pantalons, une pour les jupes, une pour les chandails, etc. Le style de votre enfant déterminera le nombre de piles différentes. Vous n'avez pas besoin de vous en tenir à des catégories précises ; séparez tout simplement les vêtements de façon logique afin de faciliter leur rangement.

Et maintenant, passons aux choses plus amusantes. L'art de l'organisation ne connaît qu'une règle : il faut que cela vous convienne, et vous devez faire preuve de constance. (Bon, j'imagine que cela fait deux règles, mais qui tient le compte ?) Si votre fille veut réorganiser sa penderie selon la couleur de ses vêtements, laissez-la faire. Si votre fils préfère les ranger selon les jours de la semaine, laissez-le faire. Assurez-vous cependant que votre enfant sait qu'il sera responsable de l'entretien de son nouveau système, et cela, tous les jours. Prenez le temps d'en parler avec lui et offrez-lui plusieurs possibilités. Les chemisiers ici et les tee-shirts là, les jupes par ici et les pantalons par là. Si votre fille porte rarement ses deux robes bleues, mais qu'elle les garde pour des occasions spéciales, vous devriez lui suggérer de les ranger au fond de la penderie et de placer à l'avant les articles qu'elle porte plus fréquemment. Si votre fils porte la plupart du temps des tee-shirts et des chandails, demandez-lui s'il ne préférerait pas ranger ces articles dans un panier. (Connaissez-vous un enfant qui aime suspendre ses vêtements ?) En discutant des meilleures façons d'organiser la penderie, vous trouverez sûrement de chouettes idées qui plairont à votre enfant. Soyez imaginatif et flexible. Plus vous ferez preuve de réalisme dans la planification de la penderie, plus il est probable que votre enfant la tienne en ordre. Et n'est-ce pas ce qui compte?

Quelques suggestions :

✳ Facilitez la tâche de votre enfant en installant des crochets et des étagères à sa portée.

✳ Installez des barres près du sol pour permettre aux plus petits de suspendre leurs vêtements.

✳ Les paniers et les seaux sont parfaits pour ranger les chaussettes et les sous-vêtements d'enfants.

✳ Laissez à votre enfant le soin de choisir des cintres colorés de sa couleur préférée. Il est probable que ses vêtements se retrouveront moins souvent sur le plancher de cette façon.

✳ Les passionnés de sport apprécieront l'ajout d'un support pour leur casquette de base-ball.

✳ Tout le monde sait que les supports à chaussures que l'on fixe à l'arrière d'une porte sont très pratiques. Ils conviennent aussi aux tee-shirts, aux vêtements de sport, aux maillots de bain et aux costumes de danse.

✳ Utilisez des coffres de rangement en plastique pour entreposer les vêtements qui ne seront pas portés tous les jours. Assurez-vous cependant de bien les identifier. Si votre enfant ne sait pas encore lire, dessinez une image afin qu'il sache ce qu'il y a à l'intérieur.

✳ Encouragez vos enfants à utiliser tous les cintres et toutes les étagères de leur penderie, du moins ceux qu'ils peuvent atteindre.

✳ Donnez à chaque enfant un panier à linge sale coloré, et faites comprendre aux plus vieux qu'ils sont responsables d'apporter eux-mêmes leur linge à la buanderie.

Une dernière chose : à présent que votre enfant sait la somme de travail que représente l'organisation de la penderie, vous devriez peut-être lui rappeler que le travail qu'on s'épargne compte autant que *le travail qu'on accomplit*. Encouragez vos enfants à tenir leur penderie en ordre et leurs vêtements propres. Rappelez-leur de ranger immédiatement leurs vêtements pour l'école lorsqu'ils les enlèvent, et non pas quelques heures plus tard après qu'ils ont attrapé des faux plis. Qui sait... ils vous écouteront peut-être !

> Les nouvelles chaussures de votre enfant sont trop glissantes ? Éraflez leurs semelles à l'aide d'une fourchette.

L'habit ne fait pas le moine

✳ Avant de vous lancer dans les ventes de la rentrée, rappelez-vous de mettre un peu d'argent de côté en prévision des nouvelles modes qui feront leur apparition au cours des premières semaines de classe — ces choses dont vos enfants ne peuvent se passer.

✳ Lisez les étiquettes d'entretien sur les vêtements neufs. Assurez-vous que l'article n'a pas à être lavé à la main ou nettoyé à sec *avant* de l'acheter.

✳ Si votre enfant a des problèmes avec une fermeture à glissière, frottez-la avec un crayon à mine à quelques reprises. Grâce au graphite, la fermeture deviendra aussi douce que de la glace..

✳ Si les vêtements neufs sont trop rigides — comme cela arrive fréquemment avec les jeans —, assouplissez-les en ajoutant 125 ml de sel dans la machine à laver. Ils en ressortiront beaux et souples !

Encore cinq minutes

J'aimerais pouvoir vous donner plus de temps le matin, mais je suis reine, pas magicienne. Il y a toutefois quelques petites choses que vous pouvez faire pour rendre vos matins moins mouvementés.

L'autobus scolaire sera là dans dix minutes et tous les enfants à travers le pays s'écrient d'une même voix : «Je n'arrive pas à le trouver!» Ne vous laissez pas prendre au dépourvu. Aidez vos enfants à choisir un coin spécifique où ranger leurs livres, leurs devoirs, leur équipement de sport et toutes ces choses qu'ils doivent apporter à l'école le matin. Les paniers font très bien l'affaire, tout comme les seaux en plastique colorés. Vous pouvez aussi accrocher des sacs en tissu à un portemanteau.

Choisissez un endroit sûr pour ranger les carnets scolaires (j'en ai des frissons…), les notes du professeur et les feuilles de permission qui doivent être signées. Et apprenez à vos enfants à ne pas réclamer une signature à la dernière minute.

Vous pouvez ranger tous les petits objets dont les enfants ne semblent jamais se départir — et qu'ils trimbalent partout avec eux — dans un support à chaussures transparent fixé à l'arrière d'une porte. Identifiez les pochettes au nom de chaque enfant et dites-leur qu'il s'agit de leur propre aire de débarquement. Ces pochettes peuvent accueillir les cordes à danser, les Gameboys™, les casquettes et les petits jouets, ainsi que les chapeaux, les écharpes et les moufles. Donnez les pochettes du haut aux plus vieux et celles du bas aux plus petits.

> La télévision est une grande source de distraction. Ne l'ouvrez pas le matin, vous gagnerez tous du temps.

Si les jeunes ont tendance à se tracasser pour savoir ce qui va avec quoi (sans parler de qui porte quoi), c'est tout à fait normal. Rappelez-leur néanmoins que ce n'est pas le moment de le faire à huit heures du matin. Épargnez-vous bien des maux de tête et laissez vos enfants choisir la tenue qu'ils veulent adopter pour aller à l'école, mais faites-leur prendre l'habitude de choisir leurs vêtements *la veille*.

Qui fait quoi ?

Un grand calendrier familial est indispensable. Placez-le à un endroit bien en vue *et* commode. Vous pouvez apprendre à vos enfants plus âgés à y inscrire eux-mêmes leurs propres activités, mais assurez-vous d'abord qu'ils en discuteront avec vous. Utilisez le calendrier pour prendre en note les réunions scolaires, les événements sportifs, les rendez-vous chez le médecin et les anniversaires. Installez tout près un tableau sur lequel vous pourrez afficher tous les documents pertinents, comme les invitations, les cartes et les notes.

Ce n'est pas une mauvaise idée de consulter tous les jours le calendrier de la famille. Cela ne prendra que quelques minutes pour prévenir les chevauchements qui pourraient mener à des conflits d'horaire.

Faites en sorte que vos enfants prennent eux aussi l'habitude de consulter le calendrier. Montrez-leur ce qui les attend au cours de la semaine avant que celle-ci ne débute. Apprenez-leur que planifier quatre journées d'activités les unes à la suite des autres n'est peut-être pas une bonne idée, et encouragez-les à se servir du calendrier pour faire des choix. Tout le monde a besoin de se faire rappeler que nous ne sommes pas obligés de dire oui à tout.

> Si rien n'est planifié pour une journée en particulier, pourquoi ne pas utiliser le calendrier pour autre chose ? Écrivez une petite plaisanterie ou un mot d'encouragement pour votre enfant. Une vie bien organisée n'a pas à être ennuyeuse !

Acceptez le fait que les choses ne roulent pas toujours comme sur des roulettes. Certains jours se passent mieux que d'autres. Prenez une profonde inspiration et gardez votre sang-froid. Vous aurez toujours la chance de vous reprendre le lendemain.

Un remède pour l'armoire à pharmacie

À présent que vous êtes d'humeur à ranger, pourquoi ne pas prolonger votre projet de quelques minutes et mettre de l'ordre dans l'armoire à pharmacie ? Ce petit projet — mais ô combien important — peut s'avérer crucial pour la sécurité de votre famille.

Retirez tout le contenu de l'armoire et disposez-le sur une grande surface plane, comme une table. Encore une fois, organisez ce qu'elle contient de façon logique. Les médicaments de ce côté, les bandages par là, et ainsi de suite. À présent :

✳ Jetez tout ce qui n'a plus d'étiquette.

✳ Débarrassez-vous de tous les médicaments qui sont expirés.

✳ Prenez en note tous les médicaments que vous avez en double mais, pour l'amour du ciel, ne les mélangez pas ensemble. Vous avez peut-être deux contenants d'aspirines à moitié vides, mais les réunir dans le même contenant pour sauver de l'espace n'est pas une bonne idée, surtout si les aspirines possèdent des dates d'expiration différentes.

✱ Les médicaments sont souvent séparés de leur emballage. Si vous n'êtes pas sûr de la médication ou si vous ne connaissez pas la date d'expiration, débarrassez-vous-en. Ce n'est pas le temps d'être économe.

> Mettre de l'ordre dans l'armoire à pharmacie et en mettre dans la penderie sont deux choses similaires, sauf que dans le premier cas vous n'avez pas à recoudre de boutons !

✱ Il y a de fortes chances que vous possédiez un bandage tenseur qui a perdu son élasticité. Débarrassez-vous-en.

Les médicaments dont vous ne vous servez plus sont toujours dangereux ; débarrassez-vous-en avec prudence. Les jeter dans les toilettes peut vous paraître satisfaisant — surtout si vous aimez les mélodrames — mais cela est mauvais pour l'environnement. Ne les jetez pas non plus tout simplement à la poubelle. Ils pourraient être fatals à un enfant ou à un animal. La meilleure façon de se débarrasser des médicaments est de les mettre dans un contenant à l'épreuve des enfants, puis dans un autre bocal (que vous scellez) et finalement à la poubelle. Ne prenez pas de risques.

Il est temps de nettoyer les étagères de votre armoire à pharmacie. Nettoyez les étagères en métal avec un peu de bicarbonate de soude et d'eau. Utilisez du vinaigre pour les étagères en verre. Assurez-vous que les surfaces sont sèches avant de remettre les choses en place, et profitez de l'occasion pour jouer les rebelles : ne rangez aucun médicament dans votre armoire à pharmacie. Vous avez bien lu !

> Malgré son nom, l'armoire à pharmacie est probablement le pire endroit où ranger des médicaments. Non seulement l'armoire est elle affectée par les fluctuations de température, mais aussi se trouve-t-elle dans un lieu humide et plein de vapeur !

Rangez vos médicaments dans un endroit propre, sec et à l'abri des petits curieux. Conservez votre armoire à pharmacie de préférence pour les boules de coton.

Pour vous protéger, vous et votre famille, la chose la plus importante à faire est d'acheter un détecteur de monoxyde de carbone. Ces détecteurs sont peu coûteux, mais ils peuvent s'avérer d'une valeur inestimable.

Un dernier mot — et un mot très important en plus !

Le monoxyde de carbone est un gaz mortel sans saveur et sans odeur. Libéré lors d'une combustion sans oxygène, ce gaz peut provenir des fours à bois, des cheminées, des chaudières, des lampes au kérosène et des appareils de chauffage au gaz. Lorsque l'apport en air frais est limité, le monoxyde de carbone peut s'accumuler dans la maison et provoquer des irrégularités cardiaques, des maux de tête et de la fatigue. Une très forte concentration peut même entraîner la mort.

Je vous en prie, prenez les précautions suivantes afin de vous protéger contre ce gaz mortel :

* Assurez-vous que l'entrée d'air est suffisante dans les pièces où se trouve un appareil de combustion au gaz.

* Faites vérifier régulièrement votre chaudière, votre cheminée et les conduits d'aération pour vous assurer qu'il n'y a pas de fissures ni de fuites.

* Si vous possédez un vieux four à bois, vérifiez si la porte et le tuyau du poêle sont bien ajustés.

* Utilisez la hotte et le ventilateur lorsque vous vous servez de votre cuisinière au gaz.

* Gardez une fenêtre légèrement entrouverte lorsque vous utilisez un appareil de chauffage qui fonctionne à l'huile, au gaz ou au kérosène.

* N'utilisez jamais un gril à l'intérieur ou dans le garage.

* Assurez-vous que la porte du garage soit ouverte avant de faire démarrer la voiture.

27

Octobre

L es journées raccourcissent. Les nuits sont de plus en plus longues. Et ce petit froid piquant nous ramène à l'évidence que nous changeons de saison. Je m'en veux de vous le rappeler, mais il est temps de se préparer aux rigoureux mois d'hiver. Alors rangeons nos vêtements d'été et notre équipement de sport et de jardinage qui ne sera bientôt plus de saison, puis rentrons à l'intérieur et tournons-nous vers des choses plus gaies, comme les lumières décoratives. Une fois cela terminé, nous pourrons nous costumer et flanquer une trouille bleue au voisinage. Sinon à quoi servirait l'Halloween ?

Ranger les vêtements d'été

L'été est fini. Il est temps à présent de ranger vos vêtements d'été, mais résistez à la tentation de les pousser dans un coin de votre penderie. Vous aurez le sentiment d'être mieux organisé tout au long de l'année si vous faites l'effort d'ajuster votre penderie à la saison qui débute. Vous n'aurez plus à fouiller à travers une foule de vêtements pour trouver quelque chose à vous mettre, et vos vêtements risquent moins de se froisser dans la bousculade.

Il faut laver les vêtements avant de les ranger, sinon les taches auront amplement le temps de s'incruster et vous ne pourrez plus les faire partir. Il est préférable de tout laver à la machine (ou de faire nettoyer à sec, selon le cas), même si les vêtements vous semblent propres. Certaines taches sont difficiles à détecter et n'apparaissent qu'après un certain temps, comme une éruption cutanée. Il vaut mieux s'attaquer au problème immédiatement.

Une autre bonne raison pour laver les vêtements avant de les ranger ? Les mites sont attirées par votre odeur corporelle.

Pour les taches-surprises sur les vêtements lavables, utilisez 125 ml de peroxyde d'hydrogène et 5 ml d'ammoniaque. Saturez la tache, laissez reposer 30 minutes, puis lavez à la machine. Le détachant Zout® est efficace même sur les anciennes taches ; utilisez-le en suivant les instructions.

Évitez d'utiliser de l'assouplissant textile sur les vêtements que vous vous apprêtez à ranger. L'assouplissant textile peut laisser des taches de graisse qui attireront éventuellement des insectes indésirables et qui affaibliront les fibres du tissu. Il vaut mieux renoncer à l'assouplissant ; utilisez plutôt du vinaigre lors du rinçage.

Assurez-vous de laver les maillots de bain avant de les ranger. Les résidus de chlore peuvent endommager les fibres et vous causer une désagréable commotion lorsque vous irez à la plage l'année prochaine. Il est préférable de les laver à la machine au cycle délicat et à l'eau froide, avec votre détergent pour la lessive préféré. (Si vous avez nagé dans l'eau salée, faites tremper le maillot dans l'eau froide pendant 15 minutes avant de le laver.) Si vous le lavez à la main, assurez-vous de bien le rincer afin d'éliminer tous les résidus de détergent. Faites sécher votre maillot à l'air libre, mais à l'abri du soleil. Ne le mettez surtout pas dans la sécheuse : la chaleur risque de briser l'élastique et le spandex qui donnent sa forme à votre maillot de bain.

N'oubliez pas de protéger les fibres naturelles de leurs prédateurs naturels : les mites. Les boules à mites sont efficaces, même si certaines personnes trouvent leur odeur repoussante. On peut aussi se fier aux copeaux de cèdre. Ajoutez une poignée de copeaux dans la boîte de rangement avec vos vêtements. Mais la meilleure arme de dissuasion est peut-être cette recette maison aux agrumes : prenez quelques oranges, pamplemousses, citrons ou limes, enlevez leur écorce et coupez-la en fines lanières. Déposez les lanières sur une tôle pour biscuits (assurez-vous d'abord qu'elle est propre), puis placez-les dans un endroit chaud pour les faire dessécher. Pour accélérer le processus, placez la tôle dans le four à 150 degrés Celsius. Faites préchauffer le four, puis éteignez-le avant de mettre la tôle avec les morceaux d'écorce. Si vous laissez le four en marche, la chaleur fera brûler l'écorce. Lorsque les morceaux d'écorce sont desséchés et refroidis, mettez-les dans les poches de vos vêtements, dans vos tiroirs de rangement ou dans vos boîtes. Vous n'aurez plus de mauvaises odeurs, et les mites n'endommageront plus vos vêtements.

Les valises sont commodes pour ranger les vêtements saisonniers, mais je préfère les boîtes de rangement qu'on peut glisser sous le lit. Choisissez entre des boîtes en plastique et en carton, selon l'espace dont vous disposez et votre budget. Je préfère les boîtes en plastique transparentes, car elles me permettent de voir au premier coup d'œil ce qu'elles contiennent. Néanmoins, je colle une liste des articles sur le couvercle de chaque boîte, afin de pouvoir rapidement mettre la main dessus en cas de besoin. (Je suis une reine bien organisée !)

Concernant l'endroit où vous devez ranger vos boîtes, soyez créatif. Les boîtes de rangement conçues pour aller sous le lit n'ont pas à aller obligatoirement sous le lit. Par exemple, vérifiez s'il n'y a pas d'espace libre dans les penderies de vos enfants. Et qui a dit que l'armoire à linge ne devait contenir que du linge ? Soyez toutefois prudent si vous rangez des vêtements dans le sous-sol, le grenier ou dans tout autre endroit où la moisissure risque de les endommager.

> Ne rangez pas vos vêtements dans des sacs plastique provenant d'une teinturerie. Ils risquent de jaunir.

Réfléchissez à la façon dont vous allez entreposer vos boîtes avant de commencer. Utilisez des boîtes différentes pour chaque personne, évitez de les remplir au maximum et assurez-vous de ranger les mêmes types de vêtement ensemble. Vous ne regretterez pas de l'avoir fait lorsque, l'été suivant, vous réaliserez combien il est facile de défaire des boîtes qui ont été organisées avec soin.

Rentrer les accessoires d'extérieur

À présent que l'été touche à sa fin, il est temps de prendre quelques mesures pour vous assurer que vos outils et vos accessoires d'extérieur seront à l'abri et au sec pendant l'hiver. Avertissement : si vous rangez vos accessoires saisonniers dans le garage (comme la plupart d'entre nous), n'oubliez pas de laisser de l'espace pour la voiture !

✳ Les chaises et les accessoires de jardin peuvent être suspendus au plafond du garage à l'aide de solides crochets.

✳ Les chevrons font d'excellents espaces de rangement. Attachez solidement les articles avec des cordes élastiques.

✳ Ne négligez pas les solutions les plus simples. On peut très bien ranger des balles de différentes grosseurs dans un sac à provisions suspendu à un clou.

✳ Un hamac peu coûteux, du type que vous utiliseriez pour exposer la collection d'animaux en peluche de votre enfant, accueillera sans problème les ballons de foot et autres objets du même genre.

✳ Les panneaux perforés sont extrêmement polyvalents. Utilisez-les pour suspendre les outils manuels et les petites pièces d'équipement. Ils n'ont pas traversé indemnes l'épreuve du temps pour rien !

✳ Puisque le sable ne gèle pas, rangez vos petits outils de jardinage dans le contenant de sable que vous avez utilisé tout l'été.

✳ Lorsque le temps est très froid, les tuyaux d'arrosage peuvent se fissurer et fendre ; alors, rangez-les à l'intérieur. Mais assurez-vous d'abord qu'ils sont vides. Des poches d'eau peuvent s'accumuler et geler par temps froid, et cela peut provoquer des déchirures.

✳ Prenez les mesures qui s'imposent pour vous assurer que votre tondeuse à gazon va démarrer au printemps. L'essence sans plomb peut se solidifier pendant l'hiver et encrasser le mécanisme de votre tondeuse. Videz le réservoir à essence, puis faites fonctionner votre tondeuse jusqu'à ce qu'elle s'arrête d'elle-même. Vous pourrez ensuite la ranger pour l'hiver.

Que la lumière soit

Maintenant qu'il fait trop froid pour utiliser les lanternes d'extérieur et les chandelles à la citronnelle, portons notre attention sur l'éclairage intérieur, à savoir l'éclairage central de la salle à dîner. Ce n'est peut-être pas le lustre tiré du *Fantôme de l'opéra*, mais la lampe au-dessus de votre table à dîner est tout de même importante. Gardez-la propre et étincelante — cela rejaillira sur vous.

Les lustres ont la réputation d'être difficiles à nettoyer, mais cela n'est pas une fatalité. Premièrement, éteignez la lumière et attendez que les ampoules refroidissent — ne commencez pas tant que les ampoules sont encore chaudes au toucher. Placez un petit sac plastique sur chaque ampoule et fermez-le bien à l'aide d'une attache pour éviter que l'humidité s'infiltre dans la douille. Ensuite, placez une table directement sous le lustre et recouvrez-la d'une nappe en plastique résistante et d'une bonne épaisseur de vieux chiffons (de vieilles serviettes feront aussi très bien l'affaire). La table vous servira de base de travail et recueillera la solution nettoyante à mesure qu'elle s'égouttera du lustre.

> Utilisez un linge imprégné d'alcool pour astiquer les lustres en cristal et ainsi éviter les gouttes et les faire resplendir de mille feux!

À présent, pour la solution nettoyante : mélangez 500 ml d'eau chaude, 125 ml d'alcool à 90 degrés et 30 ml de détachant pour lave-vaisselle, comme Jet Dry™. Versez la solution dans un vaporisateur — vous en trouverez pour une somme modique dans les solderies —, puis vaporisez généreusement le lustre. Attendez que la solution s'égoutte, puis versez le restant de la solution nettoyante dans une tasse et utilisez-la pour nettoyer à la main les larmes de cristal et les autres pièces décoratives. Inutile de les démonter, trempez-les tout simplement dans la solution et laissez-les s'égoutter. Votre lustre deviendra étincelant.

Je déteste lorsque cela se produit...

Si vous cassez une ampoule dans sa douille, prenez une barre de savon et enfoncez-la sur les bords tranchants de l'ampoule. Faites tourner la barre de savon dans le sens contraire des aiguilles d'une montre et presto! Vous avez retiré l'ampoule endommagée sans courir de risque!

Mais attendez! Vous n'avez pas encore terminé — pas avant que vous ayez nettoyé les ampoules. La poussière s'accumule sur les ampoules et empêche la lumière de briller comme elle le devrait. Assurez-vous que les ampoules ont eu le temps de refroidir, puis essuyez-les avec un chiffon doux propre.

N'appliquez pas trop de pression sur les ampoules, car elles risqueraient de se briser.

Évidemment, tous les plafonniers ne sont pas des lustres. Vous avez peut-être un système d'éclairage traditionnel, fixé au plafond au moyen d'une base plate. Vous avez peut-être des lampes sur rails ou connectées à un ventilateur de plafond. Le verre peut être transparent, givré ou coloré. Peu importe, il faut quand même les nettoyer. Enlevez délicatement les lampes. Si la lampe est difficile d'accès, montez sur un tabouret ou dans un escabeau pour l'enlever — cela vaudra mieux, pour vous et la lampe. Mettez votre main dessous ou tenez-la fermement pendant que vous retirez les vis qui la retiennent au plafond. Enlevez la lampe très délicatement pour ne pas ébrécher les bords.

À présent, placez une vieille serviette dans le fond de votre évier pour éviter que la lampe ne heurte le fond; elle pourrait se briser ou se fissurer. Remplissez l'évier d'eau chaude et ajoutez un peu de savon liquide pour vaisselle. Lavez-la doucement, puis sortez-la de l'eau et déposez-la prudemment sur une autre serviette. Videz l'évier, puis remplissez-le à nouveau d'eau chaude, en ajoutant cette fois 60 ml de vinaigre blanc. Vous devrez également placer une autre serviette dans le fond. Plongez la lampe dans l'eau chaude une dernière fois et laissez-la tremper une ou deux minutes avant de la retirer. Épongez doucement le surplus d'eau à l'aide d'un chiffon doux, propre et sans peluches, puis laissez-la sécher à l'air. Pendant qu'elle sèche, essuyez doucement toutes les composantes en métal à l'aide d'un linge humide. Polissez ensuite avec un linge sec et essuyez les ampoules avec un chiffon doux, mais assurez-vous que la lampe est éteinte et que le métal est refroidi. Vous pouvez à présent remettre la lampe en place et laisser jaillir la lumière!

Une gâterie ou une farce

Bon, puisque les corvées sont terminées, il est temps de nous amuser. Et comme nous sommes en octobre, cela ne peut vouloir dire qu'une chose : Halloween!

Les gâteries

* Vos enfants courent moins de risque en se maquillant, car les masques peuvent obstruer leur vision.

✳ Utilisez de la gelée de pétrole pour enlever les paillettes et le maquillage de couleur foncée sur le visage de vos enfants. Faites doucement pénétrer la gelée de pétrole (faites attention à la région des yeux s'il s'agit de paillettes), puis enlevez le reste du maquillage avec un papier mouchoir. Lavez bien leur visage lorsque vous aurez terminé.

✳ Assurez-vous que votre enfant pourra porter ses vêtements confortablement sous son costume. Et assurez-vous que son costume ne traîne pas sur le sol. Vous ne voulez pas qu'il trébuche !

✳ Vérifiez tous les bonbons de vos enfants avant de leur donner la permission d'en manger. Si les tout-petits sont trop impatients, donnez-leur des bonbons que vous avez vous-même achetés jusqu'à ce que vous ayez eu le temps de vérifier leur butin.

✳ Mettez du ruban réfléchissant sur leur costume et leurs chaussures afin qu'ils soient bien visibles. Pensez à leur donner une jolie lampe de poche pour compléter leur déguisement.

✳ Vous vous êtes teint les cheveux en vert pour l'Halloween et la couleur ne veut plus partir ? N'abandonnez pas tout espoir. Attrapez le bicarbonate de soude, le savon liquide pour vaisselle et le shampooing. Faites une pâte de la consistance d'un shampooing épais, faites-la bien pénétrer dans vos cheveux — concentrez-vous sur vos cheveux et non sur votre cuir chevelu —, puis rincez à fond. Le vert aura disparu !

Les farces

Parfois ces petits pirates et ces petites princesses ne ramènent pas que des bonbons à la maison. Voici comment venir à bout de la boue.

✳ Lorsqu'on traîne de la boue sur votre tapis, n'essayez pas de nettoyer immédiatement. Recouvrez la tache de boue avec du bicarbonate de soude ; cela absorbera l'humidité de la boue. Une fois que la tache est sèche, passez l'aspirateur, en n'utilisant que le tuyau. La brosse batteuse pulvériserait la boue dans le tapis, alors que le tuyau concentrera la succion sur la région touchée. Terminez l'opération avec votre détachant à tapis préféré.

✳ On peut traiter les vêtements tachés de boue fraîche en nettoyant le revers du tissu à grande eau. Tenez le vêtement sous le robinet et dirigez un puissant jet d'eau sur le côté propre du tissu. (Diriger le jet d'eau directement sur la tache ferait pénétrer la boue encore plus profondément dans le tissu.) Lorsque l'eau ne se colorera plus, faites pénétrer un peu de savon Fels-Naphta® à usage industriel dans la région touchée, puis lavez comme à votre habitude.

✳ Laissez sécher les chaussures couvertes de boue, puis brossez-les vigoureusement avec une brosse à chaussures. Faites de petits mouvements rapides vers le bas plutôt que des mouvements circulaires qui risqueraient de faire pénétrer la boue dans les chaussures. S'il y a encore de la boue sur vos chaussures en cuir, nettoyez-les avec du savon (le savon hydratant Dove® fait très bien l'affaire) et un chiffon doux. Les chaussures de sport et celles en toile doivent être nettoyées avec du savon Fels-Naphta® et une brosse à ongles.

✳ S'il y a des taches de boue sur les garnitures de votre voiture, qu'elles soient en cuir ou en tissu, laissez-les sécher avant de les traiter. Utilisez ensuite le tuyau de votre aspirateur pour enlever le plus de boue possible. Pour les garnitures en tissu, utilisez votre nettoyant pour tissu d'ameublement préféré (personnellement, je préfère le détachant à tapis Spot Shot®) et suivez les instructions sur la boîte. Pour le cuir, lavez la région touchée avec un savon hydratant, comme le savon Dove®, puis essuyez avec un chiffon doux propre.

Une tache de citrouille

Les citrouilles se décomposent et développent de la moisissure très rapidement; alors, assurez-vous de placer quelque chose dessous, comme une ou deux assiettes en carton ou une nappe en plastique. Vous ne voudriez pas vous retrouver avec un cerne noirâtre sur les bras, n'est-ce pas?

Mais si le mal est déjà fait, vous serez probablement en mesure d'y remédier grâce à l'un des procédés suivants.

Pour nettoyer les traces de moisissure sur la véranda ou sur le ciment, essayez un nettoyant pour le four. Vaporisez le nettoyant sur la région touchée et laissez reposer 10 minutes, puis frottez avec une brosse et rincez. Choisissez une journée fraîche et assurez-vous de tenir les enfants et les animaux domestiques à bonne distance.

Pour les dessus de table en bois, utilisez un peu de pâte dentifrice blanche sur un linge humide et frottez en faisant des mouvements circulaires. Vous pouvez aussi utiliser de la laine d'acier 0000 trempée dans la térébenthine.

Commencez par une petite tache à peine visible. Appliquez un peu d'huile de citron sur la région que vous venez de nettoyer, attendez que l'huile pénètre dans le bois, puis polissez avec un chiffon doux. Pour éviter complètement les taches, utilisez votre citrouille pour en faire une tarte.

Aux fourneaux !

LA TARTE À LA CITROUILLE PRÉFÉRÉE DE PAPA

500 ml de citrouille en conserve
1 boîte de lait concentré et 80 ml de lait régulier afin d'obtenir 500 ml
250 ml de sucre granulé
2 œufs, bien battus
2 ml de gingembre
5 ml de cannelle
2 à 4 ml de muscade
2 ml de sel
1 fond de tarte de 24 à 27 cm

Mélangez bien tous les ingrédients au mélangeur.

Versez le mélange dans le fond de tarte. Faites cuire 15 minutes à 220 degrés Celsius, puis baissez la température du four à 175 degrés. Faites cuire approximativement 30 minutes ou jusqu'à ce que la lame de votre couteau ressorte propre après l'avoir insérée dans le milieu de la tarte. Servez avec de la crème fouettée ou remplacez-la par une garniture ne contenant aucun produit laitier.

28

Novembre

C'est novembre, l'année est presque terminée! Où est-elle passée? Dieu merci, il y a l'Action de grâces, un temps pour s'arrêter et rendre grâce pour ce que nous avons. L'Action de grâces est une vieille tradition — le dîner à la dinde avec ses accompagnements, l'argenterie de grand-mère, la porcelaine de tante Jeanne et les plaisanteries banales de l'oncle Jim. Personne ne tient aux mauvaises plaisanteries d'oncle Jim, mais l'argenterie et la porcelaine, eh bien! c'est quelque chose que nous espérons conserver un bon bout de temps. C'est pourquoi un nettoyage et un entretien appropriés sont indispensables. Prenez le temps de vous occuper de ce précieux héritage, et non seulement vous en bénéficierez au cours des années à venir, mais aussi vous serez en mesure de le léguer à vos enfants, à vos petits-enfants ou peut-être même à vos arrière-petits-enfants! Oh, et lorsque vous aurez terminé l'entretien de la porcelaine et de l'argenterie, prenez un moment pour vous préparer aux premières neiges. En novembre, l'hiver est à nos portes après tout.

Les traditions de la table

Le syndrome chinois

Commençons par le commencement. Vous devez évaluer la vaisselle dont vous disposez; alors, retirez tout ce que contient votre buffet et placez-le sur la table de la salle à manger. Mais ne placez surtout pas la porcelaine de Chine directement sur la table (vous risqueriez d'endommager son fini), et ne placez rien sur le plancher où vous pourriez briser quelque chose — il vaut mieux éviter les scènes de vaudeville!

À présent, il est temps de jouer les durs. Si vous avez vraiment l'intention de réparer cette tasse à thé — vous savez, celle qui est cassée depuis vingt ans —, il est temps de vous y mettre. Si elle n'est pas réparable, ou si elle n'a aucune véritable valeur sentimentale, jetez-la tout simplement à la poubelle. Gardez à l'esprit que la vaisselle ébréchée n'est pas sûre, car de la nourriture et des débris peuvent s'accumuler dans les craquelures et résister au lavage. Si vous avez un doute, jetez cette pièce de vaisselle à la poubelle.

Si vous avez une pièce en porcelaine de Chine d'une grande valeur sentimentale, mais qui est brisée et irréparable, pourquoi ne pas la placer dans un solide sac en papier et lui donner un bon coup. Rassemblez ensuite les morceaux (il n'y en aura pas des millions, faites-moi confiance) et collez-les autour d'un cadre ou sur une boîte. Ajoutez des bijoux, des perles et quelques fleurs artificielles. Lâchez la bride à votre imagination; vous obtiendrez ainsi un adorable keepsake.

Lavez la vaisselle que vous n'utilisez pas régulièrement avant de vous en servir. De l'eau et du savon feront généralement l'affaire. Assurez-vous toutefois de bien la rincer. Pour les taches inhabituelles, comme les marques de coutellerie sur la porcelaine, utilisez de la pâte dentifrice blanche et un chiffon doux pour les faire disparaître. Si votre vaisselle en porcelaine antique est lézardée de fines craquelures, faites-la tremper dans du lait chaud de 30 à 60 minutes. Lorsque vous retirerez les assiettes du lait, les craquelures devraient avoir disparu. Lavez la

> Ne placez jamais de porcelaine antique, ornée de métal ou peinte à la main dans le lave-vaisselle.

vaisselle comme à votre habitude et essuyez-la bien. S'il y a des taches de nourriture sur votre porcelaine, faites une pâte avec du jus de citron et de la crème de tartre, et frottez doucement la pièce à nettoyer. Lorsque c'est fait, il ne reste plus qu'à rincer.

L'étape suivante consiste à épousseter les étagères avec un chiffon doux, puis à les laver avec un linge que vous aurez trempé dans une solution savonneuse tiède (5 ml de détergent liquide pour vaisselle dans 4 l d'eau chaude) et essoré pour qu'il soit à peine humide. Lavez bien les étagères, puis séchez-les complètement à l'aide d'un chiffon doux sans peluches. Peut-être préféreriez-vous les laver avec un peu de thé (un litre d'eau chaude et un sachet de thé)? Attendez que la solution refroidisse à la température de la pièce, puis lavez les étagères avec un chiffon doux. Séchez-les ensuite à fond. Vous pouvez aussi utiliser un linge en microfibre humide.

Les portes vitrées doivent être nettoyées avec une solution composée de deux parts d'eau chaude et d'une part d'alcool à 90 degrés. Appliquez la solution directement sur un linge, puis essuyez doucement en faisant de petits mouvements circulaires. Assurez-vous de nettoyer également les coins de la porte. Polissez avec un chiffon sec et sans peluches.

> Ne vaporisez jamais de nettoyant pour les vitres directement sur une porte vitrée, un cadre ou un miroir. La solution peut s'infiltrer dans le bois et causer des dommages à la région environnante.

Les portes coulissantes ont des rails qui ont besoin d'être nettoyés de temps en temps. Pour ce faire, utilisez l'accessoire de forme allongée de votre aspirateur. Après avoir passé l'aspirateur, lavez le rail avec de l'eau et du savon à l'aide d'une brosse à dents. Séchez ensuite avec un chiffon doux. Pour un roulement tout en douceur, frottez la porte et le rail avec un peu d'huile de citron ou vaporisez-les avec du poli à meubles.

Bon, vous avez nettoyé votre buffet et évalué son contenu. À présent, il faut tout replacer à l'intérieur. Prenez en note ce que vous avez avant de remettre les articles sur leurs étagères. Quelles sont vos pièces préférées? Lesquelles voulez-vous exposer et lesquelles préférez-vous plutôt dissimuler? Gardez cela à l'esprit tandis que vous rangez. Placez les plus grosses pièces derrière les plus petites. Créez des catégories. Rassemblez les pièces de porcelaine ensemble, puis l'argenterie, le cristal, et ainsi de suite. Placez les pièces que vous utilisez rarement à l'arrière ou sur une étagère plus difficile à atteindre. Et recouvrez-les d'une pellicule plastique pour les garder propres. N'oubliez pas de toujours vider le sucrier en porcelaine avant de le ranger.

Empilez les assiettes, les assiettes à dessert, les soucoupes et autres pièces du même genre en prenant soin d'insérer une serviette de table entre chacune d'entre elles pour éviter les rayures. Pour sauver de l'espace, empilez-les les unes par-dessus les autres. Comme les tasses sont plus fragiles et se brisent facilement, n'empilez pas plus de deux tasses. Soyez créatif dans vos regroupements. Essayez de mélanger les vieilles pièces avec les nouvelles. Les choses vous apparaîtront peut-être sous un nouveau jour !

Si vous prévoyez laver votre porcelaine au lave-vaisselle, prenez une pièce (disons une tasse) et lavez-la durant un mois afin de déterminer s'il y a des risques à procéder de cette manière. Laissez-la tout simplement dans le lave-vaisselle et lavez-la avec votre vaisselle de tous les jours. Jetez-y un coup d'œil de temps en temps. S'il appert que la bordure change de couleur, que les motifs pâlissent ou que la porcelaine se fissure, il vaut mieux mettre un terme à cette expérience. Si la pièce demeure intacte, vous pouvez nettoyer le reste de votre porcelaine. Pour de meilleurs résultats, utilisez le cycle « court » ou « china », ainsi que le cycle « économie d'énergie » et « sans chaleur » lors du séchage. (Vous économiserez de l'énergie et de l'argent !) J'aimerais bien vous offrir un autre test aussi facile, mais il n'y en a pas d'autre. Si vous avez l'intention de vous acheter un important service en porcelaine, vous devriez d'abord acheter une pièce additionnelle peu coûteuse et tenter l'expérience du lave-vaisselle.

Vous pouvez laver au lave-vaisselle les pièces en cristal qui ne risquent pas de bouger dans le panier durant le lavage. Il ne faut pas les pencher, les coucher sur le côté ou les suspendre sous le panier du lave-vaisselle. Évitez que les pièces en cristal s'entrechoquent durant le lavage — elles risqueraient de s'ébrécher. Pour éviter les taches sur le cristal, ajoutez 5 ml de borax 20 Team Mule™ en plus de votre détergent habituel.

Lorsque vous lavez des pièces en cristal à la main, ne lavez que quelques pièces à la fois et assurez-vous de ne pas surcharger l'évier. Même si le cristal se lave à l'eau chaude, l'eau ne doit pas être trop chaude. Comme règle générale, si l'eau est trop chaude pour vos mains, elle est aussi trop chaude pour le cristal. Puisqu'un change-

Placez une serviette dans le fond de l'évier lorsque vous lavez des pièces en cristal à la main. La serviette servira de coussin et préviendra les bris.

ment de température soudain peut provoquer des fissures, plongez les pièces dans l'eau de côté plutôt que par le bas. Pour obtenir un fini étincelant, ajoutez 15 ml de vinaigre blanc en plus de votre détergent liquide pour vaisselle habituel.

Des taches de canneberge sur la nappe? Faites-les disparaître avec le détachant Wine Away Red Stain Remover™. Ce produit fonctionne à merveille.

Le cristal doit être rangé debout, prêt à être utilisé. Bien des gens rangent leurs verres la tête en bas pour éviter que la poussière ne s'accumule dans les coupes et les flûtes, mais ce n'est pas une bonne idée. L'humidité reste emprisonnée sous le verre, endommageant le verre et l'étagère sur laquelle il est rangé.

En avoir pour son argent...erie

Les aliments acides et leurs résidus peuvent ternir l'argenterie et même laisser des marques. Le sel, le jaune d'œuf, le poisson, le brocoli, la mayonnaise et la moutarde sont les principaux coupables. Prenez l'habitude de rincer votre argenterie tout de suite après avoir débarrassé la table — je sais que ce n'est pas le divertissement idéal après un bon dîner —, mais un bon rinçage préviendra à tout coup des dommages permanents.

Lavez l'argenterie à l'eau chaude avec un détergent liquide pour vaisselle doux. Rincez bien chaque pièce et essuyez-les avec un chiffon doux sans peluches. Ne laissez pas l'argenterie sécher à l'air libre pour éviter les taches d'eau. Avant de ranger votre argenterie, assurez-vous qu'elle est *parfaitement* sèche.

* Il ne faut jamais laver ensemble l'argenterie et l'acier inoxydable dans le lave-vaisselle. Cela pourrait laisser des marques.

* Ne rangez jamais votre argenterie dans des sacs ou dans un emballage en plastique. Le plastique emprisonne la condensation et peut faire ternir l'argenterie.

* Rangez votre argenterie dans des sacs qui ne font pas ternir l'argenterie ou dans du papier de soie non acide. Si vous portez des gants doux et propres pendant cette opération, vous ne laisserez pas d'empreintes de doigts — c'est souvent ce qui fait ternir l'argenterie.

✳ Pour un nettoyage rapide de l'argenterie, placez des bandes de papier d'aluminium dans un grand bol, placez votre argenterie sur les bandes, puis versez de l'eau bouillante et ajoutez 45 ml de bicarbonate de soude.

> # Le saviez-vous ?
>
> Le caoutchouc fait ternir l'argenterie ; alors, ne la laissez pas sécher sur un tapis en caoutchouc et n'utilisez pas d'élastiques pour l'envelopper.

Laissez tremper pendant quelques minutes, puis rincez et séchez. N'utilisez pas cette méthode avec des pièces creuses ou collées.

✳ Fabriquez vos propres linges pour l'argenterie en saturant des carrés de coton dans une solution composée de :

> 2 parts d'amoniaque
> 1 part de crème à polir
> 10 parts d'eau froide

Faites-les sécher par égouttement, puis utilisez-les pour polir l'argenterie.

✳ Vous pouvez également frotter l'argenterie ternie avec un linge humide trempé dans le bicarbonate de soude. Ou essayez un peu de pâte dentifrice blanche sur un chiffon doux humide. Rincez et séchez minutieusement avant d'utiliser l'argenterie.

✳ Ne laissez jamais de sel dans les salières en argent. Cela pourrait les faire ternir.

✳ Nettoyez l'intérieur de votre cafetière en argent en la frottant avec de la laine d'acier fine trempée dans du vinaigre et du sel. Utilisez de la laine d'acier 0000.

> Vous venez de faire bouillir des pommes de terre ? Laissez refroidir l'eau de cuisson, puis versez-la sur votre argenterie. Laissez tremper 30 minutes, puis lavez et rincez, en frottant avec un chiffon doux. L'amidon contenu dans l'eau de cuisson nettoiera l'argenterie.

✳ Avant de ranger votre cafetière en argent, placez quelques cubes de sucre à l'intérieur pour chasser les odeurs de moisi et de renfermé. Un truc que m'a appris la Reine Mère!

✳ Au moment de ranger vos théières et vos cafetières en argent, retirez le couvercle ou laissez-le ouvert. De cette façon, l'humidité ne restera pas emprisonnée à l'intérieur.

✳ Nettoyez l'intérieur des théières en argent en les remplissant d'eau et en ajoutant un peu de cristaux de soude Arm and Hammer™. Laissez tremper toute la nuit, puis rincez et séchez.

✳ Nettoyez les articles plaqués en argent comme s'ils étaient vraiment en argent, mais allez-y doucement — le placage risque de partir en frottant.

✳ Il est important de bien nettoyer l'argenterie, mais faites attention de ne pas trop frotter le poinçon. S'il est effacé ou difficile à lire, l'ensemble perdra de la valeur.

> Si quelqu'un renverse de la sauce sur la nappe durant le dîner, saupoudrez la tache de bicarbonate de soude ou de sel pour l'absorber et terminez votre repas. Après le dîner, traitez la tache avec le détachant Zout® et lavez la nappe comme d'habitude.

L'argenterie acquiert une magnifique patine après des années d'utilisation — un peu comme une Reine! Alors, ne la gardez pas en réserve dans un tiroir. Lors d'un dîner de fête, un bel ensemble de table joue un rôle important, et l'argenterie est un élément essentiel de cet ensemble. Alors, utilisez votre argenterie, entretenez-la comme il faut, et vous revivrez ainsi de magnifiques souvenirs chaque fois que vous dresserez la table.

Quelques arpents de neige

Vous pensez sûrement : « Qu'est-ce qu'une femme demeurant en Arizona connaît de la neige? » Eh bien, j'ai vécu dans le Michigan pendant plus de quarante ans (inutile d'entrer dans le détail), alors croyez-moi, je sais de quoi je parle lorsqu'il est question de neige!

Pour ne pas se laisser marcher sur les pieds

✳ Pour que vos bottes conservent une belle apparence, appliquez une bonne couche de pâte à polir de qualité, puis vaporisez-les avec un produit imperméabilisant.

✳ Faites sécher debout vos bottes humides ou détrempées. Un rouleau en carton ou un cintre métallique les aideront à garder leur forme. Ne laissez jamais sécher vos bottes au-dessus d'un registre d'air chaud — le cuir pourrait se fendiller.

✳ Enlevez les taches de sel en frottant vos bottes avec un mélange composé d'une part d'eau et d'une part de vinaigre blanc.

Les boutons de nos lourds manteaux d'hiver sont doublement taxés, d'abord par la lourdeur du tissu, puis par nos constantes allées et venues entre l'extérieur et l'intérieur. Essayez de les coudre avec de la soie dentaire; elle est plus résistante et dure plus longtemps que la plupart des fils. Vous n'aurez plus jamais à vous préoccuper de vos boutons. Si votre manteau est de couleur foncée, ajoutez quelques boucles de fil de même couleur pour éviter un vilain contraste.

Pour la voiture

✳ N'attendez pas qu'il soit trop tard. Prenez un rendez-vous pour une mise au point et faites préparer votre voiture pour l'hiver.

✳ Nettoyez votre voiture de fond en comble avant que l'hiver ne s'installe pour de bon. N'oubliez pas de passer l'aspirateur sur les tapis et les garnitures, et traitez-les avec un bon protecteur à tissu.

✳ Assurez-vous que le tableau de bord et le dégivreur sont libres de toute obstruction.

✳ Les tapis en caoutchouc pourvus de profondes rainures diagonales aident vraiment à retenir la neige fondante. C'est un bon investissement.

✳ Les serrures de votre voiture sont gelées? Si votre voiture est dans le garage, près d'une prise de courant, utilisez un séchoir à cheveux réglé au plus bas pour diriger de l'air chaud directement sur la serrure, d'une distance d'environ 15 centimètres. Cela devrait marcher. Si votre voiture est à l'extérieur, faites chauffer votre clé avec une allumette ou un briquet, puis insérez-la dans la serrure. Laissez-la dans la serrure quelques minutes, puis tournez doucement la clé. Vous

> Pour éviter que vos serrures ne gèlent, recouvrez-les de quelques épaisseurs de ruban adhésif. Le ruban empêchera l'humidité de s'infiltrer dans la serrure et, par le fait même, la formation de glace.

devrez peut-être répéter cette opération à quelques reprises, mais cela devrait fonctionner. *N'utilisez pas cette méthode si votre serrure est pourvue d'un mécanisme électronique. Vous pourriez endommager la puce.*

✳ Appliquez un peu de gelée de pétrole sur les joints d'étanchéité et vos portes ne gèleront plus.

✳ Il est très embêtant de rester pris dans la neige avec des pneus radiaux. Alors, gardez toujours un sac de litière pour chats dans le coffre arrière au cas où vous auriez un besoin urgent de traction. Quelques feuilles de papier journal peuvent aussi faire l'affaire.

✳ Assurez-vous de ne jamais manquer de lave-glace. Un mélange composé d'une part d'alcool à 90 degrés, d'une part d'eau et de quelques gouttes de liquide pour vaisselle fonctionne à merveille, même l'hiver. Et si vous traitez votre pare-brise avec un enduit protecteur, comme Clean Shield®, il sera encore plus facile à nettoyer. Vos essuie-glaces viendront facilement à bout de la neige et de la saleté.

✳ Vous pouvez sauver quelques minutes le matin et vous épargner une corvée de neige en plaçant une serviette sur votre pare-brise la veille d'une chute de neige. Glissez la serviette sous les essuie-glaces avant la chute de neige, plus tard retirez-la et vous n'aurez plus à gratter votre pare-brise. Secouez tout simplement la serviette et rêvez à des jours plus ensoleillés. Vous sauverez aussi du temps en plaçant une moufle sur le rétroviseur extérieur!

✳ Ce n'est pas une mauvaise idée de toujours avoir une trousse de secours avec soi dans la voiture durant l'hiver. Personne ne quitte la maison en se disant : «Je crois bien que je vais rester pris dans la neige aujourd'hui.» Alors, soyez prêt. Emportez avec vous les objets suivants :

> Vaporisez un produit antiadhésif pour la cuisson sur votre pelle avant de déblayer votre entrée. Vous ne serez plus ennuyé par ces irritantes mottes de neige qui collent à la pelle !

Une couverture

Une lampe de poche et des piles

Deux bouteilles d'eau

Une tablette de chocolat

Un morceau de tissu rouge pour signaler la présence de votre voiture

À vos pelles

Chaque année, des centaines de personnes sont victimes d'une crise cardiaque en déblayant leur entrée. Suivez ces règles toutes simples pour minimiser les risques d'accidents.

✳ Ne pelletez jamais de neige après un lourd repas.

✳ Habillez-vous de plusieurs épaisseurs et portez toujours un chapeau.

✳ Ne pelletez jamais de neige après avoir bu.

✳ Ne surchargez pas votre pelle — la neige peut être très lourde.

✳ Pliez toujours les genoux.

✳ Assurez-vous que quelqu'un sait où vous êtes.

✳ Allez-y à votre propre rythme. Faites un pause de temps en temps.

Décembre

Noël n'arrive qu'une fois par année, et ce n'est pas mauvais en soi si vous êtes la personne qui doit s'occuper de tous les préparatifs. Faites en sorte que Noël soit le moins stressant possible en planifiant à l'avance et en recrutant toute l'aide dont vous pourriez avoir besoin. Ne jouez pas les héros. Impliquez même les plus jeunes membres de votre famille et ne repoussez pas ceux qui vous offrent leur aide. Faites des listes. Planifiez d'avance et essayez de ne pas abandonner votre routine familiale. Plus vous suivrez votre routine de près — par exemple, des heures de repas et de coucher régulières —, mieux vous serez à même de profiter des plaisirs de Noël sans tomber dans le chaos. Alors, allez de l'avant, décorez ce vestibule… mais n'oubliez pas d'abord d'épousseter!

Conseils du temps des fêtes

Dix façons de sauver du temps

1. Dites à vos enfants que le père Noël ne visite que les maisons propres. Ne riez pas — mes enfants y croient depuis des années!

2. Prenez le temps de nettoyer la maison avant d'amener l'arbre et toutes les décorations. Bien sûr, vous devrez passer l'aspirateur une fois que l'arbre sera en place, mais il est plus facile de nettoyer la maison lorsque vous n'avez pas à manœuvrer entre tous ces ornements. Faites-moi confiance.

3. Faites des listes et n'y dérogez pas. C'est incroyable le temps et les efforts que vous allez ainsi vous épargner.

4. Ne dites jamais non à quelqu'un qui vous offre son aide ou quoi que ce soit d'autre.

5. Allez dans les magasins tôt le matin ou tard le soir lorsque l'achalandage est moindre. Commandez par Internet et par catalogue autant que possible.

6. Quelques suggestions de cadeaux rapides : une carte d'appel, une adhésion à un club de dégustateurs de vin, une photographie encadrée en souvenir d'un événement spécial, un livre, un certificat cadeau pour un restaurant, et du joli papier à lettres et des timbres.

7. Utilisez des sacs cadeaux plutôt que du papier d'emballage.

8. Préparez vous-même des repas surgelés en mettant de côté des portions additionnelles lorsque vous cuisinez un gros repas. Ils sont idéals lorsque vous êtes pressé, et parfaits pour les enfants lorsque vous devez vous rendre à une fête.

9. Faites nettoyer et préparez vos vêtements des fêtes à l'avance. Suspendez les vêtements et les accessoires ensemble et vous aurez le temps de prendre tranquillement votre bain !

10. Éliminez le mot « perfection » de votre vocabulaire.

Une histoire de famille

✳ Enrôlez toute la famille pour un rapide nettoyage. Les petits enfants peuvent épousseter, les plus vieux passer l'aspirateur, votre épouse peut faire la vaisselle et vous pouvez ranger et mettre de l'ordre. C'est à peine croyable ce qu'on peut accomplir en trente petites minutes.

✳ Impliquez les enfants dans l'envoi des cartes de Noël. Les plus vieux peuvent inscrire les adresses sur les enveloppes et les plus petits peuvent lécher les timbres!

✳ Laissez vos enfants préparer des biscuits de Noël. Ils sont faciles à faire et demandent peu de supervision — assurez-vous toutefois que les petites mains restent loin du four. Pour leur faciliter les choses et éviter que la pâte ne colle sur la lame, vaporisez le découpoir avec un produit antiadhésif pour la cuisson. Et que faire des biscuits qui ne veulent pas décoller de la plaque de cuisson? Glissez tout simplement un fil de soie dentaire sous chaque biscuit et le tour est joué.

✳ Les enfants adorent dessiner avec de la neige artificielle, mais le nettoyage peut s'avérer difficile. Pour éviter que la neige ne colle, vaporisez légèrement la surface avec un produit antiadhésif pour la cuisson. Si vous oubliez de le faire, vous pouvez quand même la nettoyer facilement : frottez la surface avec un peu de pâte dentifrice blanche.

✳ Laissez vos enfants envelopper quelques cadeaux. Les résultats ne seront peut-être pas à la hauteur de vos exigences, mais les enfants s'amuseront et ils seront fiers de ce qu'ils auront accompli.

Mon beau sapin

✳ Avant d'acheter un sapin de Noël, vérifiez la hauteur de votre salle de séjour. Assurez-vous que vous avez de l'espace pour le support (environ 30 centimètres) et la cime de l'arbre. La taille a son importance!

✳ En vieillissant, les arbres se dessèchent et perdent leurs aiguilles lorsqu'on les secoue. Alors, assurez-vous de bien secouer votre arbre avant de l'acheter. Choisissez un arbre pour ses aiguilles souples et solides et pour son odeur forte et fraîche.

✳ La première chose à faire en arrivant à la maison est de couper légèrement en diagonale la base du tronc. Les arbres ont besoin d'une grande quantité d'eau, et ce petit geste les aidera à mieux l'absorber.

✳ Les aiguilles de pin dureront plus longtemps si vous les vaporisez d'abord avec un peu d'empois rapide ou d'amidon en aérosol. N'oubliez pas de vaporiser avant de mettre les lumières.

✳ Placez une nappe en plastique sous la base de votre arbre pour protéger votre tapis des éclaboussures.

✳ Si vous renversez de l'eau, nettoyez les éclaboussures le plus rapidement possible ou votre tapis risque de moisir. Faites doucement glisser votre arbre sur le côté, puis épongez toute l'eau en appuyant avec votre pied sur des serviettes épaisses déposées sur le tapis. Absorbez tout ce que vous pouvez. Nettoyez ensuite la région touchée avec votre détachant à tapis préféré, puis laissez un ventilateur en marche jusqu'à ce que le tapis soit complètement sec, ce qui devrait prendre au moins 24 heures.

> Nourrissez votre arbre de Noël avec un mélange composé d'un litre d'eau, de 30 ml de jus de citron, de 15 ml de sucre et de 2 ml d'eau de Javel. Pour une solution plus simple, essayez 60 ml de Listerine® ou 15 ml de sirop d'érable.

✳ Ajoutez de l'eau dans le réservoir de votre arbre de Noël avec une poire à jus ; vous réduirez ainsi les risques d'éclaboussures.

✳ Assurez-vous d'arroser votre arbre tous les jours.

✳ Appliquez un peu de gelée de pétrole sur le tronc de votre arbre artificiel avant d'insérer les branches. Vous aurez moins de mal à les enlever le nouvel an venu.

✳ Installez vos systèmes de lumières avant d'ajouter les autres décorations. Et lorsque vous achèterez des lumières, n'oubliez pas que les ampoules blanches donnent plus de lumière que les ampoules colorées.

✳ Vous manquez de crochets et d'attaches ? Utilisez des trombones, des pinces à cheveux, des ligatures, des cure-pipes ou de la soie dentaire. Ces attaches maison feront l'affaire, mais

> Protégez votre porte en fixant un morceau de coupe-bise sous votre couronne de Noël.

elles ne sont pas très jolies; alors, placez ces décorations vers l'intérieur de l'arbre, là où on risque moins d'apercevoir leur attache.

Autour de la table

✳ Découvrir que ses serviettes de table des grandes occasions sont froissées
est pour le moins frustrant. Mais ne désespérez pas. Placez-les simplement dans la sécheuse avec une serviette humide. Au bout d'environ dix
minutes, les faux plis auront disparu et vous n'aurez même pas à les
repasser.

✳ Ne jetez pas les rouleaux de papier d'emballage vides à la poubelle. Si
vous les coupez en deux sur le sens de la longueur et les glissez sur un
cintre, vous pourrez suspendre votre nappe
sans craindre les faux plis.

✳ Nettoyez la table de la salle à
manger de façon naturelle, avec
du thé! Préparez le thé, puis
assoyez-vous, prenez une tasse
de thé et attendez qu'il soit frais
au toucher. Versez le liquide
dans un petit récipient, saturez
un chiffon sans peluches, puis
essorez-le jusqu'à ce qu'il soit à
peine humide. Essuyez ensuite la table et les abattants en suivant le grain
du bois. Polissez avec un chiffon doux et sec.

> Pour que vos petits pains restent chauds plus longtemps, placez quelques feuilles de papier d'alu-minium dans le fond de votre panier sous la serviette de table. Tout le monde aime les petits pains chauds!

✳ Faites partir les marques blanches sur votre table avec un peu de
mayonnaise. Assurez-vous que vous avez de la mayonnaise régulière —
les mayonnaises faibles en gras ne font pas l'affaire. Mélangez la mayonnaise avec du sel ou de la cendre de cigarette. Massez le mélange sur
la marque pendant 45 minutes. Eh oui, 45 minutes! C'est long, mais
c'est ce massage qui doucement va faire disparaître la marque. Laissez
le mélange reposer pendant quelques heures, et idéalement toute la
nuit. Ce procédé fonctionne également avec de l'huile de lin et du tripoli
pour polissage (disponibles en quincaillerie).

Les gens trouvent sans doute Noël passionnant, mais cette période de l'année peut s'avérer un peu stressante pour ceux d'entre nous qui marchent à quatre pattes. Voici quelques petites choses que vous devriez surveiller :

- Les plantes associées à Noël, comme le houx, le poinsettia et le gui, peuvent être toxiques. S'il vous plaît, tenez-les loin des chats — et des petits enfants.

- Les chats adorent jouer avec les guirlandes, mais nous aimons aussi les manger. Or, cela peut endommager notre système intestinal. S'il vous plaît, tenez les guirlandes et les autres décorations du même genre hors de notre portée. Si vous voulez décorer votre arbre avec des guirlandes, évitez les branches du bas.

- Nous aimons peut-être la nourriture riche, mais ce n'est pas bon pour nous et cela peut même nous rendre malades, surtout le chocolat. Si vous ne pouvez résister à nos regards attendrissants pendant le dîner, donnez-nous quelques morceaux de carotte et de petits morceaux de dinde sans la sauce. Bien sûr, il est préférable de ne jamais nous donner des restes de table, mais ne répétez à personne que je vous ai dit cela !

- Gardez à l'esprit que je ne suis peut-être pas ce joyeux fêtard que vous croyez. Si vous avez beaucoup d'invités, s'il vous plaît, placez-moi dans une pièce où je serai seul avec de la nourriture, de l'eau et une caisse remplie de litière. N'oubliez pas un jouet à mâchouiller pour votre chien — vous savez comme ils sont…

✳ Utilisez des bâtonnets ou des crayons de cire pour dissimuler les rayures. Assurez-vous d'utiliser des crayons provenant d'une quincaillerie (les crayons de vos enfants ne serviraient ici à rien), et vérifiez que la couleur du crayon correspond bien à la teinte de la table. Une fois que vous aurez appliqué la cire en suivant les instructions du manufacturier, utilisez un séchoir à cheveux pour chauffer la cire et polissez vigoureusement avec un vieux chiffon pour obtenir une réparation presque invisible.

C'est emballant

✳ Gardez vos rouleaux de papier d'emballage à portée de la main en les plaçant debout dans une corbeille à papier ou dans une petite poubelle propre.

✳ Vous pouvez aussi utiliser les rouleaux de papier d'emballage vides pour allumer le feu. Glissez à l'intérieur du tube des petits bouts de bois, des feuilles mortes et des morceaux de pommes de pin pour échafauder un merveilleux feu crépitant.

✳ Vous n'avez plus de papier d'emballage? Recyclez quelques vieux emballages en les vaporisant avec de l'amidon en aérosol. Repassez-les avec un fer à repasser et vous voilà prêt à emballer!

> Faites preuve de créativité lorsque vous emballez vos paquets. Le tissu, le papier peint, les cartes géographiques et les feuilles de musique font d'excellents emballages cadeaux.

✳ Pour éviter que l'extrémité du ruban adhésif ne disparaisse, enroulez-le autour d'un trombone. Vous n'aurez plus jamais à chercher l'extrémité du ruban.

✳ Ne faites jamais brûler de papier d'aluminium ou des magazines dans votre cheminée — ils émettent des gaz nocifs et dangereux.

En prendre pour son rhume

Noël est un temps de don et de partage, mais personne ne veut avoir le rhume. Voici ce que vous pouvez faire pour minimiser les risques d'attraper cette calamité saisonnière. Si vous avez déjà le rhume, vous trouverez dans cette section quelques remèdes réconfortants… et quelques solutions pour venir à bout des taches que ces mêmes remèdes peuvent laisser sur vos draps de flanelle!

Une cuillérée de prévention

* Contrairement à ce que véhiculent les contes de bonnes femmes, on n'attrape pas le rhume en sortant à l'extérieur par temps froid. Le rhume et la grippe sont causés par des virus. Évitez les virus, vous éviterez le rhume.

* Lavez-vous les mains fréquemment et lavez-les bien. Utilisez une eau chaude, mais agréable. Utilisez *toujours* du savon.

* Évitez de toucher vos yeux, votre nez et votre bouche.

* Utilisez des papiers-mouchoirs plutôt que des mouchoirs en tissu, dans la mesure du possible. On peut plus facilement se débarrasser des papiers-mouchoirs et des microbes qu'ils contiennent!

Pour éviter d'attraper le rhume, lavez-vous les mains aussi longtemps que cela prend pour chanter «Joyeux anniversaire»… deux fois! Voilà le temps nécessaire pour bien vous laver les mains.

Soyez particulièrement vigilant si vous partagez un téléphone. Utilisez un chiffon doux trempé dans du rince-bouche Listerine® ou dans de l'alcool à 90 degrés pour nettoyer le microphone du téléphone, les poignées de porte et les touches du clavier de l'ordinateur. Les lingettes contenant de l'alcool peuvent aussi faire l'affaire.

⁕ Ne laissez jamais vos papiers-mouchoirs à découvert dans la poubelle. Jetez-les dans un sac plastique réservé à cet effet. Vous ne voudriez pas que quelqu'un attrape vos microbes, n'est-ce pas?

⁕ Essayez de ne pas partager vos objets personnels avec une personne malade. Ceci inclut les serviettes, les verres et les ustensiles de cuisine.

⁕ Vous pouvez toujours embrasser les gens autour de vous — il n'y a rien comme un petit peu d'amour lorsqu'on est malade. Mais contentez-vous des joues.

Traitement du rhume

⁕ Gardez vos pieds au chaud. Croyez-le ou non, vos narines risquent de devenir froides et sèches si vous avez les pieds froids, et cela peut aggraver votre rhume.

⁕ Lavez les draps et les pyjamas dans l'eau la plus chaude possible.

⁕ Le parfum de l'assouplissant textile peut irriter les nez délicats. Alors, assouplissez vos draps et vos serviettes de coton avec 60 ml de vinaigre blanc lorsque vous avez le rhume.

> Assurez-vous de vérifier la date d'expiration des médicaments *avant* de les prendre.

⁕ Frottez l'extérieur de votre gorge et de votre poitrine avec du Vicks Vapor Rub®, ce qui soulagera votre congestion, peu importe votre âge.

⁕ Versez quelques gouttes d'huile de wintergreen dans un bol d'eau très chaude, approchez votre visage de l'eau (mais tenez-

Vous êtes enclin à avoir des boutons de fièvre ? Tamponnez-les avec un peu de Pepto Bismol® lorsque vous ressentez les premiers picotements. Il y a de bonnes chances que les boutons n'apparaissent même pas !

vous au moins à 30 centimètres) et recouvrez votre tête d'une serviette pour créer une petite tente. Inhalez profondément les vapeurs pour obtenir le soulagement dont vous avez bien besoin.

Au paradis de l'humidificateur

L'air humide a des effets divins sur les gorges et les voies respiratoires desséchées mais, si vous ne nettoyez pas votre humidificateur pour le débarrasser des moisissures, ces polluants aériens risquent d'aggraver votre rhume.

Enlevez les dépôts calcaires sur les pièces détachables, comme le tube en plastique du rotor et l'anneau de sûreté, en les immergeant dans une casserole remplie de vinaigre chaud. Amenez le vinaigre à ébullition, retirez-le du feu, puis faites tremper le tube et l'anneau dans le vinaigre pendant environ 5 minutes. Rincez-les à l'eau claire et assurez-vous que les pièces sont sèches avant de les remettre dans l'humidificateur.

Nettoyez votre humidificateur en versant une solution composée de 250 ml d'eau de Javel et de 4 l d'eau dans le réservoir d'eau de l'appareil. Laissez reposer la solution quelques minutes, si nécessaire. Frottez les dépôts calcaires avec une brosse, puis rincez. Assurez-vous que l'humidificateur est froid et vide avant de commencer.

Les lingettes pour bébé sont idéales pour nettoyer les taches de médicaments. Frottez vigoureusement le tissu taché avec la lingette, puis traitez la tache et lavez comme d'habitude.

Comment faire partir les taches de médicaments

Les médicaments pour les frictions, les gouttes pour les oreilles et les onguents sont tous à base d'huile. Il faut donc traiter les taches le plus tôt possible. Frotter les taches avec un bon nettoyant pour les mains sans eau, comme le nettoyant pour les mains GOJO™, est encore ce qu'il y a de mieux. Appliquez-le directement sur la tache, puis frottez bien avec votre pouce et votre index. Attendez 10 minutes, puis appliquez un bon détachant, comme le détachant Zout®, avant de laver les draps dans l'eau la plus chaude possible.

Pour faire partir les taches de sirop pour la toux ou d'autres médicaments de couleur rouge, utilisez le produit Wine Away Red Wine Stain Remover™ ou Red Erase™. Appliquez généreusement, en suivant les indications sur la boîte, puis lavez comme d'habitude. Vous pouvez aussi faire tremper la tache dans 250 ml d'eau chaude et 15 ml de sel.

Les tissus tachés par des grogs chauds ou des boissons médicamenteuses doivent être nettoyés à l'eau froide aussitôt que possible. Assurez-vous d'abord de diriger le jet d'eau sur le revers du tissu. Ensuite, faites une pâte avec du borax 20 Mule Team® et de l'eau froide. Utilisez environ deux parts de borax pour une part d'eau, puis ajoutez de l'eau pour obtenir la consistance d'une pâte. Appliquez ensuite cette pâte sur le tissu, puis servez-vous une tasse de thé et regardez votre émission de télévision préférée. Au bout de 30 minutes, il est temps de dissoudre le mélange en appliquant à nouveau de l'eau froide. Défaites la pâte entre vos doigts, puis lavez le tissu comme d'habitude, en utilisant l'eau la plus chaude possible pour ce genre de tissu.

On estime que les Américains soignent plus d'un milliard de rhumes chaque année. Il y a de quoi en faire une maladie !

Aux fourneaux !

Aussi loin que je me souvienne, chaque année maman préparait ces biscuits. Lorsque je fus assez grande, je dus mettre la main « à la pâte » — mais je préférais les décorer et j'admets avoir mangé en ces occasions plus d'une bouchée de pâte à la dérobée, ce qui n'est pas très bon pour la santé d'ailleurs.

LES BISCUITS DE NOËL DE LA REINE MÈRE

500 ml de farine
5 ml de poudre à pâte
2 ml de bicarbonate de soude
2 ml de sel
125 ml de matière grasse
250 ml de sucre
1 ml de muscade
1 ml d'extrait de citron ou de zeste de citron
2 œufs

Mélangez les ingrédients secs dans un bol.

En vous servant d'un mélangeur, mélangez ensemble la matière grasse, le sucre, la muscade et l'extrait de citron jusqu'à ce que vous obteniez un mélange homogène de couleur pâle. Ajoutez les œufs battus, puis incorporez progressivement les ingrédients secs, en battant entre chaque ajout.

Mettez le mélange au réfrigérateur pendant environ une heure, puis procédez à la cuisson comme ceci :

Roulez la pâte, puis coupez-la avec un découpoir. Déposez les biscuits sur une tôle pour biscuits graissée et aplatissez-les avec le fond d'un verre enduit de farine.

Décorez les biscuits en plaçant un raisin ou une noix au centre, puis saupoudrez-les de sucre granulé — le sucre granulé coloré donnera de jolis biscuits de Noël.

Faites cuire au four à 200 degrés Celsius entre 10 et 12 minutes. Évitez de trop les faire cuire. Vous obtiendrez environ trois douzaines de biscuits.

Je crois bien que je vais téléphoner à ma mère…

Partie 3

JOUR DE LESSIVE

Entretien et utilisation
de la machine à laver

E st-ce vraiment si difficile ? Vous ajoutez de l'eau et du détersif, vous jetez vos vêtements dans la machine à laver, vous choisissez le cycle, et le tour est joué. Lorsque vous revenez, vos vêtements sont propres. Bon... mais avec toute cette eau dure et tous ces vêtements sales, avez-vous déjà pensé à la propreté de votre machine à laver ?

Votre machine à laver a besoin qu'on s'occupe d'elle de temps en temps, surtout si l'eau est dure dans votre secteur. Car, si vos vêtements vous semblent ternes et défraîchis, peut-être qu'un nouveau détersif amélioré n'est pas la solution à votre problème. En fait, il suffit peut-être de nettoyer votre machine à laver pour en venir à bout. La méthode suivante est la plus simple que je connaisse :

Remplissez la machine à laver d'eau chaude, ajoutez un litre d'eau de Javel (pas de détersif, s'il vous plaît), puis mettez la machine à laver en marche en choisissant le cycle de lavage le plus long. Tandis que le panier d'essorage est encore humide — tout de suite après le cycle à l'eau de Javel —, ajoutez un litre de vinaigre blanc et remettez la machine en marche pour un autre cycle. Cela éliminera tous les résidus de savon et les dépôts minéraux qui se

227

sont accumulés dans le panier d'essorage et les tuyaux. Si l'eau est particulièrement dure dans votre secteur, vous devriez répéter cette opération tous les trois mois, sinon tous les six mois. Vous serez étonné de voir la différence.

Si vous apercevez des petites taches brunes ou de couleur rouille sur vos vêtements lorsque vous les sortez de la machine à laver, il s'agit probablement de taches de rouille! Si vous avez ce genre de problème, examinez minutieusement votre panier d'essorage et vérifiez si la finition de l'appareil n'est pas endommagée. Les régions écaillées peuvent rouiller et déteindre sur les vêtements, et dans ce cas la seule solution est de remplacer le panier d'essorage. Consultez votre marchand d'appareils ménagers et assurez-vous d'obtenir un panier qui sera compatible avec votre machine. Et une dernière mise en garde : faites attention lorsque vous utilisez des balles de lavage. En raison de leur poids, elles peuvent endommager votre panier d'essorage.

> Si vous n'avez pas le temps de nettoyer votre machine à laver en profondeur, remplissez-la d'eau chaude et ajoutez quatre litres de vinaigre blanc. Procédez en utilisant le cycle de lavage complet.

Pour découvrir comment faire partir les taches de rouille sur les vêtements, consultez la section sur les taches. C'est beaucoup plus facile que vous ne le croyez.

Nettoyer le distributeur d'assouplisseur

Nettoyez le distributeur automatique d'assouplisseur tous les mois ou toutes les six semaines pour assurer son bon fonctionnement et pour éviter de vous retrouver avec des taches d'assouplisseur sur vos vêtements. (Les assouplisseurs liquides peuvent laisser des taches de couleur bleue sur les vêtements ; les marques laissées par les feuilles d'assouplissant textile ressemblent généralement à de petites taches de graisse.) Pour nettoyer le distributeur, vous devez d'abord faire chauffer une tasse (250 ml) de vinaigre blanc (je fais chauffer le mien au four à micro-ondes), puis le verser dans le distributeur comme s'il s'agissait d'un assouplisseur. Assurez-vous que le vinaigre est bien chaud et que la machine à laver est vide. Il arrive que de gros morceaux d'as-souplisseur devenus collants se détachent durant le lavage ; ces derniers pour-raient adhérer à vos vêtements. Je vous suggère de nettoyer le distributeur d'assouplisseur tandis que vous nettoyez la machine à laver en utilisant l'une des méthodes recommandées dans ce chapitre.

Nettoyer le distributeur de javellisant

Il est tout aussi important de garder le distributeur de javellisant le plus pro-pre possible. Nettoyez toutes les pièces amovibles avec de l'eau chaude et du détergent pour la vaisselle. Lorsque vous nettoyez votre machine à laver avec du vinaigre blanc, assurez-vous d'en verser un peu dans le distributeur de javellisant.

Utilisez moins de détersif pour éviter les accumulations de savon sur vos vêtements et dans votre machine à laver. Utilisez une demi-tasse (125 ml) de bicarbonate de soude Arm and Hammer® et environ la moitié de la quantité de détersif que vous utilisez normalement. Adaptez cette formule en augmen-tant ou en réduisant la quantité de détersif en fonction de vos besoins individuels.

Conseils pour l'achat et le placement de votre nouvelle machine à laver

Si vous n'avez pas suffisamment d'espace pour placer votre machine à laver et votre sécheuse côte à côte, n'oubliez pas qu'il existe sur le marché des appareils superposés très efficaces. Assurez-vous toutefois de bien prendre vos mesures *avant* d'acheter.

Une machine à laver à chargement frontal est assurément un excellent moyen de sauver de l'espace, et vous pouvez même utiliser le dessus de l'appareil comme plan de travail. Si vous choisissez cette option, vous devrez toutefois protéger le dessus de la machine à laver pour ne pas abîmer sa fini-tion. Une planche à pain en plastique fera très bien l'affaire.

Le fait que les appareils à chargement frontal lavent les vêtements en les faisant culbuter est un autre avantage important. Ces appareils font générale-ment culbuter les vêtements comme le ferait une sécheuse, un procédé qui endommage beaucoup moins les vêtements. Ces appareils sont également beaucoup plus stables lorsqu'ils sont en marche. Par contre, les appareils à chargement frontal ont généralement une capacité inférieure aux appareils à chargement par le haut, et ils viennent plus difficilement à bout des taches incrustées.

Pour ce qui est des appareils à chargement par le haut, plusieurs modèles sont disponibles sur le marché. Mais avant d'acheter, prenez le temps de bien identifier vos besoins. Vous devriez envisager l'achat d'un appareil à forte capacité si vous avez souvent de grosses brassées de serviettes et de draps, mais n'allez pas non plus investir dans un appareil trop sophistiqué. Ne gaspillez pas votre argent en achetant tous les accessoires possibles et imagi-nables — vous aurez ainsi moins de chances de commettre une erreur!

Assurez-vous que votre machine à laver a l'espace dont elle a besoin pour vibrer, soit deux ou trois centimètres de chaque côté de l'appareil.

Pour conserver l'extérieur de votre machine à laver et de votre sécheuse propre et étincelant, assurez-vous d'appliquer une couche de Clean Shield® (anciennement Invisible Shield®) tout de suite après les avoir achetées. Cette couche de finition invisible et non collante permettra à la surface de vos appareils de conserver son apparence neuve. L'eau perlera et s'essuiera facile-ment, tout comme les gouttes de détersif et de détachant. Réappliquez au besoin.

Important : si le cordon d'alimentation de votre machine à laver ne se rend pas jusqu'à la prise de courant, déplacez la prise de courant ou rem-placez le cordon d'alimentation par un cordon plus long. N'utilisez jamais une rallonge entre le cordon d'alimentation de votre machine à laver et la prise de courant. Si de l'eau entrait en contact avec la connexion entre la rallonge et le cordon d'alimentation, vous risqueriez de vous faire électrocuter.

N'installez jamais une machine à laver dans un garage ou dans une pièce non chauffée. L'eau résiduelle dans les tuyaux peut geler et gravement endom-mager l'appareil.

Un dernier conseil concernant l'installation : si vous installez une machine à laver dans un chalet qui n'est pas chauffé durant la saison froide, demandez à un technicien de vider complètement l'appareil avant de fermer la résidence pour l'hiver. À nouveau, l'eau résiduelle peut geler et endommager l'appareil.

Si j'avais un dernier conseil à vous donner, ce serait celui-ci : NE QUITTEZ JAMAIS la maison lorsque la machine à laver est en marche. Un tuyau peut se rompre ou l'appareil peut cesser de fonctionner en l'espace de quelques secondes, causant de nombreux dommages et inondant votre demeure. Si vous saviez le nombre de maisons inondées que j'ai nettoyées à l'époque où j'étais à la tête d'une entreprise de nettoyage du Michigan spécialisée dans les sinistres. Ces petits tuyaux peuvent déverser d'incroyables quantités d'eau et causer des dommages spectaculaires, non seulement à des objets pouvant être nettoyés et remplacés, mais aussi à de précieux trésors qui ne pourront jamais être restaurés. C'est à vous fendre le cœur.

31

Les étiquettes d'entretien sont-elles vraiment utiles?

L es étiquettes d'entretien sont très importantes. Vous devriez toujours les lire avant d'acheter un article et les relire chaque fois que vous le nettoyez.

La Federal Trade Commission (FTC) exige que les manufacturiers apposent sur leurs vêtements en tissu une étiquette permanente sur laquelle sont inscrites les instructions pour leur entretien. Cette étiquette doit être facile d'accès, ne doit pas être séparée du vêtement et doit demeurer lisible pendant toute la durée de vie du vêtement. Cette étiquette doit de plus nous mettre en garde contre les méthodes de nettoyage qui pourraient endommager le vêtement ou les autres vêtements avec lesquels il sera lavé, qu'il s'agisse d'un lavage traditionnel ou d'un nettoyage à sec. Elle doit aussi spécifier si le vêtement est lavable ou non.

> Lorsque vous lisez une étiquette, vous contentez-vous de regarder la taille du vêtement et rien de plus? Si cela est le cas, vous passez à côté de nombreuses informations utiles.

En plus des instructions écrites, les étiquettes d'entretien peuvent comporter des symboles. Lorsqu'un vêtement possède une étiquette d'entretien pourvue de symboles internationaux, toutes les méthodes d'entretien sont généralement énumérées.

Puis-je enlever cette étiquette ?

La loi exige que les vêtements soient vendus avec une étiquette d'entretien. Toutefois, le fait d'enlever une étiquette n'est pas sans risque ; vous pouvez oublier la méthode appropriée de nettoyage, et votre teinturier n'aura plus accès à des informations qui lui auraient été pourtant fort utiles.

> Évidemment, la loi n'a pas pensé aux femmes qui portent une petite robe noire avec une étiquette blanche qui leur pend dans le dos.

Si vous choisissez d'enlever l'étiquette d'entretien, inscrivez sur cette dernière à quel vêtement elle appartient et rangez-la dans un endroit sûr où vous pourrez facilement la retrouver. Peut-être vous rappelez-vous aujourd'hui que votre robe d'été préférée doit être lavée à l'eau froide et séchée à plat, mais qu'en sera-t-il l'été prochain ? Un tableau de liège est un merveilleux outil dans une buanderie. Vous aurez sous les yeux toutes les instructions pour l'entretien de vos vêtements, et les membres de votre famille vous feront peut-être la surprise de faire une ou deux brassées de lavage de temps en temps. Enlevez tout simplement les étiquettes du tableau à mesure que vous vous débarrassez des vêtements.

Instructions pour le nettoyage

Nettoyage à sec — Un vêtement portant la mention « nettoyer à sec » peut être nettoyé à l'aide d'un liquide pour le nettoyage à sec disponible dans les teintureries commerciales et les buanderies automatiques. Vous devez savoir que, malgré son nom, le nettoyage à sec n'est pas nécessairement « sec ». Le processus implique parfois l'utilisation d'eau, que ce soit sous forme d'humidité ou de vapeur dans le pressage et la formation pneumatique.

Nettoyage à sec professionnel — Si votre vêtement porte la mention « nettoyage à sec professionnel », il doit nécessairement être nettoyé à l'aide des méthodes de nettoyage à sec que l'on retrouve uniquement dans le commerce. Une étiquette de ce genre est généralement accompagnée d'instructions additionnelles, par exemple «humidité réduite» ou «aucune vapeur». Votre teinturier devrait connaître la signification de ces étiquettes, mais il ne vous coûtera rien de lui en parler.

Lavable à la machine — Ceci indique que vous pouvez laver votre vêtement dans une machine à laver domestique ou commerciale. D'autres informations peuvent aussi être incluses, comme la température de l'eau, la grosseur de la brassée ou les instructions pour le séchage.

Est-ce qu'un vêtement lavable peut aussi être nettoyé à sec ? Si une étiquette porte la mention «lavable», il se peut que vous puissiez le faire nettoyer à sec... mais le contraire peut être aussi vrai! Malheureusement, on ne peut se fier à ce genre d'étiquette. Les manufacturiers ne sont obligés d'inscrire qu'une méthode de nettoyage, peu importe le nombre de méthodes que vous pourriez également utiliser sans risque. Et soyez prévenu : les manufacturiers ne sont pas obligés de préciser si les procédures d'entretien recommandées peuvent représenter un danger!

> **«Il semble que nous n'ayons jamais le temps de faire les choses comme il faut. Mais il semble que nous ayons toujours le temps de corriger nos erreurs.»**
> — Anonyme

32

Dépoussiérer le concept du nettoyage à sec

Tous nos vêtements ne peuvent être lavés de manière traditionnelle, et cela signifie que nous devons passer de temps en temps chez le teinturier et nous ronger les sangs en espérant que cette fichue tache disparaîtra. La plupart des gens vont chez le teinturier lorsqu'ils n'arrivent pas à faire disparaître eux-mêmes une tache incrustée. Heureusement pour nous, les teinturiers professionnels, avec leurs solvants spéciaux, leur équipement et leur formation, peuvent faire partir les taches les plus tenaces assez facilement. Le succès d'un bon nettoyage à sec repose sur trois choses : la nature de la tache, le type de tissu et la solidité des couleurs. Tous les tissus et toutes les teintures n'ont pas été conçus pour résister aux agents nettoyants et détachants.

Les taches invisibles — Plusieurs taches laissées par de la nourriture, des substances huileuses ou des boissons peuvent devenir invisibles en séchant. Mais plus tard, sous l'effet de la chaleur ou avec le passage du temps, une tache brunâtre ou jaunâtre finira par apparaître. Vous avez probablement déjà aperçu ce genre de taches sur des vêtements que vous aviez rangés et ressortis quelques mois plus tard. Ce phénomène est causé par l'oxydation des sucres contenus dans la substance à l'origine de la tache. C'est également l'oxydation des sucres qui fait brunir les pommes une fois qu'elles sont pelées et exposées à l'air ambiant.

Vous pouvez être un meilleur client et aider votre teinturier à faire un meilleur travail en lui indiquant les taches sur les vêtements que vous souhaitez faire nettoyer. Les teinturiers traitent souvent ces taches avant de nettoyer un vêtement, comme vous le faites à la maison avant de faire la lessive. Ce prétraitement est essentiel, car la chaleur et la finition peuvent incruster la tache pour de bon et rendre son élimination quasi impossible.

Ce genre de taches se reconnaît à sa forme irrégulière. Un bon nettoyage à sec peut facilement faire disparaître les taches huileuses si elles ne sont pas trop vieilles. Dès lors qu'elles ont jauni ou bruni, il est quasiment impossible de les faire partir.

> Lorsqu'une substance huileuse est exposée à la chaleur ou demeure sur une pièce de vêtement pendant un long laps de temps, elle s'oxyde.

Taches de transpiration —
La transpiration peut aussi laisser des taches, en particulier sur les vêtements en soie et en laine. La transpiration peut même endommager les fibres des vêtements en soie si rien n'est fait pour y remédier.

L'exposition répétée à la transpiration et aux huiles corporelles peut laisser des cernes jaunâtres sur les vêtements et même de mauvaises odeurs. La transpiration peut aussi réagir au contact de la teinture présente dans le tissu, et rendre le nettoyage de la tache encore plus difficile.

> Si vous transpirez beaucoup, faites nettoyer vos vêtements plus souvent, surtout durant les mois d'été. Et vous n'aurez plus à remplacer votre garde-robe aussi souvent.

Rappels importants

Assurez-vous d'attirer l'attention du teinturier sur les directives d'entretien d'un vêtement qui sont inhabituelles, et assurez-vous d'indiquer où se trouvent les taches et les éclaboussures en les identifiant chaque fois que cela est possible.

* Que vous nettoyiez vous-même votre vêtement ou que vous le confiiez à un professionnel, il est essentiel de traiter les taches et les éclaboussures avec le bon détachant.

* Si vous décidez d'enlever l'étiquette d'entretien, ce serait une bonne idée de l'identifier clairement — c'est-à-dire d'identifier le vêtement auquel elle appartient — et de l'épingler sur votre tableau de liège dans votre buanderie afin de pouvoir plus tard la consulter.

Voici finalement un sujet dont personne n'aime entendre parler : la responsabilité du teinturier. La responsabilité du teinturier se limite à tenter d'enlever les taches en utilisant les méthodes appropriées. Malheureusement, certaines taches ne peuvent être éliminées, en dépit des efforts du teinturier.

Plus vous transmettrez d'information à votre teinturier et plus tôt vous lui apporterez les vêtements tachés, plus grandes seront ses chances de succès.

33

Les trousses de nettoyage à sec :
un sale petit secret

Vous les avez sûrement aperçues, ces petites trousses de nettoyage à sec maison, disponibles dans tous les grands magasins. Sont-elles efficaces? Si vous espérez ouvrir votre sac pour le nettoyage à sec et y découvrir des vêtements propres et parfaitement pressés au sortir de la sécheuse, vous serez forcément déçu. Si toutefois vous voulez espacer vos visites chez le teinturier, ces trousses pourraient vous être utiles.

J'ai constaté que ces trousses de nettoyage à sec maison permettent de nettoyer efficacement certains articles, comme les chandails, le velours côtelé, le velours, les chemisiers devant être nettoyés à sec et ces vêtements délicats, difficiles à laver à la main et à faire sécher à plat. Elles permettent également de redonner de la fraîcheur aux petites couvertures, aux couvre-lits, aux édredons et aux draperies. N'essayez pas de faire entrer de force un couvre-lit ou une couverture dans le sac; ils en ressortiraient pleins de faux plis.

Il est possible de nettoyer un complet à l'aide d'une trousse de nettoyage à sec maison, mais vous devrez vous passer de la finition et du pressage que seul un teinturier est capable de vous donner. (Vous risquez également de découvrir à l'occasion des taches sur la doublure du complet.)

Toutes ces trousses viennent avec des feuilles prétraitées et des sacs pour le nettoyage à sec réutilisables. Certaines sont vendues avec des détachants et des solutions pour éponger les éclaboussures. Elles fonctionnent toutes à peu près de la même façon :

Vous traitez d'abord les taches, soit en utilisant la feuille que vous devrez ensuite placer dans le sac avant de procéder au nettoyage, soit à l'aide d'un autre liquide détachant. Il est important de traiter toutes les taches car, comme vous le savez à présent, la chaleur peut les incruster pour de bon. Prenez votre temps, suivez attentivement la procédure et vérifiez s'il ne reste pas de taches à traiter.

J'ai fait l'essai de plusieurs trousses de ce genre pour voir si elles étaient efficaces contre les taches (notre principale préoccupation à tous), et j'ai découvert que le produit Custom Cleaner™ se démarquait clairement des autres. Certaines trousses de nettoyage à sec ne sont pas parvenues à éliminer une tache de rouge à lèvres sur l'étiquette du blazer du Roi (il s'agissait de mon rouge à lèvres, bien entendu). Mais Custom Cleaner™ y est parvenu — et il a même éliminé les taches qu'avaient laissées derrière elles les autres trousses ! Je n'aime pas particulièrement les produits parfumés, mais Custom Cleaner™ dégage une odeur de fraîcheur et de propreté. Non seulement cela... cette trousse est aussi facile d'utilisation. Un autre point en sa faveur !

Suivez attentivement les instructions sur l'emballage de la trousse de votre choix. N'entassez pas vos vêtements dans le sac, sinon ils feront des plis et vous devrez longuement les repasser, ce qui serait contre-productif.

« Si vous ne réussissez pas du premier coup, essayez à nouveau. Puis abandonnez. Il ne sert à rien de vous ridiculiser plus longtemps. »
— W.C. Fields

Devriez-vous acheter l'une de ces trousses? En bout de ligne, c'est à vous de décider. Si vous possédez plusieurs articles que vous aimeriez rafraîchir entre deux nettoyages, et si vous ne tenez pas absolument au pressage impeccable offert par les teinturiers, alors oui, essayez-les. Toutefois, si votre garde-robe est principalement constituée de complets et de pantalons à plis, vous serez probablement déçu. Est-ce que ces trousses peuvent remplacer les services d'un bon teinturier? Je ne le crois pas. Et je ne crois pas qu'elles ont été conçues pour cela.

Conseils spéciaux du Palais

- Retirez immédiatement les vêtements du sac pour la sécheuse, et suspendez-les ou pliez-les aussitôt — selon ce qui convient le mieux. Il sera peut-être nécessaire de les presser, tout dépendant du type de tissu.

- Utilisez uniquement le sac fourni avec la trousse, et n'utilisez aucun autre produit nettoyant.

- Si vous n'aimez pas l'odeur des rafraîchisseurs parfumés, vérifiez les différentes trousses disponibles et essayez-en quelques-unes. Certains produits sont plus parfumés que d'autres.

- Suivez attentivement les instructions.

C'est l'heure du triage !

Certaines personnes préfèrent la méthode brutale : elles prennent tous les vêtements qui traînent — peu importe la couleur et le type de tissu — et les entassent dans la machine à laver, autant qu'elles peuvent en mettre en une seule fois. Ces gens sont faciles à reconnaître ; ils ont des sous-vêtements roses, des traînées de couleur sur leurs vêtements, des chandails qui ont rétréci, des pantalons trop courts ou sinon des vêtements pour le moins « amochés ».

Séparez :

✳ Les tissus foncés et les tissus blancs ou de couleur pâle.

✳ Les vêtements légèrement sales et les vêtements très sales comme les vêtements de travail.

✳ Les tissus en fonction de la température de l'eau (chaude — tiède — froide).

✳ Les tissus qui font des peluches et les autres tissus (tissu éponge, velours côtelé, etc.).

✳ La lingerie, les collants et les tissus délicats qui doivent être lavés dans une pochette en mailles.

✳ Les vêtements qui pourraient déteindre et tacher les autres vêtements.

> Pour de meilleurs résultats, triez toujours vos vêtements. Vous me remercierez pour ce conseil, je vous le garantis.

Il est temps de prétraiter :

✳ Vérifiez s'il y a des taches, des éclaboussures, des marques, etc., avant de mettre votre brassée de linge sale dans la machine à laver.

Faites ceci avant de laver :

- Boutonnez les boutons.
- Attachez les agrafes des soutiens-gorge.
- Remontez les fermetures à glissière.
- Attachez les ceintures, les sangles, etc., pour éviter les enchevêtrements.
- Enlevez tous les accessoires qui ne sont pas lavables.
- Réparez les déchirures pour éviter qu'elles ne s'élargissent pendant le brassage.

✳ Prétraitez les taches en utilisant l'un des détachants présentés aux chapitres 5 et 6 ou consultez le guide pour l'élimination des taches pour obtenir plus d'information.

✳ Faites tremper les vêtements extrêmement sales avant de les laver. Ne faites pas tremper les vêtements en laine, en spandex, en soie, et les tissus qui déteignent.

Identifiez les taches

Utilisez des épingles à linge de couleurs vives pour identifier les taches ou utilisez des élastiques et entourez-les autour des endroits qui ont besoin d'être détachés avant de procéder au lavage. Demandez aux membres de votre famille de le faire avant de mettre leur linge dans le panier à linge sale. De cette façon, les taches et les éclaboussures seront plus faciles à localiser et à traiter, et ainsi vous n'aurez pas à examiner chaque article tandis que vous les triez.

Vous êtes prêt à laver !

Ajoutez du détersif dans la machine à laver et remplissez-la d'eau. Si vous lavez à l'eau froide avec un détersif en poudre qui se dissout plus ou moins bien, mélangez-le avec un peu d'eau chaude avant de l'ajouter dans la machine à laver ou optez pour un détersif liquide.

✳ Ajoutez les autres produits pour la lessive comme l'eau de Javel, l'assouplissant textile, etc.

✳ Remplissez la machine à laver, mais évitez de la surcharger. Si vous entassez trop d'articles, vos vêtements ne seront pas aussi propres et feront encore plus de plis.

✳ Assurez-vous que les vêtements sont bien répartis à l'intérieur de la machine à laver — et non tous du même côté de l'agitateur —, surtout si vous lavez des articles volumineux comme une couverture ou un tapis de bain.

N'oubliez pas :
ne quittez jamais la maison si la machine à laver ou la sécheuse est en marche.

Si vous avez suffisamment d'espace dans votre buanderie ou dans votre placard, offrez aux membres de votre famille des paniers à linge de couleurs différentes afin qu'ils puissent trier leurs vêtements au fur et à mesure — un panier pour les vêtements blancs, les vêtements de couleur, les jeans (si votre famille en porte souvent) et les articles délicats. Vous débuterez ainsi du bon pied et le triage des vêtements sera beaucoup plus rapide. Après le lavage, réutilisez ces mêmes paniers pour mettre les vêtements qui doivent être pliés et porter ceux qui peuvent être immédiatement rangés.

Boutons-pression, fermetures à glissière et agrafes

Le meilleur conseil que je puisse vous donner est de fermer les fermetures à glissière, presser les boutons-pression, agrafer les agrafes et boutonner les boutons. Si vous ne le faites pas, vous risquez de vous retrouver avec des vêtements déchirés, des mécanismes enchevêtrés (fermeture à glissière) et des boutons arrachés.

Fermez-la!

Si vous êtes aux prises avec une fermeture à glissière qui coince et refuse de remonter, frottez-la avec un peu de savon, de paraffine ou de cire à bougie. Cela lubrifiera les dents et les remettra en mouvement.

Si la fermeture à glissière de votre pantalon, de votre jupe ou de tout autre vêtement a tendance à redescendre toute seule, ajoutez un bouton, un bouton-pression ou un peu de velcro au-dessus de celle-ci.

Pour vous assurer que vos fermetures à glissière tiennent bien en place, vaporisez-les avec du fixatif pour les cheveux. Cela les aidera à rester fermées.

Pour les boutons

Pour éviter de perdre vos boutons, appliquez un peu de vernis à ongles transparent sur le fil au centre du bouton. Le fil s'usera ainsi beaucoup moins rapidement.

Pour obtenir des boutons qui résisteront bien à l'usure, cousez-les avec de la soie dentaire plutôt qu'avec du fil. Ils ne seront pas aussi agréables à regarder, mais vous ne les perdrez plus!

35

Il n'y a pas de quoi en faire un roman-savon

Pour celui ou celle qui s'occupe de la lessive, je ne crois pas qu'il y ait de plus grand défi que de parcourir l'allée où sont réunis les savons et les détersifs, et décider quel produit acheter. Nous sommes constamment bombardés de publicité nous vantant le parfum de tel produit et le pouvoir nettoyant de tel autre... celui-ci contient un javellisant, celui-là contient un agent qui ravivera la couleur de vos vêtements, et cet autre là-bas... eh bien, il contient tous les agents nettoyants connus sur Terre ! Grrr ! Mais qu'est-ce qui fait la qualité d'un bon détersif ? Jusqu'où faut-il aller ?

Lorsque j'ai besoin d'un savon ou d'un détersif pour la lessive, c'est tout ce que je veux et rien d'autre. Un point, c'est tout. Je veux décider moi-même si j'ai besoin d'un javellisant, d'un assouplissant ou d'un autre additif, et c'est pourquoi je choisis toujours le produit le plus simple, celui qui ne fait essentiellement qu'une chose, celui qui élimine les saletés sur mes vêtements et qui me les rend propres et frais. Quand je dis

En matière de détersif, je me suis donné la règle suivante : *less is more.*

«frais», je ne parle pas de ces produits qui donnent une odeur particulière aux vêtements une fois qu'ils ont été lavés. J'aime pouvoir sortir de la maison sans avoir l'impression de faire de la publicité pour une marque de détersif. J'aime aussi les étiquettes qui commencent par le mot «SANS». Je ne veux ni odeur ni couleur artificielle, seulement un produit nettoyant. C'est meilleur pour la santé et les vêtements. Si je désire parfumer ma lessive, je choisirai moi-même le parfum. Je ne tiens pas à sentir comme un mélange de savon, d'assouplissant textile et de produits pour la lessive.

Détersif de base : C'est ici que tout commence. Choisissez votre détersif pour la lessive (en tenant compte des conseils que je viens de vous promulguer) et versez-en une quantité adéquate dans la machine à laver. N'oubliez pas d'adapter la quantité de détersif à la taille de votre brassée. (Vous devrez peut-être également adapter la quantité si votre eau est particulièrement dure.) Lorsqu'il s'agit de savon pour la lessive, il est inutile d'en abuser, car cela rend simplement le rinçage plus difficile. Et comme les résidus de détersif rendent les vêtements collants, ces derniers se saliront encore plus vite.

Quel détersif pour la lessive utilisez-vous ? Je les ai tous essayés et, croyez-moi, ce fut tout un défi. Souvent, le détersif qui élimine le mieux les taches et éclaboussures n'est pas celui qui convient le mieux à vos vêtements ou à votre famille. Certains détersifs sont particulièrement durs pour les tissus de couleur, faisant pâlir les couleurs vives et donnant une teinte blanchâtre aux couleurs foncées.

Après avoir testé plus de produits que vous ne pouvez l'imaginer, j'ai opté pour un détersif qui, selon moi, répond à toutes nos exigences : PUREX®. Il est doux pour les vêtements et les mains, et il est disponible en plusieurs versions, ce qui vous permettra de choisir les additifs et les parfums qui vous conviennent le mieux. Il est doux avec les couleurs, ferme avec les blancs et, avec un peu de borax Twenty Mule Team®, il peut venir à bout des pires dégâts. Pour une lessive standard, suivez simplement les instructions sur la boîte ou la bouteille. Personnellement, je suis le genre de Reine qui privilégie les savons liquides, car j'aime bien me servir du bouchon de la bouteille pour mesurer la quantité de détersif dont j'ai besoin, puis m'en servir pour traiter les taches avant de mettre les vêtements et le reste du détersif dans la machine à laver.

Additifs lessiviels : Si vous devez laver une brassée de vêtements particulièrement sales et croyez que votre détersif a besoin de renfort, essayez un additif sûr comme le borax Twenty Mule Team® Laundry Booster. Ce produit augmente l'efficacité des détersifs sans ajout de javellisant. Il fait partir les saletés et les taches, donne de l'éclat aux couleurs et imprègne vos vêtements d'un parfum de fraîcheur sans odeur artificielle. Ce produit est sur le marché depuis 1891 ; on peut donc dire qu'il a passé l'épreuve du temps ! Utilisez environ une demi-tasse (125 ml) par brassée lorsque vous avez besoin de son pouvoir nettoyant additionnel pour venir à bout des taches sur vos vêtements de travail, vos serviettes, vos tapis, etc.

Produits antiallergiques : Plusieurs personnes, surtout des enfants, ont des problèmes d'asthme et d'allergie qui semblent directement reliés aux produits nettoyants que nous utilisons à la maison. Si les membres de votre famille sont allergiques à leurs sous-vêtements (non, je ne plaisante pas), le fautif est peut-être votre détersif. Je m'intéresse aux produits nettoyants antiallergiques et non toxiques depuis longtemps, et il me fait plaisir de vous apprendre que j'ai découvert des produits écologiques qui fonctionnent et qui ne provoquent aucune réaction allergique. J'ai testé ces produits, et vous pouvez les utiliser sans crainte pour laver les vêtements des membres de votre famille, qu'ils soient enfants ou adultes.

> ## Le saviez-vous ?
>
> Pour les couches, le borax Twenty Mule Team® est le produit idéal. Il est sûr avec les vêtements pour bébé et les vêtements lavables à la main.

Les produits suivants sont fabriqués par une compagnie appelée Soapworks. Ils ont été créés par une femme en réponse aux graves crises d'asthme qui menaçaient la vie de son fils.

> ## Un mot pour les sages...
>
> Il y en a pour tous les goûts dans l'allée des produits pour la lessive, mais je tiens à vous mettre en garde : tous les vêtements ne supportent pas les produits à usage industriel. Ils peuvent endommager les tissus et polluer l'environnement. Votre grand-mère n'avait pas besoin de ces additifs, et ses vêtements lui duraient des années.

Essayez les produits Fresh Breeze Laundry Powder™ ou Fresh Breeze Liquid™. Ils sont fabriqués à partir d'ingrédients naturels comme la noix de coco et l'huile de palmiste. On peut les utiliser sans crainte pour détacher les vêtements et les faire tremper avant de les laver, et ils dégagent une légère et fraîche odeur de gingembre. Le coût de revient par brassée est d'environ sept cents, comparé à près de vingt cents pour un détersif vendu à un prix raisonnable.

Cette compagnie fabrique également un produit appelé Sun Shine Liquid Soap™, et Soapwork Brilliant Bleach™, un agent de blanchiment à l'eau oxygénée.

Devenez un crack des taches !

J'adore les produits naturels et ceux que je peux fabriquer moi-même pour quelques sous, surtout s'ils sont plus efficaces que les produits vendus en magasin. Voici donc quelques-uns de mes détachants pour la lessive préférés. Utilisez-les comme s'il s'agissait de produits connus, mais prenez note que la plupart d'entre eux sont conçus pour traiter des taches et des éclaboussures particulières.

Commencez par dénicher un vaporisateur et/ou un flacon souple. Prenez soin de toujours identifier tous les produits que vous fabriquez, car il est important de savoir ce que contient la bouteille et à quoi elle sert. J'aime bien ajouter la recette sur l'étiquette; de cette façon, je peux refaire aisément un nouveau mélange. Recouvrez l'étiquette avec du ruban adhésif transparent ou un morceau de papier adhésif transparent pour la protéger de l'humidité.

Ces détachants ont été conçus pour des tissus lavables. Si vous avez un doute, testez-les d'abord sur une partie peu visible, comme une couture.

Détachant pour la lessive tout usage

Mélangez les ingrédients suivants pour obtenir un détachant générique efficace contre une grande variété de taches :

> 1 part d'alcool à 90 degrés
>
> 2 parts d'eau

Si vous utilisez un vaporisateur de grand format, vous pouvez verser une bouteille d'alcool et l'équivalent de deux bouteilles d'eau. Vaporisez ce mélange sur les taches et les éclaboussures, attendez quelques minutes, puis lavez comme d'habitude.

Détachant contre les taches de jus, de fruits et de gazon

Mélangez des parts égales de :

> Vinaigre blanc
>
> Savon liquide pour la vaisselle
>
> Eau

Mélangez bien, puis faites pénétrer la solution dans la tache. Laissez reposer quelques minutes, puis lavez comme d'habitude.

Détachant contre les taches non graisseuses

Mélangez les ingrédients suivants :

> 1 part d'ammoniaque
>
> 1 part de savon liquide pour lave-vaisselle
>
> 1 part d'eau

Mélangez bien, puis faites pénétrer la solution dans la tache. Laissez reposer quelques minutes, puis rincez à l'eau. Cette solution est efficace contre les taches de lait, de sang, de transpiration et d'urine. *N'utilisez jamais ce mélange sur de la laine, de la soie, du spandex, de l'acrylique ou de l'acétate.*

Détachant contre les taches graisseuses

Mélangez les ingrédients suivants :

> 15 ml (1 cuillère à soupe) de glycérine
> 15 ml (1 cuillère à soupe) de savon liquide pour lave-vaisselle
> 120 ml (8 cuillères à soupe) d'eau

Faites pénétrer la solution dans la tache d'huile ou de graisse. Laissez reposer quelques minutes, rincez à l'eau, puis lavez comme d'habitude.

N'oubliez pas que ces détachants sont conçus pour des tissus lavables et qu'aucun d'entre eux ne doit être utilisé pour détacher de la soie, de la laine, du spandex, de l'acrylique ou de l'acétate. Si vous avez un doute, faites d'abord un essai !

37

Sortez l'artillerie lourde

Il est temps de parler d'artillerie lourde en matière de détachants pour la lessive, puisque nous en avons tous besoin de temps en temps. Mais quel est le meilleur? Lequel fonctionne vraiment? Lisez la suite! Comme je les ai tous essayés, vous n'aurez pas à le faire!

Une petite mise en garde : n'oubliez pas, je me fie sur vous pour vérifier la solidité des couleurs sur une partie peu visible du tissu avant d'utiliser l'un de ces détachants. De plus, ne laissez jamais sécher les détachants pour la lessive. Pour éviter que les éclaboussures ne deviennent des taches, lavez les tissus immédiatement après l'application du détachant. Ne me laissez pas tomber!

Détachant pour les tapis Spot Shot® : Celui-ci gagne le prix du détachant pour la lessive le plus étrange, mais il demeure l'un des produits préférés de la Reine. Oui, c'est vrai, il ne fonctionne pas uniquement sur les tapis. Ce produit est aussi un excellent détachant pour la lessive — et il est efficace comme pas un. Il est sans danger pour tous les tissus de couleur lavables et fonctionne à toutes les températures. Vaporisez généreusement la région touchée, en prenant soin de bien saturer la tache. Si la tache est tenace ou récalcitrante, faites pénétrer le détachant en vous servant de vos doigts. Laissez reposer le détachant Spot Shot® au moins 60 secondes, puis lavez comme d'habitude. Ne le laissez pas sécher sur le tissu et ne l'utilisez jamais sur de la soie, des vêtements qui ne se nettoient qu'à sec ou des tissus de couleur qui ne sont pas lavables. Ce produit est efficace contre les taches d'huile, d'encre, causées par un animal, de cola, de cire à chaussures, de rouge à lèvres, de sang et autres. Indispensable dans votre buanderie.

Détachant Wine Away Red Wine™ : Ne vous laissez pas avoir par le nom ; ce produit est bien plus qu'un détachant pour le vin. Il est très efficace contre les taches de Kool-Aid™, de jus de raisin, de soda, de café et de thé, et de vin. J'ai même réussi grâce à lui à faire partir une tache de colorant alimentaire rouge sur une chemise. Wine Away™ est fabriqué à partir d'extraits de fruits et de végétaux et il est non toxique. J'adore ça !

Détachant Zout® : Voici un détachant superconcentré efficace contre les taches d'encre, de sang, de graisse, de jus de fruits, de gazon et contre des centaines d'autres taches. Quelques gouttes vous mèneront loin. Saturez simplement la tache, faites pénétrer le produit, attendez 5 à 10 minutes, puis lavez comme d'habitude.

Energine Cleaning Fluid® : Voici un superdétachant pour les vêtements qui ne se nettoient qu'à sec. Parions que vous ne pourrez plus vous en passer. Appliquez, puis épongez jusqu'à ce que la tache ait disparu. Utilisez un séchoir à cheveux pour éviter l'apparition de cernes.

Ink Away™ : Faire partir les taches d'encre et de marqueurs peut s'avérer tout un défi mais ce produit, fabriqué par les fabricants de Goo Gone™, vaut son pesant d'or. Suivez attentivement les instructions sur l'emballage et lisez la liste des choses sur lesquelles vous ne devez pas l'utiliser avant de vous en servir.

Savon pour la lessive Fels-Naphta® — Vous vous souvenez de cette barre de savon brun que votre grand-mère utilisait autrefois ? Ce produit existe depuis plus de cent ans — eh oui ! Il est très efficace contre toutes sortes de taches et d'éclaboussures. Mouillez la barre de savon et frottez tout simplement la tache, en vous assurant de bien faire pénétrer la mousse. Ce détachant fonctionne même si on le laisse sécher sur le tissu. Parfait pour les cernes autour du col et les taches de transpiration.

Javellisant 101 : des blancs plus blancs et plus éclatants

Êtes-vous de ces personnes qui lisent les instructions pour découvrir après coup où elles se sont trompées? Alors, soyez attentif. Je vais partager avec vous ma liste de choses à faire et à ne pas faire en matière de blanchiment.

À faire

✔ Lisez les instructions sur le contenant du javellisant.

✔ Vérifiez l'étiquette sur le tissu que vous souhaitez blanchir.

✔ Si vous manquez d'assurance, testez d'abord l'agent de blanchiment. Si vous utilisez de l'eau de Javel, mélangez 15 ml (1 cuillère à soupe) d'eau de Javel et 60 ml (4 cuillères à soupe) d'eau froide. Trouvez un endroit peu visible sur le vêtement et versez quelques gouttes de cette solution. Attendez une minute ou deux, puis épongez et vérifiez si les couleurs ont changé.

✔ Pour vérifier la puissance d'un javellisant tout usage, mélangez 15 ml (1 cuillère à soupe) de javellisant et 250 ml (1 tasse) d'eau chaude. Versez à nouveau quelques gouttes de cette solution sur une partie peu visible. Attendez au moins 15 minutes, épongez, puis vérifiez si le tissu s'est décoloré.

✔ Si le tissu s'est décoloré, vous ne devriez pas utiliser ce javellisant sur ce genre de tissu.

✔ Assurez-vous de toujours rincer les tissus à fond après avoir utilisé un javellisant.

À ne pas faire

✘ Ne laissez jamais de l'eau de Javel non diluée entrer en contact avec du tissu.

✘ N'appliquez jamais de javellisant directement sur un tissu avant d'avoir fait un essai.

✘ N'utilisez jamais plus de javellisant que la quantité recommandée. Non seulement c'est du gaspillage, mais vous risquez aussi d'endommager le tissu.

✘ N'utilisez JAMAIS d'eau de Javel et d'ammoniaque dans une même brassée. Cela pourrait produire des vapeurs mortelles.

Abordons à présent les javellisants un par un.

Eau de Javel

L'un des javellisants à action rapide les plus puissants sur le marché, l'eau de Javel — lorsqu'elle est utilisée correctement —, est particulièrement efficace sur le coton, le lin et certains tissus synthétiques. Toutefois, si on ne l'utilise pas correctement, l'eau de Javel peut affaiblir les fibres du vêtement, voire les désintégrer. Pour éviter de vous retrouver avec des vêtements troués, suivez toujours attentivement les instructions sur le contenant et n'utilisez jamais d'eau de Javel sur de la soie, de la laine, du spandex, de l'acétate, des fibres ignifuges ou des tissus qui ne se nettoient qu'à sec.

Nous avons tous connu de mauvaises expériences avec l'eau de Javel ; alors, soyez prudent. N'en versez jamais sur des articles lavables à la main, ni sur des vêtements qui sont déjà dans la machine à laver. Versez l'eau de Javel dans le distributeur — si votre machine à laver en possède un — ou directement dans la machine à laver pendant qu'elle se remplit d'eau, *avant* d'ajouter les vêtements. Pour blanchir des articles lavables à la main, diluez-la avant d'ajouter les vêtements et assurez-vous que la quantité d'eau de Javel est adéquate à la quantité d'eau utilisée.

Comme les marques connues et les marques maison fonctionnent tout aussi bien, achetez le produit de votre choix ou bien le moins cher.

Javellisant tout usage ou eau oxygénée

Beaucoup plus doux que l'eau de Javel, ce type de javellisant convient parfaitement aux tissus délicats et à ceux nécessitant un soin particulier. Par contre, il agit moins rapidement que l'eau de Javel et il est aussi moins efficace. Pour redonner de la blancheur aux tissus, il faut donc l'utiliser régulièrement. Il a toutefois l'avantage de convenir à tous les tissus, même la soie, en autant que l'étiquette du manufacturier ne spécifie pas « aucun blanchiment ». Ajoutez le javellisant en même temps que le détergent, mais évitez de le verser directement sur les vêtements. Mesurez bien les quantités requises ; il est inutile d'en mettre plus que nécessaire.

Une nouvelle génération de javellisants

Soapworks® a conçu une nouvelle génération de javellisants, efficaces, faciles à utiliser et sans danger pour les personnes souffrant d'allergies ou d'asthme. Ces javellisants sont hypoallergiques, non toxiques, biodégradables, 100 % naturels et sans danger pour les fosses septiques. De plus, ils ne contiennent aucun produit chimique, ni colorant, ni parfum.

L'un de ces produits s'appelle Brilliant Bleach™ et il est tout simplement brillant ! Fabriqué à partir de peroxyde d'hydrogène — l'agent de blanchiment naturel le plus sûr qui soit —, ce javellisant est aussi efficace sur les vêtements blancs que sur les vêtements colorés. Vous pouvez faire tremper vos vêtements sans problème pendant plus de 24 heures sans crainte d'abîmer le tissu ou les couleurs.

Brilliant Bleach™ est aussi un assouplissant; l'ajout d'un agent assouplissant n'est donc pas nécessaire. Ajoutez tout simplement 60 ml (2 cuillères à soupe) de Brilliant Bleach™ dans la machine à laver pendant qu'elle se remplit d'eau. Comme pour tous les agents de blanchiment, si vous avez un doute, testez d'abord ce produit sur une partie peu visible.

Fabriquez vos propres agents de blanchiment

Oui, vous pouvez créer vos propres javellisants avec des ingrédients que vous avez déjà à la maison.

Jus de citron : Le jus de citron, un javellisant et un désinfectant naturel, peut servir à blanchir les vêtements.

Prenez 4 litres d'eau la plus chaude possible pour le genre de tissu que vous voulez blanchir et ajoutez 125 ml (une demi-tasse) de jus de citron en bouteille ou un ou deux citrons en tranches. Faites tremper les vêtements pendant 30 minutes ou même toute la nuit. Ce procédé est particulièrement efficace pour blanchir les chaussettes et les sous-vêtements blancs, et il est sans danger pour les tissus en polyester. Il est quand même préférable de ne pas l'utiliser sur la soie.

Détergent pour lave-vaisselle automatique : Voici un autre merveilleux agent de blanchiment pour les vêtements blancs. Remplissez un seau avec l'eau la plus chaude que peut supporter le tissu que vous avez entre les mains, puis ajoutez 30 ml (2 cuillères à soupe) de détergent pour lave-vaisselle, peu importe la marque. Faites tremper les vêtements blancs pendant 30 minutes ou même toute la nuit. Mettez ensuite les vêtements dans la machine à laver et lavez-les comme d'habitude avec du détergent.

Pour utiliser cette technique dans la machine à laver, remplissez-la d'eau et ajoutez 60 ml (2 cuillères à soupe) de détergent pour lave-vaisselle. Remuez pendant quelques minutes, puis ajoutez les vêtements. Laissez tremper les vêtements comme je l'ai indiqué précédemment, puis ajoutez du détergent et lavez-les comme d'habitude.

Peroxyde d'hydrogène : Ce produit peut être utilisé pour blanchir les articles délicats en laine et les mélanges de laine. Laissez-les tremper toute la nuit dans une solution composée d'une part de peroxyde d'hydrogène à 3 % et de huit parts d'eau froide. Lavez en suivant les instructions sur l'étiquette.

Produits d'azurage

Les produits d'azurage sont des agents de blanchiment et d'éclaircissement qui existent depuis fort longtemps. Disponibles sous forme liquide, les produits d'azurage contiennent des pigments bleus qui contrecarrent le jaunissement de certains tissus. Assurez-vous de toujours diluer ces produits dans l'eau en suivant les instructions sur la bouteille et de ne jamais en verser directement sur les vêtements ou d'en renverser sur toute autre fibre ou surface. Disponibles dans les supermarchés dans le rayon des produits pour la lessive, ces produits peuvent même faire partir les reflets jaunâtres de vos cheveux gris !

Mes vêtements déteignent!
Oh, misère!

Vous êtes-vous déjà retrouvé avec des sous-vêtements roses? Alors, vous savez de quoi je parle lorsque je dis que certaines couleurs foncées déteignent au premier lavage. Tous les tissus ne sont pas ce que nous appelons «grand teint». Vous devez donc faire attention pour éviter qu'un vêtement ne déteigne sur les autres.

Ce vêtement est-il grand teint?

Comment savoir si un article est grand teint? Faites un essai! Procédez à ce simple test avant de laver de nouveaux vêtements. Vous sauverez ainsi du temps et vous vous épargnerez bien des déceptions.

* Faites tomber une goutte d'eau sur une couture intérieure ou sur une partie peu visible de l'article. Épongez-la à l'aide d'une boule de coton ou d'une serviette.

* Si la boule de coton demeure propre, vous pouvez laver cet article sans crainte. Si le vêtement a déteint sur celle-ci, vous devrez le laver séparément.

Prenez soin de ne jamais faire sécher par égouttement un vêtement qui n'est pas grand teint. Il pourrait se former des traînées de couleur. Enroulez-le plutôt dans une serviette pour enlever le surplus d'humidité, puis suspendez-le loin des autres vêtements.

Oh, oh!

Que se passerait-il si vous laviez une paire de chaussettes noires avec votre chemisier blanc préféré? Un beau gâchis, en effet! Ne désespérez pas. Certains produits peuvent vous aider à remédier à ces problèmes de couleurs fugitives.

Synthrapol® : Ce merveilleux produit est utilisé par les courtepointiers pour éviter que les couleurs de leur courtepointe déteignent les unes sur les autres. Utilisé dans une bassine ou dans la machine à laver, il éliminera les couleurs qui ont déteint, sans endommager les couleurs originales du vêtement. En d'autres termes, si vous lavez un t-shirt blanc avec un t-shirt rouge et que le t-shirt blanc devient rose, Synthrapol® fera disparaître le rose et redonnera toute sa blancheur à votre t-shirt.

Synthrapol® est particulièrement efficace sur les vêtements en coton, mais j'ai aussi obtenu de bons résultats avec le polyester et certains mélanges synthétiques. Essayez d'abord sur une partie peu visible, à moins que l'article soit une perte totale et que vous n'ayez plus rien à perdre. Synthrapol® contient des produits chimiques très puissants; assurez-vous donc de suivre les instructions attentivement.

Carbona® Color Run Remover : Une boîte de Carbona® redonnera leurs couleurs originales à toute une brassée de vêtements sur lesquels un article a déteint. Vous devez d'abord tester les tissus pour vous assurer qu'ils sont grand teint, sinon la couleur originale des vêtements sera éliminée en même temps que les couleurs qui ont déteint. Suivez attentivement les instructions et allez-y prudemment. Ce produit est aussi très puissant. Il peut endommager les tissus synthétiques comme le denim, les couleurs éclatantes et fluorescentes, et les vêtements kaki. Les fermetures à glissière, les boutons, etc., peuvent également subir une décoloration; vous devriez donc les enlever avant de traiter vos vêtements.

Retayne® : Cet agent de fixage pour les cotons est un produit très intéressant que vous devriez utiliser avant de laver un vêtement qui risque de déteindre. Considérez-le simplement comme une mesure de prévention.

Pour de meilleurs résultats, traitez le vêtement avec Retayne® avant de le laver pour la première fois. Vos vêtements déteindront beaucoup moins, et cela aidera également les couleurs à demeurer plus vives, plus longtemps. À nouveau, je vous conseille de tester d'abord ce produit sur une partie peu visible et de lire attentivement les instructions.

Important : ces trois produits contiennent des agents chimiques pouvant représenter un danger pour les enfants et les animaux domestiques. Alors, assurez-vous, je vous en prie, de les ranger dans un endroit sûr.

40

La dure réalité
des adoucisseurs d'eau

S i vous vivez dans un secteur où l'eau est dure, vous savez sûrement que cette eau à forte teneur en minéraux donne une couleur grise ou jaunâtre à vos vêtements. Vous avez peut-être aussi remarqué que votre machine à laver ne se remplit pas de mousse, mais d'une eau grise à la surface de laquelle il se forme parfois de l'écume.

Vous n'êtes pas sûr d'avoir de l'eau dure ? Vous pouvez vous informer au bureau de votre fournisseur d'eau — ils vous renseigneront sur le degré de dureté de votre eau. Si vous avez un puits artésien, vous devriez peut-être faire appel à une entreprise spécialisée dans le traitement de l'eau qui vérifiera le contenu en minéraux de votre source d'approvisionnement. Bien sûr, vous pouvez également rechercher l'un de ces signes qui ne trompent pas :

✳ Les tissus ont une apparence terne et grisâtre.

✳ Les tissus sont rudes au lieu d'être doux.

✳ Les savons et les détersifs ne moussent pas facilement.

✳ Il y a des résidus blanchâtres autour des tuyaux d'évacuation, des robinets et sur la verrerie.

Si votre eau n'est pas trop dure (une dureté de moins de 10,6 grains par gallon (4 litres), vous pouvez corriger plusieurs problèmes associés à l'eau dure en modifiant la quantité de détersif que vous utilisez. Je vous conseille à nouveau de commencer en utilisant la moitié de ce qui est recommandé. Vous pouvez également donner un coup de pouce à votre détersif en utilisant des cristaux à lessive Arm and Hammer™ ou du borax Twenty Mule Team™ ; vous n'avez qu'à suivre les instructions sur l'emballage. Ces produits sont vendus dans l'allée des additifs pour la lessive dans les supermarchés et les solderies. Si vous avez l'impression que vos vêtements pourraient être encore plus propres et plus doux, vous devriez peut-être essayer un assouplissant liquide pouvant être ajouté à la lessive en même temps que votre détersif ou opter pour un traitement mécanique pour adoucir votre eau.

Fabriquer son propre adoucisseur d'eau

Mélangez les ingrédients suivants dans un contenant de quatre litres sur lequel vous apposerez une étiquette. Les gallons de lait en plastique se lavent facilement et fonctionnent très bien.

450 g de cristaux à lessive Arm and Hammer™

450 g de borax Twenty Mule Team™

4 l d'eau chaude

Utilisation : ajoutez une tasse (250 ml) de cette solution dans l'eau de chaque brassée en plus de votre détersif habituel.

Si vous trouvez que la couleur des vêtements demeure terne ou encore si vous avez du mal à faire mousser votre savon sous la douche, vous auriez peut-être avantage à vous tourner vers un appareil adoucisseur qui filtrera l'eau qui entre dans votre maison.

Assouplissants textiles
— tout en souplesse

L es assouplissants textiles ont été conçus pour donner plus de douceur et de légèreté aux tissus, et pour minimiser la statique. Ils peuvent également réduire les faux plis et faciliter le repassage.

Assouplissants liquides : Vous devriez en ajouter lors du cycle final en utilisant le distributeur automatique (si votre machine à laver en possède un) ou à la main dans le cas contraire. Suivez attentivement les instructions sur l'étiquette, et assurez-vous de bien mesurer la quantité requise : il ne sert à rien d'en mettre trop, ni d'en mettre trop peu.

Si vous utilisez un distributeur automatique, ajoutez l'assouplissant, puis versez une égale quantité d'eau pour faciliter la dispersion de l'assouplissant liquide. Cela contribuera également à éliminer les taches d'assouplissant sur les vêtements.

Assouplissants pour la sécheuse : Ces feuilles minces comme du papier adoucissent les vêtements et, grâce à la chaleur qui se dégage de la sécheuse, réduisent l'électricité statique dans la brassée — ce qui signifie que vos collants n'adhéreront pas à votre robe, et vos chaussettes à vos pantalons!

À mon avis, les marques maison sont aussi efficaces que les marques connues, souvent beaucoup plus chères. Alors, n'hésitez pas à choisir votre produit en fonction du parfum ou du prix, comme il vous conviendra.

En passant, si vous avez un problème de statique (et cela arrive même aux meilleures d'entre nous), essayez d'assouplir votre jupe en la repassant avec vos mains que vous aurez préalablement mouillées. Mettre un peu de crème à mains sur le dessus de vos collants peut aussi fonctionner.

Un petit conseil : les feuilles d'assouplissant textile peuvent laisser des dépôts sur les serviettes, et elles peuvent les rendre glissantes et réduire leur pouvoir absorbant. Utilisez un assouplissant textile toutes les deux ou trois brassées pour éviter ce genre de problème.

Chère Reine de la propreté,
J'utilise des feuilles d'assouplissant textile, mais il m'arrive encore d'avoir des problèmes de statique. Que dois-je faire ?
Clingy de Cleveland

Chère Clingy,
Essayez de lisser vos jupes avec vos mains (mais vous devez d'abord les mouiller). Ou encore appliquez un peu de crème à mains sur vos collants.

Feuilles d'assouplissant défraîchies

Après avoir utilisé l'une de ces fichues petites feuilles, rappelez-vous mon conseil de tout à l'heure : utilisez-la pour nettoyer le filtre à charpie de la sécheuse avant de la jeter. Voici quelques autres façons d'utiliser ces feuilles défraîchies.

✳ Si de la nourriture a collé au fond de l'une de vos casseroles ou l'un de vos chaudrons, remplissez-le d'eau chaude, ajoutez une feuille d'assouplissant et laissez reposer plusieurs heures (voire toute la nuit). Le lendemain, la nourriture collée partira d'elle-même.

✳ Faites passer une aiguille et du fil à travers une feuille pour éviter que votre fil s'emmêle à cause de la statique.

✳ Époussetez l'écran de la télévision, les stores vénitiens et toute autre surface qui attirent la poussière à l'aide d'une feuille d'assouplissant pour réduire la statique et par le fait même l'accumulation de poussière.

✳ Placez une feuille dans l'une des poches de votre manteau pour éviter de prendre un choc chaque fois que vous entrez ou sortez de votre voiture durant l'hiver.

✳ Placez une feuille qui a déjà servi dans les bagages, les tiroirs, les armoires, la poubelle, sous les sièges de la voiture et dans votre sac ou votre panier à linge sale pour leur donner une odeur de fraîcheur.

✳ Glissez une feuille d'assouplissant dans vos chaussures avant de les ranger dans vos bagages. Vos chaussures dégageront une odeur de fraîcheur et vous pourrez utiliser la feuille pour les astiquer et enlever la poussière après les avoir portées.

✳ Polissez les articles en chrome pour les faire reluire après les avoir nettoyés.

✳ Utilisez-les pour envelopper les décorations de Noël et les objets fragiles avant de les ranger. La feuille d'assouplissant les protégera et vous pourrez nettoyer vos décorations de Noël avant de les suspendre dans l'arbre pour réduire la statique et repousser la poussière.

✳ Époussetez le tableau de bord de la voiture à l'aide d'une feuille qui a déjà servi pour le faire reluire et repousser la poussière.

Les feuilles d'assouplissant textile défraîchies ont encore plusieurs applications ; donc, ne les jetez pas. Et n'utilisez jamais une feuille neuve pour effectuer l'une de ces tâches. Prenez plutôt une feuille qui a déjà servi ou, comme j'aime bien les appeler, *une feuille à la retraite* ! Je range mes feuilles défraîchies dans une boîte de papiers-mouchoirs afin de toujours les avoir sous la main dans la buanderie.

Fabriquer ses propres feuilles d'assouplissant textile

Croyez-le ou non, mais vous pouvez fabriquer vos propres feuilles d'assouplissant textile. Prenez simplement une vieille débarbouillette, mouillez-la légèrement avec un mélange contenant une part de votre assouplissant textile liquide préféré et deux parts d'eau, puis placez-la dans la sécheuse avec votre linge. Réappliquez un peu de ce mélange à chaque brassée et lavez la débarbouillette de temps en temps, avec les autres serviettes, pour éliminer les résidus d'assouplissant et adoucir les serviettes par le fait même.

Je conserve mon mélange dans un petit vaporisateur, sur une étagère de la buanderie, avec quelques vieilles débarbouillettes. Je trouve personnellement qu'une demi-tasse (125 ml) d'assouplissant liquide et deux tiers de tasse (170 ml) d'eau chaude donnent une quantité appréciable. Secouez la bouteille avant de vaporiser la débarbouillette, et n'oubliez pas de *toujours* identifier les mélanges que vous concoctez pour éviter de les confondre accidentellement.

Si votre détersif contient déjà de l'assouplissant (consultez l'étiquette), il n'est peut-être pas nécessaire d'en ajouter, à moins que vous n'ayez de gros problèmes de statique.

Taches d'assouplissant textile

En dépit de tous vos efforts, en retirant votre linge de la sécheuse, vous découvrirez un jour que vos feuilles d'assouplissant ont laissé des taches graisseuses ou que votre assouplissant liquide a laissé des taches bleues sur vos vêtements. Voici ce que vous devez faire :

Taches d'assouplissant liquide : Au cas où il se produirait des taches, mouillez l'article et frottez-le avec du liquide pour lave-vaisselle non dilué, puis relavez-le. Mouiller l'article et le frotter avec du shampoing peut aussi faire l'affaire. Ne frottez jamais avec du détersif pour la lessive. Cela ne ferait pas partir la tache — en fait, elle s'incrusterait définitivement.

Si votre assouplissant textile a gelé, dissolvez une quantité appropriée d'assouplissant avec un peu d'eau chaude avant d'en verser dans la machine à laver.

Taches d'assouplissant textile en feuilles : Au cas où il se produirait des taches, frottez la tache avec un pain de savon mouillé, comme Dove®, puis relavez.

Pour éviter les taches, placez la feuille sur vos vêtements au lieu de la mélanger avec eux, puis mettez immédiatement la sécheuse en marche. Ne mettez jamais de feuilles assouplissantes si vous utilisez le cycle de séchage « sans chaleur ».

Important : il est déconseillé d'utiliser des feuilles d'assouplissant avec les vêtements de nuit pour enfants ou tout autre vêtement étiqueté comme étant ignifuge. Ces feuilles ne sont pas non toxiques ; donc, gardez-les hors de la portée des enfants et des animaux domestiques pour éviter une ingestion accidentelle.

Séchage : comment faire sécher son linge sans se fatiguer

À présent que nos vêtements sont propres et prêts pour la sécheuse, attaquons-nous à ces appareils qui ne sont pas toujours immaculés !

Il est important que la sécheuse soit propre : une sécheuse propre fonctionnera plus efficacement et vous fera économiser temps et argent. Une sécheuse propre vous aidera également à prévenir les risques d'incendie. Les sécheuses défectueuses sont à l'origine de beaucoup plus d'incendies que vous ne le croyez ; alors, évitez de courir des risques inutiles.

Commençons par les principes de base :

Si le système d'évacuation de votre sécheuse est obstrué par de la charpie, vos vêtements ne sécheront pas correctement et vous gaspillerez votre temps et votre argent, car vous devrez les laisser plus longtemps dans la sécheuse. Mettez l'appareil en marche, sortez à l'extérieur et placez votre main sous la hotte du tuyau d'évacuation — vous savez, cette petite chose en métal ou en plastique à l'extérieur de votre maison. Si vous ne sentez pas un fort courant d'air, il est temps de nettoyer.

Chère Reine de la propreté,
Qu'advient-il de cette autre chaussette bleue chaque fois que je fais la
lessive ?

Sockless de Seattle

Chère Sockless,
Je tiens d'abord à vous rassurer : il n'y a probablement pas de monstre
dévoreur de chaussettes caché dans un coin de votre buanderie. On retrouve
généralement les chaussettes disparues coincées entre la machine et le
tambour. Vérifiez les jambes de vos pantalons et vos jupes, et regardez dans le
tuyau d'évacuation de la sécheuse. Si la chaussette demeure introuvable, vous
devriez peut-être jeter un œil dans le tiroir à sous-vêtements de votre ado !

Nettoyez le tuyau d'évacuation flexible une fois par année pour prévenir l'accumulation de charpie. Essayez de vous fixer une date précise et faites-le tous les ans. J'aime bien le faire avant l'Halloween, car vous pouvez ainsi récolter la mousse et la charpie et vous en servir pour confectionner un beau costume de lapin! Retirez le conduit ou le tuyau fixé à l'arrière de la sécheuse et secouez-le. Il sera peut-être nécessaire de faire passer un vieux chiffon dans le tuyau d'évacuation pour déloger la charpie qui refuse de sortir. Assurez-vous de bien resceller les joints, en utilisant du ruban adhésif en toile si nécessaire.

Tandis que la sécheuse est débranchée, passez l'aspirateur et lavez le plancher à l'endroit où se trouve normalement votre appareil. Si vous apercevez de la graisse ou de l'huile sur le plancher, il est temps de téléphoner à votre réparateur d'appareils électroménagers.

À l'extérieur du tuyau d'évacuation, nettoyez la hotte et le tuyau à l'aide d'un cintre recourbé ou d'une brosse en forme de bouteille. Effectuez des mouvements de va-et-vient pour déloger toute la charpie qui s'est accumulée dans le tuyau.

> Assurez-vous toujours que votre tuyau est bien droit; un tuyau replié bloquera le passage de l'air.

L'entretien du filtre à charpie de votre sécheuse n'est pas moins important que celui du tuyau d'évacuation. Il est indispensable de le tenir propre. Un filtre à charpie obstrué permet à la charpie de s'accumuler et peut un jour ou l'autre déclencher un incendie. De plus, comme un filtre mal entretenu va bloquer la circulation d'air, vos vêtements mettront plus de temps à sécher. Ce qui se traduira inévitablement par une facture d'électricité ou de gaz plus salée.

Pour nettoyer le filtre, retirez-le, enlevez toute la charpie, puis remettez-le en place. Pour vous faciliter la tâche, utilisez une vieille feuille d'assouplissant textile ; la charpie qui s'est accumulée dans le filtre y adhérera et vous pourrez vous en débarrasser sans plus de gâchis.

Il est important de nettoyer régulièrement le filtre à l'aide d'un aspirateur, de même que l'ouverture où vous devez glisser le filtre.

Important : si votre sécheuse fonctionne au gaz, faites bien attention de ne pas plier ou endommager le conduit de gaz lorsque vous déplacez l'appareil.

Dilemmes

À présent que vous savez comment nettoyer la sécheuse, j'aimerais partager avec vous quelques conseils rapides qui vous faciliteront énormément la tâche. Quiconque a déjà fait une brassée de lavage sait que personne n'est à l'abri d'une erreur et qu'il n'y a parfois rien de plus frustrant. Tâchons donc d'y remédier !

Pour un séchage sans charpie

Si vous devez faire sécher des vêtements bouloché — ou si vous avez malencontreusement oublié un mouchoir en papier dans la machine à laver —, placez un morceau de tulle de nylon dans la sécheuse avec les autres vêtements. Le tulle recueillera la charpie, et vous n'aurez pas à sortir votre rouleau enlève-charpie ou, pire encore, à enlever toutes les mousses à la main. J'achète du tulle peu onéreux dans un magasin de tissus et je le jette lorsqu'il est plein de charpie.

Oh là là ! J'ai oublié de sortir les vêtements de la sécheuse !

Nous savons tous que le fait de sortir les vêtements de la sécheuse aussitôt qu'ils sont secs nous permet de les plier ou de les suspendre sans les repasser ou simplement en leur donnant un petit coup de fer. Mais malheureusement, nous n'arrivons pas toujours au bon moment. Soyez franc. Combien de fois avez-vous ouvert la porte de la sécheuse et découvert qu'elle était remplie de vêtements oubliés ? Aïe aïe aïe ! Tous les vêtements sont froissés ! Ne vous donnez pas la peine de les relaver, et ne les repassez pas non plus. Jetez une serviette humide dans la sécheuse et refaites sécher votre brassée pendant quelques minutes. Les faux plis disparaîtront et vous pourrez suspendre les vêtements. Mais faites attention : n'utilisez pas une serviette blanche avec des vêtements foncés, sinon vous vous retrouverez avec un autre problème sur les bras... de la charpie !

Oh, mon Dieu ! Qui a mis ça dans la sécheuse ?

Pour faire partir les marques de crayons de couleur, de rouge à lèvres ou de pommade pour les lèvres, éteignez l'appareil et vaporisez du lubrifiant WD-40® sur une serviette en papier. Frottez l'intérieur de la sécheuse jusqu'à ce que toutes les marques aient disparu. Rincez avec de l'eau chaude et un peu de détergent liquide pour la vaisselle, puis faites sécher une brassée de vieux chiffons humides.

Pour enlever la gomme à mâcher et la colle, essayez le produit Carbona® Stain Devils. Pour les taches d'encre, frottez avec de l'alcool ou utilisez le produit Ink Away™ par les fabricants de Goo Gone®.

Mettre ça dans la sécheuse ? N'y pensez même pas !

Ne mettez jamais de vêtements tachés dans la sécheuse. La chaleur incrusterait la tache et il serait quasi impossible de la faire partir. Traitez à nouveau la tache en utilisant l'une des méthodes appropriées présentées dans ce livre et faites une nouvelle brassée de lavage.

Important : ne mettez jamais dans votre sécheuse des articles qui ont été en contact avec de la peinture, de l'essence, de l'huile à moteur ou des fluides inflammables. Ces articles sont un véritable risque d'incendie en raison des vapeurs qui s'en dégagent. Si jamais ils entraient en contact avec une sécheuse chaude, vous pourriez avoir de gros problèmes. Faites-les plutôt sécher sur la corde à linge.

• *Nettoyez le filtre à charpie de la sécheuse après chaque utilisation.*

• *Vérifiez si la sécheuse est vide avant de l'utiliser.*

• *Évitez de faire sécher de minuscules brassées ou d'entasser de trop grosses brassées dans la sécheuse. Les petites brassées peuvent s'agglutiner et les très grosses brassées ne culbutent pas très bien. Dans les deux cas, le résultat est un gaspillage de temps et d'énergie.*

• *Faites sécher les tissus légers et les tissus lourds séparément pour un séchage plus efficace.*

• *Faites sécher vos brassées l'une après l'autre. De cette façon, vous pourrez utiliser la chaleur déjà présente dans la sécheuse.*

• *N'ajoutez jamais de vêtements humides en cours de route si les autres vêtements sont presque secs. C'est un gaspillage d'énergie et d'argent!*

La corde à linge

Nous voilà revenus à notre point de départ. Pendant des années, les sécheuses ont tenu le haut du pavé, les cordes à linge étant considérées comme une relique du passé. Aujourd'hui, nous voyons revenir les tissus naturels, les vêtements nécessitant un séchage par égouttement ou un séchage à plat et les vêtements qui ne vont pas à la sécheuse, pour une raison ou pour une autre. Ne vous inquiétez pas. Il n'est pas nécessaire d'installer une corde à linge dans votre cour arrière pour prendre soin de ces vêtements.

Les éléments de base

Comme vous le confirmera votre grand-mère, évitez de trop essorer les vêtements que vous vous apprêtez à suspendre : vous minimiserez ainsi la formation de faux plis. Éteignez la machine à laver au milieu du cycle d'essorage et suspendez les vêtements sur la corde à linge, en laissant amplement d'espace entre eux afin que l'air puisse circuler entre les vêtements. Faites sécher les vêtements de couleur à l'ombre (le soleil les ferait pâlir), mais suspendez les vêtements blancs directement au soleil — vous obtiendrez ainsi des vêtements d'une blancheur incroyable qui vous fera écarquiller les yeux. Et ils dégageront une merveilleuse odeur.

Le fait de suspendre les vêtements sur des cintres en plastique pourvus d'extrémités recourbées leur permettra de sécher sans ces horribles ondulations au niveau des épaules. Et vous éviterez du même coup les problèmes de rouille !

Conseils spécifiques

Pantalons : Suspendez-les par le revers. Le poids des pantalons permet généralement d'éviter la formation de faux plis sur les jambes, ce qui veut dire moins de repassage ou pas de repassage du tout. Qui ne l'apprécierait pas !

Pull-overs : Pour éviter que vos pull-overs se retrouvent avec des épaules déformées ou des marques d'épingles à linge, faites passer les jambes d'un vieux collant par les manches, et la taille par le col. Attachez les épingles à linge aux pieds et à la taille du collant plutôt que sur le pull-over. Assurez-vous toutefois de retirer le bas nylon avant de porter votre pull. À moins que vous ayez l'intention de dévaliser une banque…

Robes et manteaux : Lorsque vous devez suspendre des robes et des manteaux lourds, utilisez deux cintres pour mieux répartir leur poids. Si vous les suspendez à l'extérieur, attachez les deux cintres en direction opposée pour éviter que le vent ne les fasse tomber de la corde.

Lingerie et collants : Il est préférable de les faire sécher à l'intérieur en les suspendant dans la salle de bain sur une petite corde à linge ou sur des cintres en plastique pourvus de pincettes.

Trucs pratiques

✳ Si vous avez une corde à linge extérieure, rappelez-vous de la garder propre en la lavant périodiquement.

✳ Les draps et les couvertures qui ont séché sur la corde à linge dégagent une odeur de fraîcheur et sont agréables au toucher. Vos draps blancs seront d'une blancheur encore plus éclatante!

✳ Ne faites pas sécher vos édredons à l'air libre. Comme ils sèchent trop lentement, il peut se former de la moisissure.

✳ Installez une tringle à rideaux à ressorts dans votre buanderie pour faire sécher vos vêtements à l'intérieur. Une chaîne peut également faire l'affaire, et vous pourrez même accrocher des cintres à ses maillons.

Le saviez-vous?

Un soleil trop intense finira par affaiblir les fibres de vos vêtements; donc, surveillez-les et rentrez-les à l'intérieur dès qu'ils sont secs.

✳ Si l'étiquette d'un vêtement indique «suspendre pour sécher», ne le mettez pas dans la sécheuse. Il pourrait rétrécir ou se déformer.

✳ Si après avoir séché sur la corde à linge vos vêtements ont encore des faux plis, placez-les dans la sécheuse en choisissant le cycle «sans chaleur» ou «aération». Cela vous évitera peut-être d'avoir à les repasser. (Mais n'utilisez pas d'assouplissant en feuilles. En l'absence de chaleur, les feuilles d'assouplissant textile peuvent tacher les vêtements.)

43

Quand plier,
quand suspendre

Normalement, je n'aime pas tellement me plier à cette corvée, mais on ne peut pas tout suspendre sur des cintres. Certains articles doivent nécessairement être pliés, mais ne vous en faites pas. Vous n'avez pas à vous tuer à la tâche pour plier rapidement vos vêtements et les ranger.

Il est préférable de suspendre les articles qui font facilement des plis, comme les vêtements en coton, en rayonne, etc. Les chemisiers, les chemises et les robes, autres qu'en tricot, sont plus à leur place sur un cintre. Les vêtements en tricot doivent être pliés.

Si, par exemple, l'espace disponible dans vos tiroirs est plutôt réduit, pensez à rouler les sous-vêtements, les t-shirts, les chaussettes, les serviettes, etc. Vous pourrez ainsi ranger plus d'articles dans vos commodes et vos placards, et vos vêtements feront très peu de plis. Le fait de rouler les vêtements per-

Pensez à l'espace dans lequel vous rangerez vos vêtements avant de les plier.

met également de sauver beaucoup d'espace dans une valise. Les gens qui voyagent souvent devraient en prendre l'habitude.

Il est préférable de plier les pulls et les chandails pour éviter toute déformation au niveau des épaules. Étendez le vêtement la face en dessous et repliez chacun des côtés afin qu'ils se rejoignent dans le milieu du dos. Vous éviterez ainsi de vous retrouver avec une ligne au centre du vêtement. Repliez les manches vers le dos, puis pliez le vêtement en deux. Ces articles peuvent également être roulés sur eux-mêmes.

Les chaussettes peuvent être roulées en partant des orteils. Vous pourriez également investir dans un séparateur de tiroir spécialement conçu pour les chaussettes et les collants. Vos chaussettes cesseront de s'entremêler ou, pire encore, de disparaître. Vous pourrez les classer par couleurs et choisir plus facilement la paire qui vous convient.

Et en passant, pour qu'il n'y ait pas de malentendu entre nous, les machines à laver et les sécheuses *ne mangent pas* les chaussettes. Et n'allez pas croire qu'un monstre se cache dans votre buanderie pour le simple plaisir de vous voler une chaussette de temps en temps! La plupart des chaussettes portées disparues sont retrouvées entre le tambour et la machine à laver. Vérifiez le bas de vos pantalons et les manches de vos chemises, et vérifiez également dans le tuyau de la sécheuse. J'ai un jour retrouvé une chaussette égarée dans l'entrée du garage — elle avait tenté de s'échapper en passant par le tuyau de la sécheuse et le conduit d'évacuation!

Les draps-housses sont parfois difficiles à apprivoiser. Pliez-les en deux dans le sens de la longueur, puis repliez vers le centre les extrémités arrondies. Vous avez à présent des extrémités carrées qui seront plus faciles à manipuler. Pliez-les à nouveau en deux, puis roulez-les ou continuez à les plier jusqu'à ce que leur taille corresponde à l'endroit où vous désirez les ranger. Si cela ne vous dérange pas d'utiliser les mêmes draps toutes les semaines, lavez-les, séchez-les et refaites immédiatement votre lit. Vous n'aurez plus *jamais* à les plier!

Le saviez-vous?

Lorsque vous pliez des tapis ayant un revers en caoutchouc ou en latex, assurez-vous de placer le tissu vers l'intérieur pour éviter que les revers ne collent ensemble pendant qu'ils sont entreposés.

Installez des crochets à l'arrière des portes de vos placards où vous pourrez suspendre vos robes de chambre et vos chemises de nuit. Évitez toutefois les crochets à succion. Ils ne sont pas assez résistants pour supporter des vêtements.

Pour différencier les sous-vêtements des membres de votre famille, chaque personne pourrait avoir des sous-vêtements de marque différente pour faciliter le triage et le pliage. Vous pouvez faire la même chose avec les chaussettes.

En gardant une tringle à rideaux à ressorts dans la buanderie, vous pourrez plus facilement suspendre les vêtements à mesure que vous les sortez de la sécheuse. Laissez chaque personne venir chercher ses propres vêtements qu'ils soient suspendus, prêts à être pliés ou déjà pliés. De cette façon, vous passerez beaucoup moins de temps dans la buanderie. Un dernier rappel : si vos enfants doivent plier eux-mêmes leurs vêtements, ne les laissez pas ignorer votre système et l'organisation de vos paniers à linge. Demandez-leur de ranger leurs vêtements au fur et à mesure au lieu de les laisser traîner toute la semaine, sinon ils finiront par jeter leurs vêtements sales sur le plancher !

Il est facile d'acquérir de bonnes habitudes en matière de lessive, surtout lorsqu'elles s'insèrent dans une routine.

Fers et planches à repasser :
ça va chauffer !

ersonne n'aime repasser mais, à l'occasion, même si vous prenez le plus grand soin de vos vêtements pendant le lavage et le séchage, il faut quand même les repasser. Le repassage est souvent une corvée désagréable, mais je sais comment vous faciliter la tâche. La Reine n'est jamais à court d'idées lorsqu'il y a du pain sur la planche !

Tout d'abord, si vous devez faire du repassage, installez-vous dans un endroit agréable. Placez votre planche à repasser dans la salle de séjour ou dans une pièce d'où vous pourrez regarder la télévision ou écouter un peu de musique ou un livre parlé. Vous pouvez même vous installer dans une pièce où se rassemblent les membres de votre famille et ainsi discuter avec eux pendant que vous travaillez. Vous pouvez aussi demander aux membres de votre famille de suspendre et de rapporter leurs vêtements à mesure que vous les repassez.

> Ne tenez pas pour acquis que je parle à la dame de la maison ; monsieur est sûrement capable de se servir d'un fer à repasser !

À présent, voyons les éléments de base.

Nettoyer le fer

Fers sans revêtement antiadhésif : Si la semelle du fer est de couleur argent (le métal sera alors brillant), cela signifie généralement que le fer n'a pas de revêtement antiadhésif. Pour nettoyer ce genre de fers, faites-les chauffer en choisissant le réglage sans vapeur, et repassez un sac en papier brun sur lequel vous aurez saupoudré du sel de table. Vous pouvez enlever les résidus en utilisant de la pâte dentifrice blanche (n'utilisez jamais de pâte dentifrice en gel) sur un linge doux et humide. Rincez bien.

Pour venir à bout des grosses accumulations ou faire partir les résidus de tissu brûlé qui sont demeurés collés à la semelle du fer, protégez l'appareil en le recouvrant de papier d'aluminium, puis saupoudrez la semelle avec un nettoyant pour le four. Attendez dix minutes, rincez et nettoyez les orifices sous le fer à l'aide d'un cure-pipe ou d'un tampon en coton.

Rincez bien la semelle, puis, en utilisant de la vapeur, repassez une vieille serviette ou un chiffon avant de repasser vos vêtements.

Fers avec revêtement antiadhésif : Nettoyez la semelle en utilisant votre détachant pour la lessive préféré sur un linge doux et humide. Attendez que le fer soit froid. À nouveau, repassez avec de la vapeur un vieux linge avant de repasser vos vêtements.

Nettoyer le jet de vapeur : Remplissez le réservoir avec une égale quantité d'eau et de vinaigre blanc. Laissez sortir la vapeur pendant quelques minutes, puis débranchez le fer et laissez-le reposer pendant une heure. Videz et rincez le réservoir avec de l'eau claire, puis repassez un vieux linge en utilisant de la vapeur.

Utilisez au mieux votre temps avec votre fer

Pour un repassage efficace et écologique : Placez une feuille de papier d'aluminium entre la planche à repasser et la housse — le côté brillant vers le haut. L'aluminium réfléchira la chaleur vers les vêtements que vous êtes en train de repasser, et vous économiserez ainsi votre énergie!

Pour conserver la propreté de votre planche à repasser plus longtemps : Vaporisez la housse avec de l'amidon en vaporisateur, puis repassez.

Repasser des tissus délicats : Le secret consiste à étendre une «pattemouille» sur ces articles avant de les repasser. N'importe quel vieux morceau de coton léger fera très bien l'affaire. N'appliquez jamais un fer chaud directement sur des tissus délicats.

Cols : Repassez les deux côtés de vos cols pour obtenir une finition apprêtée et lisse. Commencez par les pointes et repassez vers l'intérieur en direction du centre pour éviter de repousser les plis vers les extrémités.

Coutures et ourlets : Pour éviter de créer une ligne au-dessus des coutures et des ourlets, repassez le vêtement à l'envers en évitant de passer par-dessus les coutures et les ourlets.

Broderie : Étendez la broderie sur une serviette, face en dessous, et repassez son revers. De cette façon, vous éviterez d'aplatir votre broderie.

Articles de grande dimension : Avant de repasser, retournez votre planche dans l'autre sens afin d'utiliser l'extrémité la plus large. De cette façon, vous pourrez couvrir une plus grande surface. Pliez en deux les articles comme les nappes de grande dimension, repassez un côté, puis repliez en deux et repassez les deux autres côtés.

> Ne repassez pas les vêtements sales et les vêtements dans lesquels vous avez transpiré. Vous tacheriez vos vêtements et endommageriez les fibres.

Vêtements humides : Nos mères avaient l'habitude de vaporiser de l'eau sur les vêtements pour faire disparaître les plis et faciliter le repassage. C'est encore une bonne idée — surtout avec tous les vêtements en fibres naturelles que nous portons. Comme les articles secs sont très difficiles à repasser, utilisez un vaporisateur pour humidifier les vêtements qui ont séché. Si les vêtements ont fait beaucoup de plis, étendez une serviette humide sur la planche à repasser et repassez-les en utilisant de la vapeur. Ce truc est particulièrement efficace avec les pantalons lourds, les jeans, etc.

Les épaulettes : Essayez de ne pas repasser les épaulettes; elles laisseraient un horrible cerne sur le tissu. Et un dernier conseil : avant de les laver, retirez le rembourrage et la housse qui le recouvre pour éviter qu'ils se déplacent durant le lavage et le repassage.

Quelques trucs pour repasser sans tracas

* Faites d'abord l'essai du fer. S'il colle, vibre ou laisse une pellicule sur la housse de la planche à repasser, arrêtez immédiatement — votre fer a besoin d'être nettoyé.

* Ne repassez pas les fermetures à glissière, les boutons et toute autre bosse.

* Ne repassez pas les articles en caoutchouc, en suède, en cuir ou en tissu extensible.

* Repassez les tissus synthétiques à l'aide d'un fer tiède.

Bon côté, mauvais côté, mais quel côté ?

• Repassez les articles en coton, en tulle ou en rayonne la face vers le haut. Ces tissus ont tendance à faire plus de plis que les autres, et le fait de les repasser sur le mauvais côté n'éliminera pas tous les plis.

• Repassez les articles en polyester des deux côtés.

• Repassez les autres vêtements sur le mauvais côté du tissu pour obtenir de meilleurs résultats. Vous éviterez ainsi de les roussir, de laisser des marques luisantes et d'endommager le tissu.

✳ Si vous avez un doute, commencez en utilisant un fer tiède/chaud.

✳ Testez le fer sur une partie peu visible. Si vous avez un doute, utilisez une pattemouille pour éviter de donner un aspect luisant à la surface du tissu.

✳ Lorsque vous avez terminé, videz toujours l'eau qui se trouve dans votre fer pour éviter la formation de dépôts minéraux dans le réservoir.

Aïe! Le fer était trop chaud! J'ai roussi mon chemisier!

Faites tremper le tissu dans l'eau froide durant toute une nuit. Grâce à cette méthode, vous parviendrez peut-être à faire partir la tache de roussi.

S'il s'agit d'un vêtement blanc, saturez un linge avec du peroxyde d'hydrogène à 3 %, étendez-le sur la marque de roussi et repassez jusqu'à ce que la marque disparaisse. N'utilisez pas cette méthode avec des tissus de couleur.

Consultez le Guide royal pour éliminer les éclaboussures et les taches pour plus d'information sur les différentes manières de traiter les marques de roussi.

45

Encollage et amidonnage

L'empesage et l'encollage redonnent du corps aux tissus qui sont devenus mous à force d'être lavés et séchés. Ces deux procédés forment également une barrière protectrice qui repousse la saleté. Les tissus comme le coton et le lin réagissent particulièrement bien à ces produits.

Amidon : L'amidon est disponible en vaporisateur, en liquide et en poudre. L'amidon liquide et l'amidon en poudre doivent être mélangés avec de l'eau — les instructions sur l'emballage vous indiqueront dans quelles proportions. Mélangez jusqu'à ce que vous obteniez une pâte épaisse si vous souhaitez donner à vos vêtements cette apparence de rigidité généralement associée à l'amidon. Un mélange plus léger vous donnera des vêtements un peu plus souples. Si vous le désirez, vous pouvez également ajouter de l'amidon dans la machine à laver au moment du rinçage. Assurez-vous toutefois de suivre attentivement les instructions.

L'amidon en vaporisateur est de loin le plus facile d'utilisation, car vous pouvez l'appliquer en repassant. Vaporisez sur les vêtements et repassez. C'est aussi facile que cela! L'amidon en vaporisateur donne aux vêtements une apparence moins légère. Utilisez de l'amidon liquide ou en poudre si vous préférez un amidonnage plus rigide.

Encollage : Petit cousin de l'amidonnage, l'encollage est une opération effectuée à l'étape de la fabrication du tissu pour le protéger et lui donner du corps. Comme l'usure normale, l'humidité, la transpiration et le nettoyage (traditionnel ou à sec) vont finir par venir à bout de l'encollage, peut-être souhaitez-vous en réappliquer. Achetez de l'encollage sous forme de vaporisateur et vaporisez vos vêtements pendant que vous les repassez.

N'abusez pas de ces produits en vaporisateur. Et assurez-vous que votre fer n'est pas trop chaud — l'amidon et l'encollage risqueraient de s'effriter.

46

Vêtements de travail

L es vêtements de travail sales et graisseux ne devraient jamais être lavés avec les autres vêtements. La saleté pourrait se déposer sur les autres vêtements.

Il est essentiel de prétraiter les taches. Traitez-les avec un bon détachant ou avec le produit Spot Shot Instant Carpet Stain Remover®. Ce dernier est très efficace contre les taches de graisse et d'huile. Lavez l'article dans l'eau la plus chaude que peut supporter le tissu, en choisissant le cycle de lavage le plus long et en ajoutant une demi-tasse (125 ml) de bicarbonate de soude en plus de votre détersif.

Si les taches de graisse et d'huile vous posent de gros problèmes, vaporisez-les avec du lubrifiant WD-40® et attendez dix minutes. Faites ensuite pénétrer du liquide pour lave-vaisselle dans la tache et lavez comme d'habitude.

Pour nettoyer les vêtements de travail particulièrement sales et graisseux, versez une cannette de Coke® dans votre machine à laver en plus de votre détersif et lavez comme d'habitude. Le mélange de sirop au cola et de sucre fait littéralement des merveilles!

Le produit Go-Jo Waterless Hand Cleaner® est aussi un agent dégraissant efficace. Faites-le pénétrer dans la tache et lavez comme d'habitude.

Si la poussière et la boue vous donnent du souci, prélavez les vêtements dans l'eau la plus chaude possible avec une demi-tasse (125 ml) de cristaux de soude et une demi-tasse (125 ml) de borax Twenty Mule Team™. Une fois le cycle complété, ajoutez votre détersif pour la lessive et lavez comme d'habitude.

Il est important que l'eau et le détersif puissent circuler librement; donc, évitez d'entasser les vêtements dans la machine à laver.

47

Taches de transpiration : dites adieu aux sueurs froides!

L a transpiration affaiblit les fibres de vos vêtements. Alors, traitez les régions vulnérables avec beaucoup de soin. Le meilleur moment pour traiter ces taches invisibles est tout de suite après avoir porté le vêtement pour la première fois, *avant* de le mettre dans la machine à laver.

Humidifiez la région des aisselles — ou tout autre endroit où vous apercevrez des taches de transpiration — et faites pénétrer de la mousse provenant d'un savon Fels-Naptha®. Après avoir fait pénétrer suffisamment de mousse, placez le vêtement dans la machine à laver et lavez comme d'habitude.

Un autre traitement efficace consiste à faire pénétrer le produit Biz Activated Non Chlorine Bleach™ dans le tissu taché. Mais assurez-vous d'abord de bien mouiller les régions malodorantes!

Traitez toujours les taches de transpiration avant de laver vos vêtements. Si vous constatez la présence de mauvaises odeurs, appliquez de l'eau chaude sur la région tachée, puis faites pénétrer du borax Twenty Mule Team™. Laissez reposer environ trente minutes, puis lavez.

Le produit ODORZOUT™ est aussi extrêmement efficace contre les mauvaises odeurs. Utilisez-le à sec pour traiter les régions malodorantes. Vous pouvez le laisser reposer toute la nuit — vous pouvez même en verser un peu dans votre panier à linge sale.

Si vos vêtements sont déjà tachés par la transpiration, mouillez le tissu avec de l'eau chaude et faites pénétrer du détersif pour la lessive et du Biz™. Laissez tremper pendant environ trente minutes, puis lavez comme d'habitude.

J'ai découvert que faire tremper les vêtements (blancs ou colorés) dans le produit Brilliant Bleach™ de la compagnie Soapworks est un moyen très efficace d'éliminer les taches sous les bras.

Si le tissu a changé de couleur, essayez de vaporiser le tissu avec de l'ammoniaque de type savonneux, laissez reposer quinze minutes, puis lavez comme d'habitude.

Prenez en considération que les tissus jaunis ou décolorés peuvent être définitivement endommagés. Il se peut donc que les vêtements soient irrécupérables.

> Vous pouvez également essayer de nettoyer les taches déjà existantes avec du vinaigre chaud. Vaporisez-en sur le tissu, puis faites pénétrer du borax Twenty Mule Team™. Cette méthode est également efficace contre les mauvaises odeurs.

Traitez tous vos vêtements avant de les laver pour la première fois et essayez différentes marques de déodorant. Si vous avez un problème de transpiration, ne portez jamais deux jours de suite la même chemise ou le même chemisier. Les vêtements en fibres naturelles, comme le coton, vous poseront peut-être moins de problèmes que les vêtements en polyester ou en fibres synthétiques. Si vous avez un grave problème de transpiration, vous devriez peut-être porter des tampons absorbants sous les aisselles. Ils emprisonnent la moiteur avant qu'elle n'atteigne le tissu de vos vêtements. On peut les enlever et les jeter à la fin de chaque journée, et on ne peut les voir à travers les vêtements. Disponibles dans les magasins de lingerie et par catalogue.

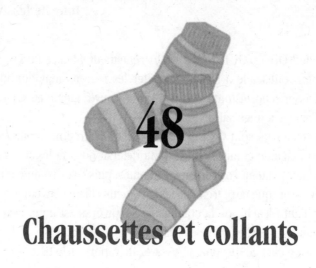

48

Chaussettes et collants

F olklore — Si les jambes des bas, des collants ou des caleçons s'entre-mêlent sur la corde à linge ou dans la sécheuse, le propriétaire du vête-ment est assuré de vivre dans la joie et le bonheur.

Chaussettes

Chaussettes blanches : Pour nettoyer en profondeur les chaussettes blanches, laissez-les tremper pendant une heure dans quatre litres d'eau chaude dans laquelle vous aurez ajouté deux cuillères à table (30 ml) de détergent pour lave-vaisselle. Versez les chaussettes et la solution dans la machine à laver et lavez comme d'habitude. Vous obtiendrez des chaussettes propres et éclatantes comme vous n'en avez jamais vu.

Vous pouvez aussi blanchir vos chaussettes en les laissant tremper dans de l'eau chaude dans laquelle vous aurez ajouté quelques tranches de citron ou une demi-tasse (125 ml) de jus de citron. Laissez tremper quelques heures ou toute la nuit. Placez ensuite les chaussettes dans la machine à laver et lavez comme d'habitude.

Odeurs de pieds : Transformez vos chaussettes en trappe à odeurs en ajoutant un quart de tasse (60 ml) de bicarbonate de soude dans quatre tasses d'eau. Essorez les chaussettes dans la machine à laver sans rincer la solution au bicarbonate de soude. Faites sécher comme d'habitude.

Pour prolonger la vie de vos collants : Trempez vos collants dans l'eau, essorez-les, placez-les dans un sac plastique et faites-les congeler. Après les avoir sortis du congélateur, laissez-les dégeler et sécher complètement. Vous pourrez les porter immédiatement et ils dureront beaucoup plus longtemps! Utilisez cette méthode avant de les porter pour la première fois.

C'est si facile!

Une échelle dans vos collants et pas de vernis à ongles à l'horizon? Inutile de courir dans tous les sens : frottez l'échelle avec un pain de savon mouillé.

Pour augmenter l'élasticité de vos collants : Versez deux cuillères à table (30 ml) de vinaigre blanc dans l'eau de rinçage.

Pour faciliter le nettoyage des collants à la machine à laver : Utilisez la jambe d'une paire de collants pour maintenir en place vos collants en bon état. Attachez tout simplement l'extrémité de la jambe du vieux collant au niveau de la taille pour éviter que les collants ne s'emmêlent dans la machine à laver durant le lavage. Ajoutez un peu d'assouplissant textile à l'eau de rinçage pour lubrifier les fibres, prolonger la durée de vie de vos collants et réduire la statique. À court d'assouplissant? Utilisez un peu de revitalisant capillaire.

Achetez-en deux, obtenez-en une gratuitement : Si vous n'avez plus que quelques paires de collants et qu'ils ont tous une échelle le long de la jambe, prenez deux paires de collants, coupez les jambes endommagées, et combinez les deux moitiés restantes pour former une bonne paire! Et si vous avez des culottes de maintien, elles seront doublement efficaces!

49

Les maillots de bain

L es maillots de bain coûtent cher mais, si vous les entretenez, les lavez, et les rangez correctement, vous prolongerez leur durée de vie.

Lisez toujours l'étiquette d'entretien avant d'acheter un maillot de bain. De cette façon, vous saurez à l'avance quel type d'entretien il requiert.

Ne rangez jamais votre maillot avant de l'avoir rincé.

Après avoir nagé dans une piscine chlorée, faites tremper votre maillot pendant quinze minutes dans une eau froide contenant un peu d'assouplissant textile en liquide. Rincez à l'eau froide, puis lavez à l'eau froide en utilisant un détersif à lessive doux. Rincez à nouveau et laissez sécher à l'ombre. Le chlore a tendance à endommager les tissus, à affaiblir les fibres et à modifier les couleurs ; alors, assurez-vous de rincer votre maillot le plus tôt possible.

Si vous vous êtes baigné dans une eau salée, faites tremper votre maillot quelques minutes dans l'eau froide pour faire partir le sel, puis lavez-le à l'eau froide avec un détersif doux. Rincez à fond et laissez sécher à l'ombre.

Pliez le maillot de bain une fois qu'il est sec. Rangez-le pour l'hiver dans un sac en tissu ou un sac plastique perforé. (Les perforations permettront au tissu de respirer.)

50

Chapeaux et sacs à main

Vous ne pouvez les mettre dans la machine à laver, mais vous pouvez quand même les nettoyer.

Sacs en cuir : Vous pouvez facilement nettoyer ces articles en utilisant un linge que vous aurez essoré, après l'avoir trempé dans l'eau chaude, et recouvert de mousse provenant d'un pain de savon hydratant pour le visage (comme le savon de marque Dove®). Frottez vigoureusement, rincez le linge au besoin et faites pénétrer le savon jusqu'à ce que toute la saleté ait disparu. Polissez à l'aide d'un chiffon doux.

Vous pouvez également polir vos sacs en cuir avec une crème ou une cire pour le cuir en suivant les instructions sur l'emballage. Le fait de placer le sac au soleil pendant quinze minutes facilitera l'absorption de la cire.

Utilisez les accessoires de votre balayeuse pour enlever la charpie au fond de votre sac à main, puis faites partir les taches à l'aide du produit Energine Cleaning Fluid®. À nouveau, utilisez un séchoir à cheveux pour prévenir la formation de cernes.

Ne rangez jamais un sac en cuir dans un sac plastique. Enveloppez-le dans un linge ou dans un sac en tissu. Ne rangez jamais ensemble des sacs en cuir, en plastique ou en vinyle. Vos sacs en cuir déteindraient sur les autres sacs et les abîmeraient.

> Utilisez un peu de vaseline sur un chiffon doux pour polir vos sacs en cuir verni et les faire reluire. Polissez encore une fois à l'aide d'un chiffon propre et sec.

Sacs en plastique et en vinyle : Ces sacs doivent être nettoyés avec un chiffon doux ou une éponge. Utilisez un savon doux ou un produit nettoyant tout usage. Rincez bien et polissez. Pour redonner leur lustre à vos sacs, vaporisez un peu d'encaustique sur un chiffon doux et polissez.

Sacs en suède : Brossez régulièrement les sacs en suède à l'aide d'une brosse pour le suède. Pour éliminer les taches graisseuses, utilisez un produit de nettoyage à sec en liquide, comme Energine®, ou versez un peu de vinaigre blanc non dilué sur un chiffon doux. Brossez le poil dans le bon sens et laissez sécher au soleil, puis brossez à nouveau.

Si le poil est complètement aplati, exposez le sac à la vapeur en le tenant au-dessus d'une casserole remplie d'eau bouillante. Assurez-vous que le sac ne devienne pas trop humide. Laissez sécher à l'air libre, puis brossez minutieusement.

Chère Reine de la propreté,
Ma casquette chanceuse est de plus en plus sale.
Que dois-je faire ?

Un fan de la Floride

Cher fan,
C'est très facile. Placez votre casquette sur la grille du haut du lave-vaisselle et elle en ressortira impeccable ! Vous pouvez également utiliser cette méthode pour nettoyer votre couronne !

Sacs de soirée : Nettoyez ces sacs à l'aide d'un chiffon doux et d'un produit de nettoyage à sec. Séchez-les complètement en les épongeant ou en utilisant un séchoir à cheveux. Pour absorber les saletés qui se sont déposées sur vos sacs ornés de perles, saupoudrez-les légèrement avec du talc. Enroulez ensuite les sacs dans une serviette, attendez vingt-quatre heures, puis brossez-les doucement. Faites attention de ne pas endommager les fils qui retiennent les perles.

Gardez la tête haute

Casquettes : Pour nettoyer les casquettes sales, ne vous cassez pas la tête : placez-les dans votre lave-vaisselle, sur l'égouttoir du haut. Procédez à un cycle complet, sortez-les du lave-vaisselle et laissez-les sécher à l'air libre. Lavées de cette façon, vos casquettes conserveront leur forme. Et cela vaut également pour les couronnes !

Les chapeaux non lavables peuvent être nettoyés à l'aide d'une éponge à sec (disponible dans les quincailleries et les centres de rénovation). Frottez l'endroit taché en utilisant l'éponge à sec, comme si vous effaciez une marque à l'aide d'une gomme à effacer géante. Faites ceci à l'extérieur ou au-dessus de la poubelle ou de l'évier. Continuez à frotter jusqu'à ce que vous ayez fait partir le plus de saleté possible. Vous pouvez également utiliser cette méthode pour nettoyer les chapeaux de feutre et les chapeaux de cow-boy.

Pour nettoyer les casquettes en nylon ou en tricot, utilisez de l'eau froide et du shampoing. Ajoutez quelques gouttes de revitalisant capillaire à l'eau de rinçage pour assouplir et protéger les fibres. Mes amis canadiens seront sûrement heureux d'apprendre que cette méthode fonctionne aussi à merveille avec les tuques !

Partir du bon pied

Quelle pièce de vêtement s'use et s'endommage plus rapidement que les chaussures? Qui n'a pas une paire de chaussures de sport préférée? Malheureusement, lorsque nous les quittons après une dure journée de travail, il n'est pas rare que notre famille s'enfuie à toute jambe, traumatisée par l'odeur. Mais il existe une façon simple et rapide de remédier aux mauvaises odeurs. De plus, en prenant soin de vos chaussures, vous améliorerez non seulement leur apparence, mais aussi leur durée de vie.

Nettoyer et désodoriser

Cette méthode fonctionne pour tous les types de chaussures. Premièrement, saupoudrez un peu de bicarbonate de soude dans vos chaussures, puis placez-les dans un sac plastique et faites-les congeler pendant un jour ou deux. Attendez que les chaussures reviennent à la température de la pièce (à moins que vous ne souhaitiez vous rafraîchir les pieds), puis secouez-les pour faire partir le bicarbonate de soude. Ce n'est pas une mauvaise idée de laisser le bicarbonate de soude dans vos chaussures jusqu'à ce que vous les portiez à nouveau.

Chaussures déformées

Voici un autre truc de congélation pour les chaussures qui vous serrent un peu trop les orteils. Placez dans chaque chaussure un sac fermant ultrarésistant (ou mettez-en deux épaisseurs pour plus de sûreté). Remplissez-les d'eau avec précaution, jusqu'à ce que la région des orteils soit bien remplie. Fermez solidement les sacs pour éviter que l'eau ne se répande et mouille vos chaussures. Pour éviter d'abîmer l'extérieur de vos chaussures, mettez-les dans un sac plastique. Placez-les ensuite dans le congélateur pendant au moins vingt-quatre heures. L'eau, en gelant, prendra de l'expansion et agrandira vos chaussures du même coup. Lorsque vous les sortirez du congélateur, attendez qu'ils dégèlent avant de retirer les sacs d'eau.

Le saviez-vous ?

Les bottes humides peuvent se déformer durant le séchage. Pour éviter ce problème, remplissez-les de papier journal. Avantage supplémentaire, le papier journal absorbera les odeurs.

Nettoyer des chaussures en toile blanche

Appliquez sur les chaussures une pâte composée de détergent à vaisselle et d'eau chaude. Laissez tremper pendant au moins trente minutes, puis frottez la surface avec une brosse à ongles ou une brosse à dents. Rincez bien et laissez sécher. Évitez toutefois de les faire sécher directement sous le soleil. Vous pouvez aussi mettre les chaussures directement dans la machine à laver avec quelques vieilles serviettes blanches. Pour les garder propres, placez-les sur une feuille de papier et vaporisez-les avec de l'amidon ou un enduit protecteur. Elles resteront propres plus longtemps et la saleté partira plus facilement.

Nettoyer des chaussures de sport en cuir blanc

Ces chaussures se nettoient facilement avec un détachant pour les pneus à flanc blanc. Allez à l'extérieur si possible ou vaporisez-les au-dessus d'un journal. Laissez reposer deux ou trois minutes, puis essuyez-les avec une serviette en papier ou un vieux chiffon. Rappelez-vous que ces produits nettoyants sont des javellisants ; Assurez-vous donc de rincer minutieusement vos chaussures avant de les porter dans la maison. Portez une attention toute spéciale aux semelles.

Cirer du cuir blanc

Avant de les cirer, nettoyez bien vos chaussures. Pour faire disparaître les éraflures, utilisez une gomme à effacer ou une pâte composée de bicarbonate de soude et d'eau. Pour camoufler les grosses éraflures, utilisez un correcteur liquide. Finalement, frottez-les avec une moitié de pomme de terre crue pour faciliter le cirage et pour dissimuler les éraflures.

Lorsque vous n'avez plus de cire à chaussures

Utilisez un poli à meubles. Prenez un chiffon et vaporisez-le généreusement avec du poli à meubles. Frottez bien les chaussures, puis brossez-les. Si vous êtes vraiment pressé, utilisez une lingette pour bébé! Frottez, puis brossez.

Égratignures et déchirures

Si vos chaussures portent des marques noires, essayez d'appliquer quelques gouttes de dissolvant pour vernis à ongles ou de l'essence à briquet avec un chiffon propre. Là où la couleur a disparu, utilisez un crayon feutre de la même couleur que vos chaussures. Essuyez immédiatement après l'application avec une serviette en papier, puis brossez.

 Ne jetez pas votre cire à chaussures même si elle a durci. Faites chauffer le contenant de métal dans un bol rempli d'eau chaude jusqu'à ce que la cire ramollisse.

Éraflures sur des chaussures dorées ou argentées

Utilisez une vieille brosse à dents et de la pâte à dents blanche pour faire disparaître les éraflures; utilisez ensuite une cire transparente ou du poli à meubles.

Cuir verni

Frottez les chaussures en cuir verni avec un peu de gelée de pétrole, puis frottez-les avec un chiffon doux. Cela préviendra les craquelures.

Éraflures sur des chaussures en plastique ou en vinyle

Utilisez de l'essence à briquet. Assurez-vous de jeter à l'extérieur le chiffon ou la serviette en papier que vous aurez utilisé.

Si vous avez perdu le bout de vos lacets

Rien de plus facile — tordez le bout de vos lacets et trempez-les dans du vernis à ongles transparent.

Pour bien nouer les lacets de vos enfants

Avant de les nouer, humectez les lacets en les vaporisant avec un peu d'eau. Cela vous permettra de les nouer plus solidement et les lacets tiendront en place.

52

Ne laissez pas les cravates vous nouer l'estomac

En général, les cravates ne sont pas lavables, ce qui est vraiment dommage, car aucun vêtement n'est autant exposé aux éclaboussures de nourriture, sans compter qu'elles risquent constamment de tremper dans toutes sortes de choses. Mais cela ne veut pas dire que vous ne parviendrez pas à les détacher et à les nettoyer.

Si vous avez une cravate sur laquelle il y a des éclaboussures de boisson ou de nourriture, commencez par glisser une serviette en papier dans l'ouverture entre le devant et l'arrière de la cravate. Vous éviterez ainsi de faire pénétrer la tache à travers la cravate. Versez un peu d'Energine Cleaning Fluid® sur un chiffon doux de couleur pâle (comme une débarbouillette) et épongez l'endroit taché. À mesure que la serviette absorbe l'éclaboussure et le produit nettoyant, déplacez-la afin qu'il y ait toujours une partie sèche sous l'éclaboussure. Continuez à éponger jusqu'à ce que l'éclaboussure ait disparu, puis — et ceci est très important — utilisez un séchoir à cheveux pour faire sécher la cravate et ainsi éviter la formation d'un cerne.

Lorsque vous repassez une cravate, étendez-la à plat sur votre planche à repasser, recouvrez-la d'une pattemouille (une serviette pas trop épaisse fera l'affaire) et pressez-la en utilisant de la vapeur. Suspendez-la pour la faire sécher. Pour ranger vos cravates, suspendez-les ou enroulez-les (un bon truc lorsque vous voyagez) pour prévenir les faux plis.

Perles et paillettes : faire face à la musique et entrer dans la danse

Lavage : Certains vêtements ornés de perles et de paillettes sont lavables. Voici comment préserver tout leur éclat :

* Boutonnez-les complètement avant de les laver.

* Retournez-les à l'envers avant de les laver.

* S'ils sont lavables à la machine, utilisez uniquement le cycle délicat pendant deux ou trois minutes, avec de l'eau froide et un détersif doux.

* Si les articles doivent être lavés à la main, utilisez un savon pour la lessive doux ou un peu de shampoing et de l'eau froide.

* Ajoutez un peu de revitalisant capillaire lors d'un cycle de rinçage s'il s'agit d'un vêtement en tricot.

* Suspendez ou étendez à plat pour faire sécher — ne placez jamais dans la sécheuse.

Rafraîchir : Vaporisez légèrement le vêtement sous les bras et autour du col et des poignets avec de la vodka non diluée. Suspendez pour faire sécher.

Éclaboussures : Plusieurs vêtements ornés de perles portent une étiquette «détachage approprié». Utilisez un peu d'eau gazéifiée (club soda) ou d'Energine Cleaning Fluid®. Appliquez le liquide avec modération et utilisez un séchoir à cheveux pour éviter la formation d'un cerne.

54

Préserver l'éclat de sa robe
de mariée

Une robe de mariée représente un investissement important mais, prises dans le tourbillon d'émotions qui précède cette journée inoubliable, nous pensons rarement à la nettoyer après coup. Le plus souvent, nous quittons rapidement notre robe pour enfiler des vêtements de voyage plus confortables, et notre robe reste étendue quelque part, tandis que nous amorçons notre lune de miel. Pourtant, si vous lui accordez un peu d'attention, vous pourrez préserver votre robe de mariée, pour des raisons sentimentales ou pour que votre fille puisse la porter à son tour lorsqu'elle se mariera. Voici ce que vous devez savoir.

Tout d'abord, ne quittez jamais le magasin sans une étiquette d'entretien. Si votre robe n'en a pas, demandez au commis ou à la couturière de vous donner par écrit toutes les instructions pour son entretien.

Une fois que vous avez choisi votre robe, il est préférable de la laisser au magasin jusqu'à la dernière minute. Vous éviterez ainsi de vous retrouver avec des faux plis. Si vous ramenez votre robe à la maison la veille du mariage, décidez à l'avance où vous la suspendrez pour éviter qu'elle fasse des plis — vous pouvez par exemple la suspendre à un cintre fixé à la porte de la chambre d'amis. N'allez pas suspendre votre précieuse robe au sous-sol ou au grenier. Vous l'exposeriez inutilement à la poussière, aux insectes, à l'humidité et aux infiltrations d'eau.

Mais que faire après la cérémonie? Ne vous contentez pas de jeter votre robe sur le lit. Suspendez-la sur un cintre rembourré, puis demandez à quelqu'un de venir la prendre un ou deux jours plus tard et de l'apporter chez le teinturier de votre choix. Les taches, les éclaboussures et les traînées de rouge à lèvres, causées par toutes ces joyeuses embrassades, partiront beaucoup plus facilement si vous la faites nettoyer le plus tôt possible. Demandez à votre mère, à votre sœur ou à votre meilleure amie de vous aider. Mais quoi que vous fassiez, je ne voudrais surtout pas que vous trouviez en revenant de votre lune de miel une robe sale et froissée étendue sur le plancher. Même si vous comptez ne jamais la remettre, le tissu peut servir à confectionner de jolies taies d'oreiller et un voilage pour votre lit.

Faites toujours nettoyer votre robe par un professionnel *avant* de l'entreposer. La nourriture, les boissons, le parfum et la transpiration ont pu laisser des taches invisibles sur votre robe. Si ces taches ne sont pas traitées de manière adéquate, elles peuvent devenir permanentes. N'oubliez pas d'indiquer à votre teinturier où se trouvent les taches et les éclaboussures *avant* qu'il ne procède au nettoyage.

Un grand nombre de robes de mariée sont ornées de perles et de garnitures somptueuses. Inspectez ces garnitures avec votre teinturier avant de la lui confier, car plusieurs d'entre elles n'ont pas été conçues pour résister au nettoyage à sec. Les perles et les paillettes sont généralement faites de plastique et fixées à la robe à l'aide d'adhésifs qui ne supportent pas toujours les produits chimiques utilisés dans le commerce. Certaines garnitures peuvent même jaunir durant le processus. Soyez également prudente car certains articles, teints pour des raisons d'agencement, ne sont pas forcément grand teint et peuvent ne plus s'agencer à la couleur de la robe une fois le nettoyage complété.

Entreposer sa robe

Malheureusement, aucune méthode de nettoyage et d'entreposage ne peut vous protéger à cent pour cent des risques de jaunissement et de détérioration du tissu de votre robe. Vous pouvez néanmoins prendre certaines mesures pour minimiser ces risques et vous assurer les meilleurs résultats possibles.

• Rangez votre robe dans une boîte servant uniquement au rangement de vos objets de famille. Vous pouvez demander à votre teinturier de le faire ou acheter une boîte et la ranger vous-même. N'oubliez pas d'utiliser du papier de soie non acide.

• Enveloppez votre robe dans un drap si vous n'avez pas de boîte. Ne rangez jamais une robe dans du plastique sinon elle jaunirait.

• Remplissez le corset et les manches avec du papier de soie non acide pour prévenir la formation de faux plis permanents.

• Rangez les diadèmes, les voiles, les chaussures et les autres accessoires séparément. Une boîte ou un sac fera très bien l'affaire. Pas de plastique, cependant.

• Rangez votre robe dans un endroit frais et sec. Le sous-sol et le grenier, bien que populaires, ne sont pas des choix recommandables.

• Si vous décidez de ranger votre robe sur un cintre, suspendez-la en utilisant les sangles cousues à même la robe pour prévenir la déformation des épaules.

• Vérifiez l'état de votre robe au moins une fois par an — le jour de la Saint-Valentin me semble tout approprié — pour vous assurer qu'aucune tache n'a été négligée. Si vous découvrez une tache ou des signes de décoloration, faites traiter votre robe par un teinturier professionnel le plus tôt possible.

55

Fourrures véritables et synthétiques

Si vous possédez un manteau de fourrure, vous savez qui vous êtes, donc pas de sermon.

Si vous portez régulièrement un article en fourrure, vous devez aussi le faire nettoyer régulièrement. Cela veut dire au moins une fois par année, chez un teinturier spécialisé dans l'entretien de la fourrure. Il est préférable de faire nettoyer votre manteau avant de le ranger pour l'été — cela vaut également pour la fourrure synthétique. Un teinturier spécialisé fera disparaître les taches (maquillage, nourriture et boissons) qui pourraient ruiner votre fourrure. Le fait de la garder propre contribuera également à repousser les mites.

> ### Le saviez-vous?
> Portez une écharpe pour éviter de vous retrouver avec un cerne autour du col.

Traitez les petites taches avec un peu d'Energine Cleaning Fluid® sur la fourrure et sur la doublure. Suivez les instructions sur la boîte, et assurez-vous de faire sécher l'endroit que vous venez de nettoyer à l'aide d'un séchoir à cheveux pour éviter la formation d'un cerne. Faites toujours un essai sur une partie peu visible du vêtement avant de le traiter.

Suspendez les manteaux de fourrure véritable et synthétique sur des cintres rembourrés, puis recouvrez-les d'une housse. N'utilisez pas de housses en plastique. Après une longue période d'entreposage, secouez bien votre fourrure. Il est également préférable de l'aérer un peu avant de la porter.

56

Peau de mouton

Si vous avez des tapis ou des couvre-sièges de voiture en peau de mouton, vous êtes probablement déjà au courant que vous ne pouvez pas les laver à la machine. Vous pouvez toujours les confier à un professionnel, mais ce genre de nettoyage est généralement très coûteux.

Si la peau de mouton n'est pas trop sale, vous pouvez essayer de la nettoyer à l'aide de la méthode suivante. Utilisez un nettoyant pour les tapis en poudre, comme Host™ ou Capture™. Ces deux produits sont excellents. Ils sont vendus avec un appareil conçu pour l'entretien des tapis mais, pour nettoyer votre peau de mouton, vous n'aurez besoin que de la poudre.

Saupoudrez le produit nettoyant sur la toison et faites-le pénétrer avec vos doigts (portez des gants en caoutchouc). Roulez la peau de mouton, glissez-la dans un sac plastique et laissez reposer au moins huit heures, puis secouez-la ou utilisez l'aspirateur pour enlever la poudre. Brossez ou peignez la toison et secouez-la à nouveau avant de l'utiliser.

Si le revers de votre peau de mouton a été traité afin de la rendre lavable, suivez attentivement les instructions du manufacturier. Utilisez toujours de l'eau fraîche et suspendez la peau de mouton au soleil pour la faire sécher. Si vous décidez de la faire sécher dans la sécheuse, assurez-vous de choisir la plus basse température possible. Lisez toujours attentivement les étiquettes d'entretien avant d'acheter une peau de mouton

Les serviettes

Comme il est agréable au sortir de la douche de s'envelopper dans une serviette propre et duveteuse — quelle douce chaleur! Les serviettes demandent peu d'entretien; néanmoins, vous pouvez faire certaines choses pour les conserver en bon état. Lisez la suite... ce qui suit est littéralement absorbant!

En lavant vos serviettes dans l'eau chaude avec votre détersif ou savon préféré, vous viendrez facilement à bout des saletés ordinaires. Ajoutez une demi-tasse (125 ml) de cristaux de soude dans une pleine brassée de serviettes si vous souhaitez donner un coup de pouce à votre détersif et nettoyer vos serviettes plus efficacement.

C'est toujours une bonne idée de prétraiter les serviettes particulièrement sales. Faites-les tremper dans l'eau chaude et une demi-tasse (125 ml) de borax Twenty Mule Team™ pour chasser du même coup les mauvaises odeurs!

> « Quel hôtel!
> Les serviettes sont si duveteuses que j'ai du mal à fermer ma valise. »
> — Henny Yougman

Les assouplissants textiles vous donneront des serviettes douces et duveteuses mais, si vous en abusez, vous vous retrouverez avec des serviettes moins absorbantes. Utilisez de l'assouplissant à tous les deux ou trois lavages plutôt qu'à chaque brassée. Vous pouvez aussi utiliser une demi-tasse (125 ml) de vinaigre blanc comme agent assouplissant. Et, non, vos serviettes ne sentiront pas le vinaigre!

Les serviettes de couleur foncée déteindront considérablement au cours des premiers lavages. Si vous avez des serviettes défraîchies de la même couleur que vos nouvelles serviettes, lavez-les ensemble pour redonner de la couleur à celles qui ont pâli. Pour éviter que vos serviettes de couleur foncée pâlissent trop rapidement, ajoutez une tasse (250 ml) de sel de table dans la machine à laver la première fois que vous les laverez.

Ne lavez jamais des serviettes de couleur pâle et des serviettes de couleur foncée ensemble! Les serviettes de couleur pâle prendraient la couleur des plus foncées, et les serviettes de couleur foncée seraient recouvertes de charpie de couleur pâle.

Lavez toujours les nouvelles serviettes avant de les utiliser pour éliminer l'encollage et les rendre plus absorbantes. Si vous vous retrouvez avec des serviettes glissantes et peu absorbantes, voici ce que vous devez faire :

✳ Faites-les tremper dans la machine à laver, dans l'eau froide et un quart de tasse (60 ml) de sel d'Epsom, pendant toute une nuit. Le lendemain, ajoutez du détersif et lavez comme d'habitude.

✳ Lavez les serviettes peu absorbantes plusieurs fois de suite, sans assouplissant textile.

✳ À l'occasion, suspendre ces serviettes au lieu de les faire sécher à la sécheuse donne d'excellents résultats.

Si vos serviettes dégagent une odeur de moisi, saupoudrez-les légèrement d'ODORZOUT™ et laissez-les reposer pendant un jour ou deux, puis placez-les dans la machine à laver (les serviettes et l'ODORZOUT™) et lavez-les comme d'habitude.

Ne lavez jamais rien d'autre avec vos serviettes pour éviter que tous les articles se retrouvent recouverts de charpie. Lavez toujours vos serviettes dans l'eau la plus chaude possible.

C'est l'heure du coucher

Nous allons à présent laver les taies d'oreiller, les draps, les couvertures et les édredons. Et n'allez pas vous endormir avant d'avoir terminé !

Oreillers

Pour rafraîchir vos oreillers, faites-les culbuter dans la sécheuse, sans chaleur ou avec chaleur, pendant trente minutes avec plusieurs serviettes de couleur pâle à peine humides et une feuille d'assouplissant textile. N'utilisez pas d'assouplissant textile si vous êtes allergique aux parfums.

Oreillers en fibres : Étant donné que ces oreillers ont tendance à s'aplatir avec le temps, il est probable que vous souhaitiez leur redonner du volume et de la douceur. Lavez-les dans la machine à laver tous les deux mois, et choisissez si possible une journée où il y a du vent. Lavez ces oreillers à l'eau froide ou à l'eau tiède avec un détersif doux, en choisissant de préférence le cycle court. Si vous souffrez d'allergies, essayez le produit Fresh Breeze Laundry Soap™ de la compagnie Soapworks. Assurez-vous de bien rincer les oreillers, puis de les essorer jusqu'à ce qu'ils soient secs.

Si vous les lavez à la main, utilisez une eau froide légèrement savonneuse et pressez-les pour sortir le plus d'eau possible. Rincez à plusieurs reprises jusqu'à ce qu'il ne reste plus de savon, puis essorez-les.

Si possible, suspendez les oreillers dans un endroit ombragé et venteux, en les retournant fréquemment. Finalement, placez les oreillers dans la sécheuse à basse température pour redonner du volume au rembourrage. En ajoutant une balle de tennis neuve ou une chaussure de tennis propre dans la sécheuse, vos oreillers gonfleront encore plus facilement.

Placez les oreillers à l'intérieur d'une taie munie d'une fermeture à glissière pour les garder propres et frais plus longtemps.

Oreillers de duvet : Lavez ces oreillers dans une eau froide et savonneuse et faites-les sécher à l'ombre. La chaleur peut libérer l'huile contenue dans le duvet et lui donner une mauvaise odeur.

Assurez-vous que le duvet a amplement le temps de sécher. Secouez fréquemment les oreillers pour réarranger le duvet et ainsi faciliter le séchage.

Vous pouvez placer les oreillers de duvet dans la sécheuse et les faire culbuter sans chaleur pour replacer le duvet et leur donner du ressort. À nouveau, ajoutez quelques balles de tennis ou une chaussure de tennis propre pour aérer le duvet et donner du volume aux oreillers. Placer les oreillers de duvet dans des taies protectrices munies de fermetures à glissière est également une bonne idée.

Autres oreillers : De nos jours, on peut trouver toutes sortes d'oreillers sur le marché, y compris des oreillers à soutien cervical. Lavez-les en suivant les instructions sur l'étiquette d'entretien pour éviter d'endommager le rembourrage.

Draps

Lavez toujours vos draps avant de les utiliser pour la première fois.

Lavez les draps de couleur foncée et les draps blancs et de couleur pâle séparément pour éviter qu'ils ne déteignent les uns sur les autres.

Lavez à l'eau chaude les draps en polyester et en tissu. Utilisez de l'eau très chaude pour les draps cent pour cent coton. Faites sécher en suivant les instructions sur l'étiquette d'entretien (généralement à température moyenne).

Draps et taies d'oreiller en flanelle

Lavez ces articles dans la machine à laver, à l'eau chaude, et assurez-vous de toujours les laver avant de les utiliser pour la première fois. Prenez en considération que les draps de flanelle font beaucoup de peluches ; ils peuvent donc ne pas convenir aux personnes souffrant d'allergies (quoique plus vous les lavez, moins ils font de peluches). Rincez-les à l'eau chaude avec une tasse (250 ml) de vinaigre blanc pour minimiser le problème de peluches, et assurez-vous de nettoyer fréquemment le filtre à charpie durant le séchage, les premières fois que vous les lavez. Lavez les draps de flanelle séparément des autres tissus.

Couvertures

Si l'étiquette d'entretien indique que vos couvertures sont lavables à la machine — ce qui est généralement le cas —, assurez-vous que votre machine à laver est assez grande pour permettre aux couvertures de bouger durant le lavage. Lavez-les avec un savon doux, à l'eau froide, et ajoutez une tasse (250 ml) de vinaigre blanc lors du rinçage final pour éliminer tous les résidus de savon et les assouplir. Si l'étiquette d'entretien le permet, faites-les sécher dans la sécheuse ou étendez-les au soleil sur plusieurs cordes à linge suspendues à au moins trente centimètres les unes des autres pour éviter de déformer les couvertures. Rangez vos couvertures en les enveloppant d'une pellicule plastique ou mettez-les à l'intérieur d'une taie d'oreiller propre.

Pour nettoyer les couvertures et les surmatelas chauffants, suivez attentivement les instructions sur l'étiquette d'entretien pour éviter d'endommager le filage et réduire les risques d'incendie.

Couvre-lits

Les couvre-lits lavables doivent être nettoyés en conformité avec les instructions sur l'étiquette d'entretien. Les couvre-lits en nylon, en polyester, en mélange polyester et coton se lavent facilement. Les couvre-lits en rayonne, en soie et en acétate doivent être nettoyés à sec.

Les couvre-lits en chenille, qui jouissent d'un regain de popularité, sont facilement lavables à la machine. Utilisez de l'eau chaude et un détersif doux, et rincez bien. Faites-les sécher dans la sécheuse, puis secouez-les pour leur redonner leur apparence originale. Ces couvre-lits cesseront de faire de la peluche après quelques lavages, mais assurez-vous de bien nettoyer le filtre à charpie de votre sécheuse avant de les faire sécher.

Si votre dessus-de-lit est passablement lourd, vous pouvez utiliser une balle de tennis ou une chaussure de tennis propre pour lui redonner du volume.

 Réparez les déchirures avant de faire le lavage sinon elles deviendront d'énormes trous.

Édredons

À mon avis, il est préférable — et aussi beaucoup plus pratique — de les faire nettoyer par un professionnel. Si vous décidez néanmoins de les laver vous-même, utilisez une machine à laver de type commercial et le cycle de lavage le plus court.

Ne les lavez pas plus souvent que nécessaire. Au lieu de les nettoyer, aérez-les fréquemment et utilisez une housse pour le duvet ou une housse pour édredon pouvant être lavée régulièrement.

Couettes et oreillers en duvet

Suivez les instructions sur l'étiquette d'entretien de votre couette et de vos accessoires. Assurez-vous de lire toutes les informations et de suivre attentivement les instructions.

Matelas

Il est important de retourner votre matelas tous les trois mois pour vous assurer d'une usure égale. Alternez en le retournant d'un côté à l'autre ou d'une extrémité à l'autre.

Recouvrir votre matelas d'un surmatelas ou d'une housse en plastique munie d'une fermeture à glissière est votre meilleure défense contre les taches, surtout s'il s'agit d'un lit d'enfant. Les surmatelas en tissu sont plus frais que les housses en plastique.

Si vous devez nettoyer une éclaboussure, comme une flaque d'urine, absorbez le plus de liquide possible à l'aide d'une serviette en papier ou d'un chiffon, en appliquant de la pression tandis que vous épongez. Nettoyez l'endroit taché avec le produit Spot Shot Instant Carpet Stain Remover® et placez le matelas sur le côté contre un mur pour accélérer le séchage et empêcher l'humidité de pénétrer en profondeur dans le matelas. Une fois que le matelas est sec, appliquez une couche d'ODORZOUT™ pour absorber les mauvaises odeurs. ODORZOUT™ ne masque pas les odeurs, il les élimine. Et si vous pouvez placer le matelas au soleil, il séchera encore plus rapidement.

Rideaux et tentures

Assurez-vous de bien lire les étiquettes d'entretien et de suivre attentivement les instructions lorsque vous nettoyez vos tentures et vos rideaux. N'essayez jamais de laver des rideaux devant être nettoyés à sec.

Vous pouvez prolonger la durée de vie de vos décors de fenêtre en passant régulièrement l'aspirateur à l'aide de l'accessoire pour les tissus d'ameublement. Vous pouvez aussi les décrocher et les secouer ou les faire culbuter dans la sécheuse sans chaleur.

N'attendez pas que vos draperies soient excessivement sales avant de les nettoyer, surtout si elles doivent être nettoyées à sec.

Le nettoyage à sec n'est pas aussi efficace qu'un lavage à la machine ; il se pourrait donc qu'il reste encore de la saleté.

Si les rideaux et les draperies recouvrent une fenêtre particulièrement ensoleillée, il serait peut-être sage de suspendre un store ou une jalousie pour protéger leur tissu.

Retirez tous les crochets, agrafes, etc., avant de laver les rideaux. Suivez les instructions spécifiées sur l'étiquette d'entretien pour chaque genre de tissu.

Certains rideaux peuvent être séchés à la sécheuse. Vérifiez l'étiquette d'entretien. Assurez-vous toujours de ne pas surcharger la sécheuse et n'oubliez pas de réarranger régulièrement les draperies pendant le séchage.

Si vous devez les repasser, sortez les rideaux de la sécheuse tandis qu'ils sont encore humides et repassez-les. De cette façon, vous pourrez plus facilement éliminer les faux plis. Pour une finition apprêtée, utilisez de l'amidon ou de l'empois liquide. Rappelez-vous : deux minces couches sont préférables à une seule couche épaisse. Vous éviterez ainsi les problèmes d'effritement sur votre tissu.

Le saviez-vous ?

La lumière du soleil affaiblit et abîme les fibres et les couleurs.

L'encollage et l'amidonnage contribueront également à repousser la poussière.

Si vous devez laver des rideaux en dentelle ou en tissu extrafin, pressez-les doucement tandis qu'ils sont encore humides et suspendez-les, toujours humides, afin qu'ils tombent et plissent naturellement autour de vos fenêtres.

Rideaux de douche en plastique : Lavez-les à la machine avec plusieurs vieilles serviettes de couleur pâle. Ajoutez une demi-tasse (125 ml) de vinaigre blanc en plus de votre détersif habituel, remplissez la machine à laver d'eau chaude et choisissez le cycle délicat. Aussitôt le lavage terminé, retirez le rideau et suspendez-le immédiatement. Cette méthode fera partir les traînées de savon et la saleté. Si vous avez un problème de moisissure, remplacez le vinaigre par une tasse et demie (375 ml) d'eau de Javel et suivez les instructions mentionnées précédemment.

60

Linges de table

Rien ne met en valeur une table comme une belle nappe et des serviettes de table impeccables — mais nettoyer le tout après le repas est parfois une véritable corvée. Voici quelles méthodes infaillibles pour un nettoyage rapide et efficace.

Serviettes de table à l'épreuve des taches : Vaporiser les serviettes de table avec le protecteur pour tissus Scotchgard® ou un produit similaire facilitera le nettoyage des éclaboussures. Ne vaporisez pas les serviettes au-dessus d'une table en bois. Vous abîmeriez la finition de votre table.

Détacher les serviettes de table

Blanchissez les linges et les articles en coton blanc. Faites tremper les articles de couleur dans une solution à base de détersif à usage industriel.

Vous pouvez également nettoyer les linges blancs en faisant dissoudre deux tablettes pour les dentiers dans un peu d'eau chaude. Vaporisez l'endroit taché dans la baignoire ou dans l'évier, versez le reste de la solution sur les articles et laissez tremper pendant trente minutes, puis lavez comme d'habitude.

Faire tremper les linges de table dans le Brilliant Bleach™ donne d'excellents résultats. Vous pouvez laisser tremper vos articles jusqu'à ce que les taches aient disparu — plusieurs jours s'il le faut — sans risquer d'abîmer le tissu.

Faire partir les taches de vin rouge : Ces méthodes sont efficaces contre tous les genres de taches de couleur rouge, y compris les taches de boissons gazeuses, de jus de canneberges et de boissons aux fruits.

Ayez toujours du vin blanc à portée de la main pour faire partir les éclaboussures de vin rouge. Versez tout simplement le vin blanc sur la tache de vin rouge, et celui-ci fera aussitôt disparaître la tache. Procédez le plus rapidement possible.

Assurez-vous également d'avoir de l'eau gazéifiée (club soda) pour traiter les autres taches de couleur rouge. Versez l'eau gazéifiée sur la tache, de préférence au-dessus de l'évier. Prétraitez et lavez comme d'habitude.

L'un de mes produits préférés s'appelle Wine Away Red Wine Stain Remover™, mais ne vous arrêtez pas à son nom, car il est efficace contre les taches de couleur rouge, comme les taches de soda, de Kool-Aid™, de jus de canneberges et de raisin, de colorant alimentaire et même de thé et de café noir. Fabriqué à partir d'extraits de plantes et de fruits, ce produit est absolument non toxique et facile d'utilisation.

Faire partir les taches de thé et de café noir séchées : Pour les taches de thé, étendez l'article taché au-dessus d'un bol ou de l'évier. Saupoudrez de borax Twenty Mule Team™ jusqu'à ce que la tache soit complètement recouverte. Versez le contenu d'une bouilloire remplie d'eau chaude autour de la tache en effectuant des mouvements circulaires vers l'intérieur. Répétez si nécessaire, puis lavez comme d'habitude. Pour les taches de café séchées, traitez la tache avec une solution de glycérine et d'eau chaude (moitié-moitié). Rincez et épongez avec soin. Faites tremper avant de laver.

Serviettes de table tachées : Les serviettes de table sont le plus souvent tachées de rouge à lèvres. Pour faire partir ce genre de taches, vaporisez l'endroit taché avec du lubrifiant WD-40®, attendez dix minutes, puis faites pénétrer du liquide pour lave-vaisselle non dilué et lavez comme d'habitude.

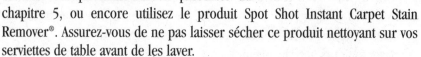

Vous pouvez également utiliser le produit Go-Jo Waterless Hand Cleaner®, puis laver comme d'habitude.

Pour les taches de boisson et de nourriture, traitez avec un détachant commercial ou l'un des produits maison présentés au chapitre 5, ou encore utilisez le produit Spot Shot Instant Carpet Stain Remover®. Assurez-vous de ne pas laisser sécher ce produit nettoyant sur vos serviettes de table avant de les laver.

Vous pouvez aussi faire tremper les serviettes de table blanches et de couleur dans le Brilliant Bleach™ (de la compagnie Soapworks) sans risquer d'abîmer les tissus et les couleurs.

Ranger ses nappes sans faux plis

Au lieu de plier vos nappes, pliez-les au minimum dans le sens de la longueur, puis roulez-les sur elles-mêmes. Elles occuperont ainsi moins d'espace et feront moins de plis. Suspendez les nappes qui se froissent facilement sur un cintre recouvert de tissu. Une serviette fera très bien l'affaire.

Entretien des nappes en plastique et en vinyle

Nettoyez les nappes en plastique et en vinyle en les essuyant à l'aide d'un linge propre et humide, puis rincez bien. Pour venir à bout des taches tenaces, confectionnez une pâte à l'aide de jus de citron et de crème de tartre, et faites pénétrer dans la tache. Laissez reposer la pâte pendant quelques minutes, puis rincez. Laissez sécher avant de plier.

Saupoudrer un peu de talc sur vos nappes en plastique avant de les ranger les empêchera de coller et les protégera contre les moisissures.

N'amidonnez *jamais* vos linges de table avant de les ranger sinon ils jauniront. Si vous choisissez de les suspendre, recouvrez-les d'un drap ou d'un linge. N'utilisez pas non plus de sacs plastique ; cela les ferait également jaunir.

61

De A à Z : un guide pour faire disparaître les taches et les éclaboussures

C omme je suis contente que vous acceptiez de laver votre linge sale avec moi! Je suis, après tout, la belle du borax, le terminator de la moisissure, la grande prêtresse des produits ménagers, la mégère du vinaigre, la diaconesse du nettoyage à sec, la déesse des taches de graisse, la sultane du savon, des solvants et des solutions nettoyantes et, bien sûr, la Reine de la propreté® ! Et vous savez quoi? Ce n'est pas terminé... je dois encore partager avec vous mon guide royal pour faire disparaître les taches et les éclaboussures!

Une petite mise en garde avant de commencer. Ne mettez jamais en pratique l'une de ces méthodes détachantes sans d'abord consulter les règles royales pour détacher comme une reine. Promis?

Règles royales pour détacher comme une reine

- Testez le produit détachant sur une partie cachée ou peu visible du tissu avant de procéder au détachage.

- Traitez la tache en débutant par le revers du tissu. Placez un tampon de serviettes en papier sous la tache pour faciliter son absorption.

- Toujours éponger, ne jamais frotter ! En frottant, vous étendriez la tache et endommageriez le tissu.

- Ne jamais repasser ou appliquer de la chaleur sur une tache ou une éclaboussure. La chaleur incrusterait la tache et vous ne pourriez plus la faire partir.

- Si vous ne connaissez pas la cause de la tache, débutez par la méthode de détachage la plus douce et la plus simple.

- Assurez-vous de prendre en considération le tissu, de même que la nature de la tache.

- N'oubliez pas : plus vous traitez rapidement une tache ou une éclaboussure, plus vos chances de la faire disparaître complètement seront grandes.

- Faites sécher les taches fraîchement épongées à l'aide d'un séchoir à cheveux pour éviter la formation d'un cerne.

- Il est parfois nécessaire de prétraiter les taches à l'aide d'un produit détachant comme Zout™.

A à Z

ACIDE : Un acide peut endommager un tissu de façon permanente ; il faut donc traiter l'article immédiatement. Rincez la région touchée sous le robinet à l'eau froide le plus tôt possible. Ensuite, étendez le vêtement sur un tampon de serviettes en papier et humectez-le avec de l'ammoniaque. Tamponnez la tache à plusieurs reprises, puis rincez à nouveau à l'eau froide. Si vous n'avez pas d'ammoniaque, appliquez une pâte faite de bicarbonate de soude et d'eau froide, puis rincez à grande eau. Répétez ce procédé à plusieurs reprises, puis lavez comme d'habitude.

N'utilisez pas d'ammoniaque non diluée sur de la laine ou de la soie ou tout autre mélange contenant ces fibres. Si vous renversez de l'acide sur de la soie ou de la laine, diluez l'ammoniaque dans une part égale d'eau froide, puis suivez les instructions mentionnées précédemment.

ANTISUDORIFIQUES ET DÉODORANTS : Les antisudorifiques qui contiennent du chlorure d'aluminium sont acides et peuvent réagir au contact de certains tissus. S'il se produit une décoloration, essayez d'éponger le tissu avec de l'ammoniaque, puis rincez à fond. N'oubliez pas de diluer l'ammoniaque dans une égale quantité d'eau lorsque vous travaillez avec de la laine ou de la soie.

Pour éviter la formation de cernes jaunâtres sous les bras et pour prévenir la décoloration, utilisez une barre de savon Fels-Naptha® et faites pénétrer de la mousse dans le tissu *avant* de le laver une première fois, même si aucune tache n'est visible. Faites bien mousser le savon entre vos doigts, puis lavez vos vêtements comme d'habitude.

Vous pouvez aussi appliquer de l'alcool à 90 degrés directement sur la tache, puis la recouvrir de serviettes en papier imbibées d'alcool. Assurez-vous que le tout reste humide et laissez reposer quelques heures avant de laver.

Pour traiter les régions jaunies qui sont devenues raides, faites tremper les vêtements dans un produit à base d'enzymes. Je vous conseille d'essayer le produit Biz All Fabric Bleach™. Faites une pâte épaisse avec la poudre et de l'eau froide, puis frottez les régions jaunies. Placez ensuite le vêtement dans un sac plastique et laissez reposer huit heures ou jusqu'au lendemain. Lavez dans une eau très chaude. Si le vêtement ne supporte pas l'eau chaude, étendez-le au-dessus de l'évier et versez un litre (4 tasses) d'eau chaude directement sur la région des aisselles. Lavez ensuite comme d'habitude.

Ne repassez jamais une tache de déodorant sinon vous ne réussirez jamais à la faire partir.

J'ai aussi eu du succès en faisant tremper les vêtements tachés dans une solution composée d'un litre (4 tasses) d'eau chaude et de 45 ml (3 cuillères à soupe) de Brilliant Bleach™. Laissez tremper plusieurs jours si nécessaire. Brilliant Bleach™ est sans danger pour les vêtements blancs et les couleurs grand teint.

Un dernier effort — Vaporisez généreusement les régions jaunies avec du vinaigre blanc chaud, puis faites pénétrer du Borax Mule Team®. Enroulez ensuite le vêtement sur lui-même et placez-le dans un sac plastique. Laissez reposer jusqu'au lendemain, puis lavez comme d'habitude.

ASSOUPLISSANT TEXTILE : Pour remédier aux taches graisseuses qui apparaissent parfois sur les vêtements lorsqu'on utilise de l'assouplissant textile en feuilles, mouillez la tache, puis frottez-la avec une barre de savon pur et relavez le vêtement.

Pour venir à bout des taches d'assouplissant textile liquide, frottez-les avec du liquide à vaisselle non dilué et relavez.

AUTOCOLLANTS : Faites chauffer du vinaigre blanc et appliquez-le, non dilué, directement sur le tissu. Laissez reposer jusqu'à ce que l'autocollant puisse être pelé facilement.

BEURRE OU MARGARINE : Grattez les résidus de beurre à l'aide d'un objet plat non coupant, comme le dos d'un couteau.

Pour nettoyer les tissus lavables, faites pénétrer du liquide à vaisselle non dilué, lavez et séchez.

S'il s'agit d'une vieille tache, vaporisez du lubrifiant WD-40® pour régénérer la graisse, puis faites pénétrer du liquide à vaisselle non dilué et lavez en utilisant l'eau la plus chaude que peut supporter ce genre de tissu.

Épongez les vêtements délicats ou en soie avec le produit Energine Cleaning Fluid®. Laissez sécher à l'air libre. Répétez si nécessaire.

Ne repassez pas le tissu tant que toutes les traces de graisse n'ont pas disparu. Le repassage incrusterait la tache et il deviendrait alors impossible de la faire partir.

Apportez chez le teinturier les vêtements qui doivent être nettoyés à sec le plus tôt possible. Assurez-vous de bien identifier la tache et d'indiquer où elle se trouve.

BOISSON : Épongez immédiatement les éclaboussures de boisson jusqu'à ce que vous ayez absorbé le plus de liquide possible, puis nettoyez avec de l'eau chaude et un peu de borax (environ 3 ml [1/2 cuillère à thé] de borax pour 125 ml [une demi-tasse] d'eau). Essuyez et épongez à plusieurs reprises, puis lavez comme d'habitude.

Pour plus d'informations, voir **les taches de boissons spécifiques.**

BOISSONS ALCOOLISÉES : Ces taches brunissent avec le temps; il est donc important de les traiter le plus tôt possible. Premièrement, rincez la région touchée à l'eau froide ou avec de l'eau gazéifiée (club soda), puis épongez immédiatement la tache avec un linge humide que vous aurez à peine trempé dans une eau chaude contenant une ou deux gouttes de savon liquide pour la vaisselle. Rincez ensuite à l'eau froide et faites sécher la région touchée avec un séchoir à cheveux à puissance moyenne.

Si l'alcool est souvent invisible lorsqu'on le renverse, il peut s'oxyder sous l'effet de la chaleur et du temps, et rendre ainsi le nettoyage pratiquement impossible. Faites tremper les taches d'alcool oxydées dans une solution à base d'enzymes, comme Biz All Fabric Bleach™, puis lavez comme d'habitude.

Si vous renversez de l'alcool sur un tissu qui se nettoie à sec, rincez à l'eau froide ou avec de l'eau gazéifiée (club soda), puis portez votre vêtement chez le teinturier le plus tôt possible. Assurez-vous d'indiquer où se trouve la tache.

Pour les taches de bière, épongez avec une solution composée d'une part de vinaigre blanc et d'une part de liquide à vaisselle, puis rincez à l'eau chaude.

Pour traiter les taches de vin rouge et de vin blanc, voir **Vin.**

BOISSONS GAZEUSES : Voir **Cola et boissons gazeuses.**

BONBON : Pour enlever les taches de bonbon sur les vêtements, mélangez 15 ml (1 cuillère à soupe) de liquide à vaisselle, 15 ml (1 cuillère à soupe) de vinaigre blanc et un litre (4 tasses) d'eau chaude. Faites tremper la tache entre 15 et 30 minutes, puis rincez à l'eau chaude. Prétraitez et lavez comme d'habitude.

Pour enlever les taches de chocolat, voir **Chocolat.**

BOUE : Le mot clé ici est «sec». Laissez sécher la boue. Ne traitez jamais une tache de boue fraîche si ce n'est pour enlever les résidus solides à l'aide d'un objet plat non coupant. Une fois que la boue est sèche, utilisez le tuyau de votre aspirateur (vous obtiendrez ainsi une meilleure succion) pour aspirer la boue séchée. Ce travail est plus facile à deux : l'un tient le tissu, l'autre tient le tuyau de l'aspirateur.

Frottez la tache de boue avec une demi-pomme de terre crue et lavez comme d'habitude.

Pour venir à bout des taches tenaces, épongez avec une égale quantité d'alcool à 90 degrés et d'eau froide. S'il s'agit de taches de boue de couleur rouge, utilisez un produit contre la rouille (voir Rouille). En frottant une tache de boue fraîche avec du borax 20 Mule Team®, on arrive souvent à la faire partir.

Avant de procéder au lavage, vaporiser la tache avec le produit Spot Shot Instant Carpet Stain Remover® peut aussi s'avérer utile.

CAFÉ ET THÉ (NOIR OU SUCRÉ) : Épongez tout ce que vous pouvez,
puis, si le vêtement est lavable, rincez-le immédiatement à l'eau froide. Frottez la tache avec du détergent en vous servant de vos doigts, puis lavez comme d'habitude. Si la tache est encore visible et que le tissu est lavable à l'eau chaude, étendez le vêtement au-dessus de l'évier ou tendez-le au-dessus d'un bol à l'aide d'une attache ou d'un élastique (comme un petit trampoline), puis placez le bol dans l'évier. Recouvrez la tache avec du borax 20 Mule Team®, puis versez de l'eau bouillante en faisant des mouvements concentriques, en commençant par l'extérieur et en terminant par le centre. Laissez tremper 30 minutes ou une heure, puis relavez.

Pour les tissus plus délicats, utilisez Brilliant Bleach™.

Pour les vêtements blancs plus résistants, comme les tricots et les T-shirts, faites dissoudre deux tablettes de nettoyant pour dentiers dans un peu d'eau chaude et laissez tremper pendant 30 minutes. Vérifiez l'état du vêtement. Si la tache est toujours visible, laissez tremper encore quelques minutes, puis lavez comme d'habitude.

Vous êtes au restaurant ? Trempez votre serviette de table dans l'eau, saupoudrez la tache de sel, puis épongez la tache.

Pour enlever les taches de café latte et de cappuccino, voir **Lait.**

CERNES AUTOUR DU COL : Ceci s'adresse à toutes les femmes qui ont un
mari qui ne fait jamais le lavage, à toutes celles qui ne savaient pas qu'avec la bague de mariage venaient aussi les cernes autour du col ! Mais rassurez-vous, on peut facilement les faire disparaître (les taches — et non les maris !)

Utilisez tout simplement un peu de shampoing bon marché! Le shampoing dissout les corps gras; c'est pourquoi il est si efficace contre les cernes autour du col. Gardez-en dans votre salle de lavage, dans une bouteille munie d'un bouchon distributeur. Recouvrez les taches de shampoing et faites pénétrer, puis lavez comme d'habitude.

CHEWING-GUM : Pour venir à bout du chewing-gum, il faut d'abord le faire durcir. Pour ce faire, placez les articles sur lesquels il y a du chewing-gum dans un sac plastique, puis placez le tout dans le congélateur jusqu'au lendemain. Après avoir retiré le sac du congélateur, grattez immédiatement le plus de chewing-gum possible à l'aide d'un objet plat non coupant. Si vous parvenez à retirer tout le chewing-gum, traitez le tissu avec un mélange de vinaigre blanc et de liquide à vaisselle. Vous pouvez aussi utiliser de l'essence à briquet, mais vous devrez sortir à l'extérieur, faire preuve de beaucoup de prudence et tester d'abord le tissu.

On arrive parfois à faire partir les derniers résidus en les frottant avec du blanc d'œuf (et non avec le jaune — ce n'est pas une plaisanterie!)

Si le chewing-gum est toujours incrusté, faites pénétrer un peu de gelée de pétrole dans les fibres, puis grattez les petites billes qui se seront formées. Suivez ensuite les instructions présentées à la section Graisse pour enlever la gelée de pétrole.

La gelée de pétrole peut aussi ramollir les vieux chewing-gums séchés. Il suffit de faire pénétrer de la gelée de pétrole dans le chewing-gum, puis de gratter tout ce que vous pouvez.

Pour ceux que cela intéresse, oui, le beurre d'arachide est efficace, mais aussi plus salissant. Je vous conseille de manger le beurre d'arachide et d'utiliser la gelée de pétrole!

La compagnie Carbona® fabrique un produit appelé Stain Devil for Chewing Gum Removal, un bon petit détachant spécialisé.

Pour les tissus qui se nettoient à sec, faites congeler le tissu et enlevez le plus de chewing-gum possible en grattant, puis dépêchez-vous de l'apporter chez votre teinturier.

CHOCOLAT : Grattez tout ce que vous pouvez, puis faites tremper les tissus lavables pendant 30 minutes dans une solution à base d'enzymes comme Biz™. Frottez ensuite la tache avec du détergent en vous servant de vos doigts. Rincez vigoureusement la région tachée à l'eau courante froide. Si la tache de graisse persiste, épongez-la avec un produit de nettoyage à sec comme Energine Cleaning Fluid™. Tous les autres résidus devraient disparaître au lavage. Si malgré tout la tache est encore visible, faites tremper le tissu dans le Brilliant Bleach™ ou mélangez 125 ml (une demi-tasse) de peroxyde d'hydrogène et 15 ml (1 cuillère à soupe) d'ammoniaque et laissez tremper la tache pendant 10 minutes, en vérifiant tous les 10 minutes s'il est nécessaire de recommencer. N'oubliez pas de vérifier si les couleurs sont grand teint avant d'utiliser du peroxyde.

Pour les tissus qui se nettoient à sec, rincez à l'eau gazéifiée (club soda) pour éviter que la tache ne s'incruste, puis épongez avec du Energine Cleaning Fluid™. Si la tache persiste, apportez le vêtement chez votre teinturier.

CIRE À CHAUSSURES

CIRE À CHAUSSURES : Faites pénétrer du détergent pour la lessive dans le tissu et rincez immédiatement. Pour les taches tenaces, utilisez de l'alcool : de l'alcool non dilué pour les vêtements blancs, et une part d'alcool et deux parts d'eau pour les vêtements de couleur. Rincez à nouveau ou essayez d'appliquer un peu de térébenthine après l'avoir d'abord testée sur une partie peu visible.

Les cires à chaussures sont à base d'huile et contiennent de la teinture. Utiliser de l'eau, de la chaleur ou un détachant liquide ne ferait qu'élargir et incruster la tache. Faites plutôt pénétrer de l'huile végétale ou du lubrifiant WD-40® et laissez reposer 15 minutes. Essuyez ensuite la tache avec un peu d'ammoniaque (sauf sur la soie), puis faites pénétrer du savon liquide pour lave-vaisselle non dilué et lavez comme d'habitude.

Le produit Energine Cleaning Fluid® peut aussi vous aider à faire disparaître les dernières taches restantes.

Si la cire à chaussures a déteint sur le tissu, faites-le tremper dans le Brilliant Bleach™ jusqu'à ce que la tache disparaisse.

Si la tache est sèche et incrustée, vous devrez sans doute la traiter avec de la gelée de pétrole. Recouvrez la tache et faites pénétrer la gelée, laissez reposer de 30 à 60 minutes, puis enlevez en grattant le plus de résidus de cire et de gelée possible. Faites ensuite pénétrer du savon liquide pour lave-vaisselle et rincez à l'aide d'un puissant jet d'eau chaude. Prétraitez et lavez comme d'habitude.

CIRE À CHAUSSURES LIQUIDE : Épongez tout ce que vous pouvez, mais ne frottez pas — cela ne ferait qu'élargir la tache. N'appliquez pas d'eau non plus. Saturez plutôt la tache avec de l'alcool — non dilué s'il s'agit d'articles blancs, dilué dans deux parts d'eau s'il s'agit d'articles de couleur. Continuez à rincer avec l'alcool, faites pénétrer dans la tache votre détergent pour la lessive préféré, puis frottez vigoureusement pour faire partir toute trace de la tache.

CIRE DE CHANDELLE : Pour enlever la cire sur les vêtements et les linges de table, placez les articles dans un sac plastique, puis mettez le sac au congélateur et attendez que la cire gèle. Grattez tout ce que vous pourrez à l'aide d'un objet plat non tranchant, comme le dos d'un couteau ou une vieille carte de crédit. Placez un sac en papier brun (assurez-vous qu'il n'y a rien d'imprimé dessus) sur votre planche à repasser, puis étendez le tissu afin que la cire soit en contact avec le sac. (Vous pouvez bien sûr utiliser des sacs d'épicerie. Assurez-vous toutefois que les inscriptions font face à la planche et non au tissu. Autrement, vous risqueriez de les transférer sur votre vêtement.) Recouvrez avec un autre sac (encore une fois, en vous assurant que les inscriptions ne touchent pas au tissu), puis repassez à l'aide d'un fer tiède en déplaçant le sac comme s'il s'agissait d'un buvard jusqu'à ce que toute la cire soit absorbée. Soyez patient! Épongez avec de l'Energine Cleaning Fluid® pour enlever tout ce qui pourrait rester de graisse.

Le produit Wieman Wax Away™ fonctionne aussi très bien sur toutes les taches de cire. Lisez attentivement les instructions avant de vous en servir.

COLA ET BOISSONS GAZEUSES : Épongez les taches de boissons gazeuses le plus rapidement possible avec une solution composée d'une part égale d'eau et d'alcool. S'il s'agit d'un vêtement lavable, blanchissez les taches restantes en mélangeant une part égale d'eau et de peroxyde d'hydrogène. Saturez la tache et attendez 20 minutes. Si la tache a disparu, lavez comme d'habitude. Répétez l'opération si la tache est encore visible. Vous pouvez aussi faire tremper le tissu dans une solution de Brilliant Bleach™; vous n'avez qu'à suivre les instructions sur la boîte.

Vous pouvez également faire partir les taches de cola et de boissons gazeuses avec du borax. Mouillez la tache, saupoudrez du borax, puis faites-le pénétrer avec vos doigts. Rincez à l'eau claire et traitez à nouveau la tache si nécessaire.

Il est important de faire disparaître la tache le plus tôt possible : les colas et les boissons gazeuses décolorent les tissus lorsqu'ils s'oxydent.

COLLE, ADHÉSIF, MUCILAGE : Les colles et les adhésifs modernes s'enlèvent très difficilement. Il faudra peut-être utiliser un solvant spécial. Apportez le vêtement chez votre teinturier et assurez-vous d'identifier la tache.

Voici un aperçu des différentes sortes de colle et des techniques appropriées.

Colle pour modèles réduits : On peut généralement en venir à bout avec du dissolvant pour vernis à ongles contenant de l'acétone, mais vous devrez peut-être acheter de l'acétone pure dans une quincaillerie ou dans un magasin où l'on vend des produits de beauté. Testez toujours au préalable l'acétone sur une partie peu visible du vêtement.

Plastique adhésif : Pour obtenir de meilleurs résultats, traitez ces taches avant qu'elles ne sèchent. Essayez de faire pénétrer de l'eau froide et du détergent. Si la tache demeure, amenez à ébullition 125 ml (une demi-tasse) de vinaigre blanc, puis plongez-y le tissu. Ayez toujours du vinaigre chaud sous la main afin de pouvoir remplacer les premiers 125 ml lorsqu'ils commenceront à refroidir. Continuez à faire chauffer du vinaigre et à traiter la tache pendant 15 ou 20 minutes.

Colle de caoutchouc : Grattez tout ce que vous pouvez à l'aide d'un objet plat non coupant que vous pourrez ensuite jeter à la poubelle. (N'utilisez pas votre carte de crédit — à moins que vous ayez dépassé votre marge de crédit!) Puis traitez la tache avec du Energine Cleaning Fluid®.

Vous pouvez aussi essayer de faire pénétrer de la gelée de pétrole dans la colle jusqu'à ce qu'il se forme des petites billes. Vous n'aurez plus alors qu'à gratter le tissu. Traitez la tache avec du liquide à vaisselle non dilué, puis lavez l'article en vous servant de l'eau la plus chaude possible pour ce genre de tissu.

Colles diverses : Épongez ou rincez le tissu à l'eau chaude. Faites pénétrer dans la tache votre détergent en poudre ou votre détergent liquide préféré, ainsi qu'un peu de borax 20 Mule Team®. Frottez vigoureusement entre vos doigts. Rincez et lavez l'article en vous servant de l'eau la plus chaude possible pour ce genre de tissu.

Rappelez-vous qu'un peu de savon et d'eau froide viendront à bout de la plupart des colles synthétiques si la tache est encore fraîche. Pour les colles transparentes, à base de plastique ou de caoutchouc, utilisez de l'acétone. Assurez-vous d'abord de tester l'acétone sur une partie peu visible et n'oubliez pas qu'il ne faut jamais en appliquer sur des tissus en acétate : ceux-ci se dissoudraient.

Pour les taches de colle séchées et incrustées, faites tremper le tissu dans une solution de vinaigre blanc et d'eau bouillante. Utilisez deux parts de vinaigre blanc dans dix parts d'eau et laissez tremper entre 30 et 60 minutes. Vous devrez sans doute gratter les résidus de colle lorsqu'elle commencera à ramollir. Puis prétraitez et lavez comme d'habitude.

COLORANT ALIMENTAIRE : Les jus de fruits, les desserts à la gélatine, les yogourts fouettés aux fruits et les bâtonnets de fruits congelés contiennent tous des colorants alimentaires qui peuvent laisser de vilaines taches sur les vêtements.

Traiter la tache tandis qu'elle est encore fraîche est la meilleure chose que vous puissiez faire. Si vous êtes loin de la maison et que vous n'avez pas sur vous de produits nettoyants, rincez la tache avec de l'eau gazéifiée (club soda) ou dé l'eau et épongez, épongez, épongez. Si vous êtes à la maison, prétraitez la tache avec 250 ml (une demi-tasse) d'eau et 15 ml (1 cuillère à soupe) d'ammoniaque. Après avoir rincé la tache avec cette solution, faites pénétrer du sel dans la plaie... Je veux dire dans la tache! Laissez reposer quelques heures, puis enlevez le sel à l'aide d'une brosse. Si la tache est toujours visible, recommencez le même procédé.

Vous pouvez aussi essayer d'étirer le tissu et de le tenir sous un puissant jet d'eau froide. Vous arriverez ainsi à rincer le plus gros de la tache sans l'élargir. Faites ensuite pénétrer votre détergent préféré dans la tache en frottant vigoureusement le tissu entre vos doigts. Rincez à nouveau à l'eau froide. N'appliquez pas de chaleur avant que la tache ait complètement disparu.

J'ai toujours obtenu beaucoup de succès avec le produit Brilliant Bleach™ (suivez les instructions pour le lavage à la main).

Si vous êtes aux prises avec une tache de couleur rouge, orange ou violette, essayez le produit Wine Away Red Wine Stain Remover™ (suivez les instructions sur la boîte). Ne vous laissez pas avoir par le nom — ce produit est efficace contre toutes les taches de couleur rouge. Vous n'en croirez pas vos yeux!

Rappelez-vous, si vous n'arrivez pas à faire partir la tache dans un premier temps, elle ne partira pas au lavage !

CRAYON : Vous voulez savoir si c'est facile ? Prenez une belle gomme propre et souple, et frottez doucement les marques pour les faire partir ! Assurez-vous toutefois que la gomme est propre, sinon vous élargirez la tache. Si la marque est tenace, utilisez le produit Energine Cleaning Fluid®.

CRAYON DE CIRE ET CRAYON DE COULEUR : Placez l'article taché sur un tampon de serviettes en papier, puis vaporisez la tache avec du lubrifiant WD-40®. Laissez reposer quelques minutes, puis retournez-le et vaporisez l'autre côté. Laissez reposer encore une dizaine de minutes, puis faites pénétrer du liquide à vaisselle non dilué dans la tache pour faire partir les résidus de crayon et d'huile. Remplacez le tampon de serviettes en papier si nécessaire. Lavez en utilisant l'eau la plus chaude possible pour ce genre de tissu, avec votre détergent habituel et l'agent de blanchiment approprié (selon que le vêtement est blanc ou coloré). Sélectionnez le cycle de lavage le plus long et rincez bien.

On peut aussi faire partir les taches de crayon sur la laine, l'acrylique, le lin, le coton et le polyester en plaçant la tache entre deux épaisseurs de papier brun et en repassant à l'aide d'un fer chaud. Les sacs d'épicerie conviennent parfaitement ; assurez-vous toutefois que les inscriptions à l'encre n'entrent pas en contact avec le tissu. Le papier agit comme un buvard et absorbe les marques de crayon. Il faut donc le changer à mesure qu'il absorbe la cire. Si des traces de couleur sont toujours visibles, faites tremper le vêtement dans le Brilliant Bleach™ ou rincez-le avec du Energine Cleaning Fluid®.

Note : ne paniquez pas si un crayon s'est retrouvé dans la sécheuse. Vaporisez du lubrifiant WD-40® sur un vieux chiffon, puis essuyez la cuve de fond en comble. Assurez-vous que la sécheuse est vide avant de la nettoyer ; elle ne doit contenir ni vêtement ni crayon. Lorsque vous aurez terminé, remplissez la sécheuse avec des chiffons secs et procédez à un cycle de séchage normal. Vous éliminerez ainsi tous les résidus huileux.

CRÈME À MAINS : Épongez tout ce que vous pouvez, puis traitez la tache avec le produit Energine Cleaning Fluid® en l'appliquant sur l'envers du tissu. Lorsque la tache a disparu, lavez comme d'habitude.

CRÈME GLACÉE : Hum! J'adore m'en mettre plein la panse — mais pas sur mes vêtements! Épongez le vêtement le plus rapidement possible avec de l'eau froide, de l'eau gazéifiée (club soda) ou de l'eau de Seltz. Si la tache persiste, traitez-la avec de l'eau froide et de l'attendrisseur à viande non assaisonné. Laissez tremper le tissu pendant environ 30 minutes, puis rincez à l'eau froide pour voir si la tache a disparu. Prétraitez avec Spot Shot Carpet Stain Remover® ou Zout®, puis lavez comme d'habitude.

Si la tache de graisse persiste, traitez-la avec du Energine Cleaning Fluid®. Appliquez le produit sur l'envers du tissu, en prenant soin de placer un tampon de serviettes en papier sous le tissu pour absorber la tache et la solution détachante.

On arrive parfois à faire partir les taches de crème glacée en appliquant un peu d'ammoniaque. Lavez ensuite comme d'habitude.

ENCRE : Comment un si petit stylo peut-il causer de si gros dégâts? Votre première ligne de défense consiste à frotter la tache avec de l'alcool. Épongez la tache d'encre ou plongez-la dans un verre rempli d'alcool à 90 degrés. Laissez tremper jusqu'à ce que la tache ait disparu. Ne vous laissez pas tenter par la laque pour les cheveux. Ce truc était peut-être efficace à l'époque, mais les laques d'aujourd'hui contiennent beaucoup d'huile; cela ne ferait qu'élargir la tache.

L'alcool dénaturé — un alcool beaucoup plus puissant que l'alcool à 90 degrés — peut s'avérer encore plus efficace. Testez d'abord l'alcool sur une partie peu visible du vêtement, car celui-ci peut endommager certains tissus.

Vous pouvez aussi essayer d'utiliser de l'acétone. Vous devez aussi la tester. (Et vous rappeler qu'il ne faut jamais appliquer d'acétone sur de l'acétate.)

Frotter vigoureusement la tache avec de la pâte dentifrice blanche peut aussi s'avérer efficace. Lorsque vous avez terminé, prétraitez et lavez comme d'habitude.

Il suffit parfois de faire tremper les taches d'encre dans du lait pour les dissoudre.

La térébenthine est particulièrement efficace pour venir à bout des taches tenaces. Après avoir placé l'article sur un tampon de serviettes en papier, tamponnez l'envers du tissu avec de la térébenthine en vous servant du dos d'une cuillère ou d'une vieille brosse à dents. Ne frottez surtout pas. Faites pénétrer un peu de liquide à vaisselle avant de laver l'article, puis lavez à l'eau la plus chaude possible que peut supporter ce genre de tissu. S'il vous plaît, jetez immédiatement toutes les serviettes en papier saturées de térébenthine à l'extérieur.

Certaines encres nécessitent l'utilisation de solvant; c'est pourquoi vous aurez peut-être besoin d'un produit comme Energine Cleaning Fluid®.

Enlevez les marques de stylo à bille sur le cuir en les frottant avec un produit pour cuticules ou de la gelée de pétrole. Pour obtenir de bons résultats, vous devrez peut-être les laisser sur la tache pendant plusieurs jours.

Pour détacher du vinyle, croyez-le ou non, la meilleure chose à faire est de piquer une colère et de cracher dessus! Si vous agissez rapidement, votre salive fera partir les marques de stylo à bille. Appliquez généreusement, puis essuyez avec un chiffon doux. Pour venir à bout des vieilles taches, appliquez de la glycérine, laissez reposer pendant 30 minutes, puis essayez de les faire partir avec un linge humide que vous aurez frotté sur une barre de savon.

Encre pour photocopieuse (en poudre) — Tout d'abord, secouez prudemment tous les résidus de poudre, puis brossez délicatement avec une brosse souple. Une vieille brosse à dents fera parfaitement l'affaire. Prétraitez avec votre détachant favori ou essayez les produits Zout® ou Spot Shot Instant Carpet Stain Remover®, puis lavez comme d'habitude en utilisant l'eau la plus chaude que peut supporter ce genre de tissu. Ne frottez pas et ne brossez pas avec vos mains. L'huile à la surface de votre peau ne ferait qu'élargir et incruster la tache.

EYELINER ET FARD À PAUPIÈRES — Voir **Produits cosmétiques.**

FRUIT ET JUS DE FRUITS (voir aussi **Petits fruits**) : Avant de laver le tissu, vous devez absolument faire partir ces taches, sinon elles s'incrusteront sous l'effet combiné du temps et de la chaleur et personne ne pourra plus les enlever, pas même une reine.

Épongez ou vaporisez immédiatement la tache avec de l'eau gazéifiée (club soda) ou de l'eau de Seltz. Si vous n'en avez pas sous la main, utilisez de l'eau froide. *N'utilisez surtout pas d'eau chaude.* Rincez la tache le plus tôt possible tandis qu'elle est encore fraîche. Faites pénétrer un peu de votre détergent préféré en frottant le tissu entre vos doigts. Ensuite, rincez sous le robinet à l'eau chaude — l'eau doit être la plus chaude possible, tout dépendant du tissu. Tendez le tissu et assurez-vous que le jet d'eau passe bien à travers la tache. Plus le jet est puissant, mieux c'est.

Si la tache est toujours visible après le traitement, faites une pâte avec du borax 20 Mule Team® et de l'eau chaude, puis faites-la pénétrer dans le tissu. Laissez sécher et brossez pour enlever tous les résidus. Répétez ce procédé si nécessaire. Vous pouvez aussi tendre le tissu au-dessus d'un bol en le maintenant en place à l'aide d'un élastique. Saupoudrez un peu de borax 20 Mule Team® sur la tache, puis, en vous servant de l'eau la plus chaude possible pour ce genre de tissu, versez l'eau sur le borax en faisant des mouvements concentriques, en commençant par l'extérieur de la tache et terminant par le centre.

Les taches fraîches de fruits, si elles sont traitées promptement, vont généralement disparaître. Il est impératif de les traiter le plus rapidement possible, surtout s'il s'agit de pêches ou d'agrumes.

Taches incrustées — Avant d'enlever une tache incrustée, vous devez d'abord la reconstituer. Pour ce faire, appliquez de la glycérine, frottez bien et laissez reposer pendant 30 minutes. Vous pouvez ensuite la traiter comme s'il s'agissait d'une tache fraîche.

Pour les tissus non lavables, épongez doucement la tache avec de l'eau froide, puis apportez le vêtement chez votre teinturier. Assurez-vous d'identifier la tache afin qu'elle puisse être traitée adéquatement.

S'il s'agit d'une tache de couleur rouge, utilisez le produit Wine Away Red Wine® tel que c'est indiqué à la section sur les petits fruits.

GAZON, FLEURS ET FEUILLAGE : On peut s'y prendre de diverses façons pour enlever une tache de gazon. Choisissez-en une et essayez-la. Si la tache ne part pas complètement, essayez-en une autre. Ne mettez pas vos vêtements dans la sécheuse avant que la tache ait disparu.

D'abord, un mot d'avertissement : évitez les alcalis, comme l'ammoniaque, les dégraissants et les détergents alcalins. Ils interagissent avec les tanins présents dans les taches de gazon et peuvent les rendre permanentes.

Premièrement, épongez à plusieurs reprises les tissus lavables avec de l'alcool à 90 degrés. Si la tache persiste, épongez-la avec du vinaigre blanc, puis rincez. Faites ensuite pénétrer un peu de votre détergent pour lessive préféré et rincez à grande eau.

Frotter les taches de gazon avec de la pâte dentifrice blanche suffit souvent à les faire partir. Frottez bien, puis rincez et lavez comme d'habitude.

Pour détacher les jeans, appliquez de l'alcool non dilué et laissez tremper pendant 10 minutes avant de procéder au lavage.

Les produits Zout® et Spot Shot Carpet Stain Remover® sont aussi très efficaces contre les taches de gazon. Suivez les instructions sur l'étiquette. Pour traiter efficacement les taches tenaces, faites une pâte avec Biz All Fabric Bleach™ et de l'eau froide.

Pour faire disparaître les taches de gazon sur des chaussures blanches en cuir, frottez la tache avec de la \ et laissez reposer toute la nuit. Le lendemain, enlevez la mélasse avec de l'eau chaude et du savon, et la tache de gazon aura disparu.

Pour les articles en suède, y compris les chaussures, frottez la tache avec une éponge que vous aurez trempée dans la glycérine. Frottez-la ensuite avec un chiffon que vous aurez trempé dans le vinaigre blanc, puis brossez délicatement le tissu pour replacer les poils. Laissez sécher et brossez à nouveau. N'oubliez pas de faire un test sur une partie peu visible.

GOUDRON : Enlevez le plus de résidus solides possible en vous servant d'un couteau en plastique jetable. Étendez la tache sur un épais tampon de serviettes en papier et appliquez de la glycérine sur le tissu, puis tapotez avec le dos d'une vieille brosse à dents ou d'une cuillère en plastique. Changez les serviettes en papier à mesure qu'elles absorbent le goudron. Finalement, lorsque vous aurez enlevé le plus de goudron possible, faites pénétrer un peu de térébenthine ou d'huile d'eucalyptus. Rincez la région de la tache avec de l'alcool ou faites pénétrer de savon liquide pour lave-vaisselle non dilué. Prétraitez et lavez comme d'habitude. Le produit Spot Shot Carpet Stain Remover® convient parfaitement à ce genre de taches.

Goudron séché — Faites chauffer de la glycérine ou un peu d'huile d'olive, étendez sur la surface et laissez reposer jusqu'à ce que le goudron ramollisse. Procédez ensuite en suivant les instructions données précédemment.

Les tissus non lavables devraient être apportés chez le teinturier le plus tôt possible.

GRAISSE ET HUILE (y compris huile de cuisson et sauce à salade) : Les taches de graisse et d'huile doivent être nettoyées à fond, sinon il se formera une tache semi-transparente qui attirera la poussière et noircira avec le temps.

Avant de traiter une tache de graisse, il est préférable de savoir s'il s'agit d'huile animale, végétale ou d'huile à moteur.

Pour traiter la tache, enlevez d'abord le plus de matière graisseuse possible en prenant soin de ne pas en faire pénétrer davantage dans les fibres du tissu. Utilisez des serviettes en papier pour éponger et absorber le plus de graisse possible. Ensuite, appliquez un agent absorbant comme du bicarbonate de soude, de la fécule de maïs ou du talc. Frottez doucement et laissez reposer entre 15 et 30 minutes afin de permettre l'absorption de la graisse. Après avoir enlevé minutieusement l'agent absorbant à l'aide d'une brosse, vérifiez l'état de la tache. S'il est encore possible d'absorber de la graisse, répétez le processus.

Étendez ensuite le tissu sur un linge épais ou plusieurs épaisseurs de serviettes en papier, puis épongez l'envers du tissu avec le produit Energine Cleaning Fluid®. Changez le tampon de serviettes en papier sous le tissu au besoin et répétez le procédé si nécessaire.

Si vous êtes confronté à des taches tenaces, rappelez-vous que la graisse chasse la graisse. Vaporisez les taches de graisse avec du lubrifiant WD-40® et laissez reposer pendant 10 minutes, puis faites pénétrer un peu de liquide à vaisselle non dilué en vous servant de vos doigts. Rincez à l'eau la plus chaude que peut supporter le tissu, puis prétraitez et lavez comme d'habitude. N'utilisez pas cette méthode avec de la soie ou des articles infroissables.

La plupart des taches de graisse jaunissent avec le temps et sous l'effet de la chaleur. Pour traiter ces taches, faites-les tremper dans du peroxyde d'hydrogène dilué ou dans le Brilliant Bleach™. N'utilisez pas ces produits à moins d'être sûr que les vêtements sont grand teint.

Utilisez le produit Energine Cleaning Fluid® pour détacher les tissus qui se nettoient à sec ou apportez-les chez un teinturier professionnel.

Pour les vêtements de travail extrêmement sales, versez une cannette de Coca-Cola® Classique dans la machine à laver avec votre détergent habituel et lavez comme d'habitude. Ce mélange de sucre et de sirop fait des merveilles!

HUILE (voir aussi Graisse et huile) : Épongez immédiatement les taches d'huile, mais évitez de frotter, sinon vous ferez pénétrer l'huile encore plus profondément dans les fibres. Utilisez votre détachant textile préféré pour prétraiter les tissus lavables ou utilisez l'un des détachants recommandés dans ce livre. Lavez à l'eau la plus chaude que peut supporter le textile.

Les tissus non lavables doivent être nettoyés à sec.

JUS DE VIANDE : Une fois séchés, les jus de viande sont très difficiles à faire partir; c'est pourquoi il est important de réagir rapidement. Épongez immédiatement la surface avec de l'eau froide (jamais d'eau chaude — la tache deviendrait permanente) ou de l'eau gazéifiée (club soda). Appliquez ensuite de l'attendrisseur à viande non assaisonné et de l'eau froide en prenant soin de bien faire pénétrer le mélange. Laissez reposer de 30 à 60 minutes, puis prétraitez et lavez comme d'habitude, mais assurez-vous d'utiliser de l'eau *froide*.

Si le tissu doit être nettoyé à sec, épongez la tache avec de l'eau froide et apportez l'article chez un teinturier professionnel.

KETCHUP — Voir **Taches de tomate.**

KOOL-AID™ : Rincez la tache le plus rapidement possible avec de l'eau gazéifiée (club soda), puis placez-la sous le robinet, sous un puissant jet d'eau. Si la tache persiste, faites-la tremper dans le Brilliant Bleach™ jusqu'à ce qu'elle disparaisse. Cela peut prendre plusieurs heures, voire plusieurs jours, tout dépendant du tissu et de la tache. Si vous utilisez le produit Brilliant Bleach™, ne faites tremper que des vêtements blancs ou grand teint.

Pour enlever les taches de jus de raisin, de punch aux fruits ou d'autres boissons de couleur rouge, utilisez Wine Away Red Wine Stain Remover™ pour obtenir un résultat instantané.

LAIT / CRÈME / CRÈME FOUETTÉE / CRÈME 11,5 % M.G. (crème fleurette) : Placez le tissu sous le robinet et rincez à l'aide d'un puissant jet d'eau froide. Traitez ensuite la tache avec de l'attendrisseur à viande non assaisonné et de l'eau froide. Laissez tremper pendant 30 minutes, puis rincez à nouveau à l'eau froide. Si des taches d'apparence graisseuse persistent, traitez-les avec le produit Energine Cleaning Fluid®, en prenant soin de l'appliquer sur l'envers du tissu et de placer un épais tampon de serviettes en papier sous celui-ci. Lavez ensuite comme d'habitude.

Pour traiter les tissus lavables tachés de lait, rincez-les à l'eau froide avant de faire pénétrer du détergent et un peu d'ammoniaque. Lavez à l'eau froide et faites sécher à l'air.

Pour les tissus qui se nettoient à sec, apportez-les le plus tôt possible chez un teinturier professionnel et assurez-vous de bien identifier la tache lorsque vous déposerez l'article.

MAQUILLAGE (fond de teint, poudre, fard à joues, cache-cernes) : Saupoudrez les taches de bicarbonate de soude, puis brossez à l'aide d'une vieille brosse à dents mouillée jusqu'à ce que le maquillage ait disparu. Vous pouvez aussi utiliser de la pâte dentifrice blanche.

Le liquide à vaisselle et le shampoing vont généralement venir à bout des taches de maquillage. Faites pénétrer le produit dans la tache en frottant vigoureusement le tissu entre vos doigts.

Pour les taches tenaces, utilisez du démaquillant sans huile, prétraitez et lavez comme d'habitude. (Voir aussi **Produits de beauté.**)

MARQUES DE ROUSSI : Désolée de vous l'apprendre, mais on ne peut pas faire partir les marques de roussi.

On peut traiter les légères marques de roussi avec une part de peroxyde d'hydrogène et trois parts d'eau. Trempez un linge dans la solution, étendez-le sur les marques de roussi et appuyez avec un fer tiède. Repassez uniquement le linge, sinon vous risquez de créer de nouvelles marques de roussi sur le tissu. Testez d'abord cette méthode sur une petite partie peu visible.

Si les marques sont toujours visibles, versez un peu de peroxyde d'hydrogène et étendez le vêtement au soleil.

On peut traiter les très légères marques de roussi de la même façon, en remplaçant le peroxyde d'hydrogène par de l'eau.

Si les marques de roussi sont apparues sur des vêtements blancs, saturez-les de jus de citron et étendez-les au soleil. Appliquez régulièrement du jus de citron jusqu'à ce que la tache disparaisse.

Pour les cotons blancs, en les faisant bouillir dans 125 ml (une demi-tasse) de savon et 2 l (8 tasses) de lait, on arrive parfois à faire partir les taches. Mais c'est à vos propres risques et périls. Certains tissus ne supportent pas d'être bouillis.

Pour les légères marques de roussi, vous pouvez frotter le tissu avec un demi-oignon (ne prenez pas d'oignons rouges, ils tachent), puis le tremper dans l'eau froide pendant quelques heures. Lavez ensuite comme d'habitude.

N'oubliez pas : les fibres roussies sont endommagées ; alors, allez-y doucement et relevez toujours l'article après que les marques de roussi ont disparu.

MARQUEUR (indélébile) : Premièrement, indélébile veut souvent dire indélébile. Mais avant de jeter la serviette — ou le chemisier ou le pantalon ou quoi que ce soit d'autre —, voici ce que vous devriez faire.

Remplissez un verre d'alcool dénaturé (utilisez un verre approprié à la taille de la tache), puis plongez la partie tachée dans l'alcool et laissez tremper. Si la tache commence à partir, continuez le procédé.

Si la tache persiste, frottez-la avec une vieille brosse à dents, de la pâte dentifrice blanche et un peu de bicarbonate de soude. Frottez vigoureusement, puis rincez. Si la tache de marqueur est sur le point de disparaître, faites tremper l'article dans 250 ml (une demi-tasse) d'eau chaude, puis ajoutez deux tablettes de nettoyant pour dentiers et du Brilliant Bleach™ pour couleurs grand teint. Cela prendra un certain temps, mais la tache finira par partir complètement. Patientez, cela en vaut la peine.

Si la tache de marqueur est toujours là, frottez-la avec du savon Lava™ avant d'utiliser des tablettes de nettoyant pour dentiers ou un agent de blanchiment.

Bonne chance! Et méfiez-vous de ces gros marqueurs indélébiles ainsi que ceux de marque Sharpies™. Ce sont d'excellents marqueurs, mais ils sont sans pitié pour les vêtements! Si je vous disais le nombre de fois où j'ai «accidentellement» taché mes vêtements avec un Sharpies™ durant une séance de signatures!

MARQUEUR (lavable) : Rincez la tache à l'eau froide jusqu'à ce que vous ne puissiez plus faire partir de couleur. Placez l'article sur des serviettes en papier et saturez l'envers du tissu avec de l'alcool, en vous servant d'une boule de coton pour éponger la tache. Remplacez les serviettes en papier au besoin, au fur et à mesure qu'elles absorbent la couleur. Faites ensuite pénétrer un peu de savon Fels-Naphta®, puis, lorsqu'il y a beaucoup de mousse, lavez à l'eau chaude avec un détergent pour la lessive et un agent de blanchiment. Rincez une dernière fois à l'eau chaude.

MAYONNAISE : Voir **Graisse.**

MÉDICAMENTS : Il est impossible de dresser la liste de tous les médicaments en vente sur le marché. Malgré tout, cette section vous donnera une idée de ce qu'il faut faire — ou éviter de faire — pour chaque famille de médicaments.

Alcool : Les médicaments qui contiennent de l'alcool tachent rapidement. Traitez ces taches comme s'il s'agissait de taches d'alcool.

Fer : Le fer et les médicaments contenant du fer doivent être traités comme de la rouille.

Médicaments à base d'huile : Les médicaments à base d'huile doivent être traités avec un produit dégraissant. J'ai toujours obtenu de bons résultats avec le produit At Home All-Purpose Cleaner de Soapworks™. Faites pénétrer le produit non dilué dans la tache, puis rincez.

Vous pouvez aussi traiter ces taches comme vous le feriez pour une tache d'huile ou de graisse.

Sirops : Les sirops contre la toux et les médicaments pour les enfants s'enlèvent habituellement à l'eau froide. Faites tremper le tissu taché dans l'eau froide le plus tôt possible. Placer le tissu sous un puissant jet d'eau froide peut aussi s'avérer efficace. Vous devriez également essayer de faire pénétrer un peu de savon Fels-Naphta® ou de faire tremper la tache dans le Biz Non Chlorine Bleach™ ou le Brilliant Bleach™. Si le sirop est de couleur rouge, utilisez le produit Wine Away Red Wine Stain Remover™. (Je vous avais dit de ne pas vous laisser avoir par le nom! Il élimine toutes les taches de couleur rouge!)

MOISISSURE : La moisissure est un champignon qui pousse et s'épanouit dans les lieux chauds, humides et sombres, comme la douche, le sous-sol, etc. La meilleure façon de contrer la moisissure est de s'assurer que les choses sont sèches *avant* de les ranger. Certaines spores invisibles peuvent se développer très rapidement et atteindre des proportions gigantesques, surtout s'il s'agit de matières naturelles comme le coton, la laine, le cuir, le papier, le bois, etc.

Pour éviter la formation de moisissure, une bonne circulation d'air est indispensable. Il faut donc éviter d'entasser les vêtements dans les placards.

Rangez vos vêtements seulement s'ils sont propres et complètement secs.

Si vous devez ranger des articles en cuir, comme des sacs à main, des ceintures, des chaussures et même des valises, nettoyez-les bien, puis laissez-les au soleil pendant une heure ou deux. Ne rangez rien dans des sacs plastique, car ils ont tendance à emprisonner l'humidité.

Si un placard dégage une odeur de moisi ou de renfermé, il y a sûrement de la moisissure ; il faut donc agir rapidement et chasser l'humidité. Placer un ventilateur afin qu'il souffle dans le placard durant la nuit peut faire toute la différence. Le souffle du ventilateur améliorera la circulation d'air et asséchera le placard.

Bon, voici ce que vous devez faire s'il y a déjà des taches de moisissure sur du tissu. Premièrement, essayez de faire pénétrer un peu de savon Fels-Naphta® pour la lessive, puis lavez l'article. Si la tache persiste et que le tissu supporte les agents de blanchiment, laissez-le tremper dans 4 l d'eau froide et 30 à 45 ml (2 à 3 cuillères à soupe) d'agent de blanchiment.

Pour faire disparaître les traces de moisissure sur les vêtements blancs et de couleur grand teint, appliquez du jus de citron sur les taches, puis saupoudrez-les de sel et étendez les vêtements au soleil. Si vous avez un doute, testez d'abord cette méthode sur une partie peu visible.

Les articles en cuir représentent un tout autre défi. Sortez l'article à l'extérieur et enlevez les traces de moisissure avec une brosse. Essuyez le cuir avec un mélange composé d'une part égale d'eau et d'alcool à 90 degrés ou massez-le avec un produit à cuticules. Attendez 10 minutes, puis polissez vigoureusement avec un chiffon doux.

Lavez le cuir avec un savon pour le visage comme Dove® ou Caress™, puis polissez-le pour le faire sécher — ne rincez pas.

Rappelez-vous : avec la moisissure, la meilleure défensive est encore une bonne offensive, mais il vaut mieux prévenir que guérir.

MOUTARDE : Le nom suffit à me la faire monter au nez ! Tenter (je dis bien « tenter ») de faire partir une tache aussi tenace représente tout un défi.

Le curcuma — épice qui donne à la moutarde sa vive couleur jaune si particulière — est aussi l'ingrédient qui fait de la moutarde une sacrée bonne teinture !

Enlevez d'abord le plus de moutarde possible à l'aide d'un objet plat non coupant. Pliez ensuite le tissu afin de déloger les résidus incrustés dans les fibres du textile, puis appliquez de la glycérine (vous en trouverez dans la section des crèmes à mains de votre pharmacie) et laissez reposer au moins une heure. Finalement, prétraitez et lavez comme d'habitude.

Si le tissu est blanc ou grand teint, faites-le tremper dans le peroxyde d'hydrogène pendant 30 minutes. Brilliant Bleach™ peut aussi faire disparaître les taches de moutarde si vous laissez tremper le tissu assez longtemps.

Pour les vêtements blancs, faites dissoudre une tablette de nettoyant pour dentiers dans 125 ml d'eau froide et laissez tremper la partie tachée.

Choses à éviter : l'ammoniaque et la chaleur. Ils rendraient la tache permanente et vous ne pourriez plus l'enlever.

Et si on mangeait ce hot-dog uniquement avec du ketchup, qu'en dites-vous?

ODEURS : Éliminez les odeurs; ne vous contentez pas de les camoufler sous une tonne de parfum. J'aime bien pour ma part le déodorant ODORZOUT™, car il absorbe et élimine les odeurs de façon permanente, sans laisser derrière lui d'odeur désagréable. Ce produit est non toxique et peut être utilisé sans risque sur toutes les surfaces, qu'elles soient sèches ou mouillées. ODORZOUT™ est sans danger pour l'environnement et une petite quantité vous mènera loin. Ayez-en toujours sous la main. Il est très efficace contre à peu près toutes les odeurs habituelles, comme les odeurs de fumée, de moisissure, d'humidité, de fèces, d'urine, d'aliments, etc. N'utilisez pas de produits parfumés qui ne font que camoufler les odeurs.

ŒUF : Premièrement, grattez tous les résidus de matière solide. Faites ensuite tremper le tissu dans un contenant en verre ou en plastique avec un produit à base d'enzymes, comme Biz Non Chlorine Bleach™. Laissez tremper pendant au moins six heures ou toute la nuit. Si la tache persiste, faites pénétrer un peu de détergent en poudre en frottant vigoureusement le tissu entre vos doigts. Rincez et lavez comme d'habitude. Vérifiez qu'il ne reste aucune tache lorsque vous retirerez le vêtement de la laveuse. N'appliquez surtout pas de chaleur si la tache est encore visible, sinon elle deviendra permanente.

Vous pouvez aussi essayer de traiter la tache avec de l'eau froide et de l'attendrisseur à viande non assaisonné. Faites pénétrer ce mélange dans la tache, puis laissez reposer pendant quelques heures en vous assurant que le tissu demeure toujours humide. Poursuivez ce traitement jusqu'à ce que la tache disparaisse.

Apportez vos vêtements non lavables chez le teinturier le plus tôt possible. Il est important de les traiter rapidement. Assurez-vous d'identifier la tache afin que votre teinturier puisse la traiter promptement et adéquatement.

ONGUENT (onguent à la vitamine A et D, Desitin®, oxyde de zinc) : Ceux qui ont des enfants connaissent ce genre de taches. Utilisez de l'eau chaude et du détergent, puis frottez le tissu contre lui-même pour faire partir l'huile. Si la tache persiste, traitez-la en suivant les indications présentées à la section **Graisse et huile.**

Pour les taches d'oxyde de zinc, faites tremper le vêtement dans le vinaigre blanc pendant 30 minutes après l'avoir traité selon le procédé présenté précédemment, puis lavez comme d'habitude.

PARFUM : Suivez les instructions présentées à la section **Boissons alcoolisées.** Pour ceux que cela intéresse : il est préférable de se parfumer juste avant de s'habiller, jamais après. Et ne vaporisez jamais de parfum directement sur vos vêtements ; cela les endommagerait. Cette combinaison d'alcool et d'huile est fatale pour les tissus.

PEINTURE (huile) : Activez-vous et essuyez les éclaboussures le plus rapidement possible. Inutile de tenter votre chance si la peinture est sèche. Si vous devez vous rendre au magasin pour acheter un produit nettoyant, faites en sorte que les éclaboussures restent humides : *ne laissez surtout pas sécher les taches de peinture à l'huile.*

Vérifiez les instructions sur le bidon et utilisez le diluant recommandé par le manufacturier. Certains diluants pour correcteur liquide sont également efficaces. N'oubliez pas de tester ces deux méthodes sur une partie peu visible avant de commencer.

D'habitude, je me rabats sur la térébenthine lorsque toutes les autres méthodes ont échoué. Faites pénétrer la térébenthine dans la tache, puis, lorsque la peinture est enlevée, appliquez un peu de GOJO Crème Waterless Hand Cleaner™. Ce produit fera partir les résidus huileux contenus dans la térébenthine. N'oubliez pas de jeter les linges et les serviettes en papier imbibés de térébenthine à l'extérieur, le plus tôt possible.

Lorsque vous enlevez une tache de peinture, procédez toujours sur l'envers du tissu et au-dessus d'un épais tampon de serviettes en papier. Tapotez la partie tachée avec une vieille brosse à dents ou une cuillère pour faire sortir la peinture.

Lorsque la peinture est enlevée, saturez la tache avec du détergent, puis faites-le pénétrer en frottant vigoureusement. Recouvrez la partie tachée avec l'eau la plus chaude que peut supporter le tissu et laissez tremper toute la nuit. Le lendemain, frottez à nouveau la tache entre vos doigts, puis lavez comme d'habitude.

PEINTURE (latex) : Pour obtenir les meilleurs résultats possibles, traitez ces taches immédiatement. Il est important d'enlever les taches de peinture *avant* qu'elles ne sèchent. Assurez-vous donc qu'elles demeurent fraîches si vous ne pouvez pas vous en occuper tout de suite.

Faites partir la peinture à l'aide d'un puissant jet d'eau chaude. Ensuite, traitez la tache avec une solution composée de liquide à vaisselle et d'eau ou de détergent pour la lessive et d'eau. Faites pénétrer la solution dans la tache, puis savonnez et rincez jusqu'à ce que la peinture ait disparu. Répétez ce procédé autant de fois que nécessaire. Si le tissu est grand teint, vous pouvez aussi faire pénétrer un peu de détergent pour lave-vaisselle et laisser reposer pendant 5 à 10 minutes avant de procéder au lavage.

Vous pouvez aussi essayer un produit appelé — à juste titre — OOPS!™. Vous n'avez qu'à suivre attentivement les instructions sur la boîte.

Pour les tissus comme le coton et le polyester, vaporisez le vêtement avec un produit nettoyant pour le four et laissez reposer entre 15 et 30 minutes avant de rincer abondamment. Soyez extrêmement prudent lorsque vous utilisez cette méthode; c'est à vos propres risques. Certains tissus ne supportent pas les nettoyants pour le four mais, si le vêtement est de toute façon maculé de peinture, vous n'avez pas grand-chose à perdre. Choisissez bien l'endroit où vous le vaporiserez et assurez-vous de ne pas le déposer n'importe où.

PETITS FRUITS (bleuets, canneberges, fraises, framboises) : On peut faire disparaître les taches de petits fruits de bien des façons, mais j'ai toujours obtenu beaucoup de succès en utilisant un produit appelé Wine Away Red Wine Stain Remover™. Ne vous laissez pas avoir par le nom; il est tout aussi efficace sur les taches de fruits et de jus de couleur rouge.

Vaporisez le produit Wine Away™ directement sur le tissu et préparez-vous à voir disparaître les taches. Lisez attentivement les instructions sur la boîte et lavez les vêtements tout de suite après son utilisation. Wine Away™ est non toxique et peut être utilisé sur toutes les surfaces lavables.

POILS D'ANIMAUX : Débarrasser les vêtements et la literie des poils d'animaux peut s'avérer tout un défi. Essayez d'utiliser une éponge humide pour nettoyer les vêtements, la literie, etc. Rincez fréquemment l'éponge afin de la garder propre. Vous pouvez aussi enlever les poils en enfilant une paire de gants en caoutchouc, puis en trempant vos doigts dans l'eau. Vous n'avez qu'à tremper et essuyer, tremper et essuyer. Les poils partiront facilement.

POLI À MEUBLES : Les taches de poli à meubles sont habituellement à base d'huile ; elles doivent donc être reconstituées. Pour ce faire, vaporisez-les avec du lubrifiant WD-40®. Laissez reposer 10 minutes, puis, pour bien dissoudre la graisse, faites pénétrer du liquide à vaisselle non dilué en vous servant de vos doigts. Rincez sous le robinet en vous servant de l'eau la plus chaude que peut supporter ce genre de tissu. Prétraitez la tache avec un produit contre les taches de graisse, comme Zout®, puis lavez comme d'habitude.

Vous pouvez aussi essayer de traiter la tache avec le produit Energine Cleaning Fluid® en suivant attentivement les instructions sur la boîte.

Si le poli à meubles est coloré, référez-vous à la section sur la teinture.

PRÉPARATION LACTÉE POUR NOURRISSON : S'il s'agit de vêtements blancs, appliquez du jus de citron sur les taches, puis étendez-les au soleil. Prétraitez et lavez comme d'habitude.

Les attendrisseurs à viande non assaisonnés sont également efficaces pour faire partir les taches de préparation lactée et d'aliments pour bébé. Faites une pâte avec de l'attendrisseur et de l'eau froide, frottez les taches avec cette pâte, puis laissez reposer une heure ou deux avant de laver les vêtements. Les attendrisseurs à viande contiennent un enzyme qui détruit les taches à base de protéines. Assurez-vous simplement que l'attendrisseur n'est pas assaisonné.

Faire tremper les vêtements blancs et de couleur dans le Brilliant Bleach™ est également efficace, mais vous devrez peut-être les laisser tremper pendant plusieurs jours pour venir à bout des taches tenaces. N'oubliez pas que ce décolorant ne contient pas de chlorure ; il est donc sans danger pour les articles de bébé.

PRODUITS COSMÉTIQUES (fard à joues, fard à paupières, fond de teint, eyeliner et mascara) : Les barres de savon comme Dove®, Caress™ et les autres savons de beauté sont très efficaces contre les taches de maquillage. Mouillez la tache, frottez avec le savon, puis faites pénétrer la mousse. Rincez à l'eau chaude, puis, lorsque la tache a disparu, lavez comme d'habitude.

Il suffit parfois de faire pénétrer un peu de détergent pour la lessive et le tour est joué. Pour les cas difficiles, ajoutez un peu de borax et faites pénétrer en vous servant de vos doigts.

Si le vêtement doit être nettoyé à sec, essayez de verser un peu d'Energine Cleaning Fluid® directement sur la tache. Utilisez un séchoir à cheveux à température moyenne pour éviter la formation de cernes. Si la tache ne veut pas disparaître, apportez le vêtement chez votre teinturier. (Voir aussi **Maquillage.**)

ROUGE À LÈVRES : Une tache de rouge à lèvres doit être traitée comme une tache de teinture grasse. L'eau, la chaleur et les détachants liquides ne feraient que l'élargir et la rendre permanente, ce qui ne vous avancerait pas à grand-chose.

Frottez la tache avec de l'huile végétale, du lubrifiant WD-40® ou de l'huile minérale, puis laissez reposer entre 15 et 30 minutes. Épongez ensuite la surface avec un peu d'ammoniaque — savonneuse ou claire, cela n'a pas d'importance.

Avant de procéder au lavage, faites pénétrer un peu de liquide à vaisselle pour vous assurer que vous avez éliminé toute trace de graisse.

J'ai aussi obtenu beaucoup de succès avec le produit GOJO Crème Waterless Hand Cleaner™. Vous trouverez ce détachant pour les mains sans eau dans les quincailleries et les centres de rénovation. Faites-le pénétrer dans le rouge à lèvres en le frottant vigoureusement entre vos doigts, puis lavez comme d'habitude. Cette méthode est parfaite pour enlever les traces de rouge sur les serviettes de table.

En cas d'urgence, essayez de vaporiser un peu de laque pour les cheveux sur la tache. Laissez reposer quelques minutes, puis essuyez délicatement avec un linge humide. Testez d'abord cette méthode sur une partie peu visible du textile.

Les produits Zout®, Spot Shot Carpet Stain Remover® et Whink Wash Away Laundry Spotter™ sont généralement efficaces.

Pour les taches vraiment tenaces et incrustées, essayez de les humecter avec de l'alcool dénaturé, puis traitez-les avec du liquide à vaisselle non dilué.

Si vous tachez vos vêtements avec du rouge à lèvres tandis que vous vous habillez, essayez de frotter la tache avec une tranche de pain blanc. (Oui, le pain doit absolument être blanc !)

ROUILLE : Saturez les tissus blancs avec du jus de citron, saupoudrez les taches de sel, puis étendez les articles au soleil. Si la tache de rouille est tenace, appliquez du jus de citron et du sel, puis versez de l'eau à travers la tache. Utilisez de l'eau bouillante si le tissu peut le supporter, sinon utilisez de l'eau chaude. Vérifiez toujours l'étiquette d'entretien.

Vous pouvez aussi recouvrir la tache avec de la crème de tartre, puis, en prenant le tissu par les quatre coins, plonger la tache dans l'eau chaude. Laissez reposer 5 à 10 minutes, puis lavez comme d'habitude.

Il existe de bons produits contre la rouille sur le marché. Je vous suggère d'essayer les produits Whink Rust Remover®, Magica® et Rust Magic®. Lisez attentivement les instructions avant d'utiliser un produit commercial contre la rouille. Certains produits ne doivent pas être utilisés sur les tissus de couleur ; alors, vérifiez attentivement avant de les utiliser.

RUBAN ADHÉSIF : Épongez les traces de ruban adhésif avec de l'huile d'eucalyptus, de l'huile pour bébé ou de l'huile pour cuisson. Laissez tremper environ 10 minutes, puis faites pénétrer du liquide à vaisselle non dilué dans la tache et rincez. Prétraitez le vêtement et lavez comme d'habitude.

Vous pouvez aussi utiliser les produits De-Solv-it™, Goo Gone™ ou Un-Du™ pour enlever les taches de ruban adhésif sur les tissus et les surfaces dures. Un-Du™ est un excellent produit ; il décollerait un timbre d'une enveloppe !

SANG (frais ou séché) : Si vos vêtements sont recouverts de sang, votre première priorité n'est peut-être pas le lavage… mais, s'il vous arrive un petit accident, essayez cette méthode :

S'il s'agit de tissus lavables, faites-les tremper le plus tôt possible dans l'eau salée ou rincez-les avec de l'eau gazéifiée (club soda). Vous pouvez aussi faire une pâte avec de l'attendrisseur à viande non assaisonné et de l'eau froide. Appliquez-la sur la tache et laissez reposer quelques heures. Lavez à la main ou dans la machine avec de l'eau froide et du détergent.

Verser du peroxyde d'hydrogène directement sur la tache peut également s'avérer fructueux en maintes occasions. Plus vous agirez tôt, plus vous aurez de succès. Assurez-vous toutefois que le tissu est bien lavable. Versez le peroxyde d'hydrogène sur la tache, puis rincez à l'eau froide, prétraitez et lavez comme d'habitude.

Biz All Fabric Bleach™ et Brilliant Bleach™ sont tous les deux efficaces contre les taches de sang. Lorsque vous utilisez le produit Biz™, faites une pâte avec de l'eau froide et appliquez-la sur la tache, puis laissez reposer quelques heures. Avec Brilliant Bleach™, laissez tremper le vêtement entre une et vingt-quatre heures. Aucun de ces produits n'abîmera les tissus grand teint.

Pour les tissus lavables à sec, saupoudrez de sel les taches de sang tandis qu'elles sont encore fraîches, puis apportez le vêtement chez le teinturier le plus tôt possible.

La salive humaine peut également décomposer les taches de sang. Essayez donc d'appliquer un peu de votre propre salive sur les petites taches de sang. Cela suffira peut-être à les faire partir.

Pour venir rapidement à bout des taches de sang frais, appliquez de la fécule de maïs sur la surface, puis rincez l'envers du tissu avec de l'eau savonneuse. Prétraitez et lavez comme d'habitude.

Utilisez du peroxyde d'hydrogène pour faire partir les taches de sang sur le cuir. Tamponnez doucement avec le peroxyde, attendez qu'il se forme des bulles, puis épongez. Continuez cette opération jusqu'à ce que le sang ait disparu. Essuyez la surface avec un chiffon humide, puis séchez.

SAUCE : Avec une tache de sauce, il faut traiter la fécule de maïs qui a servi à épaissir la sauce en faisant tremper l'article dans l'eau froide jusqu'à ce que la fécule se dissolve. Cela peut prendre plusieurs heures.

Traitez la tache avec un bon détachant, comme Zout®, Spot Shot Carpet Stain Remover® ou Whink Wash Away Laundry Stain Remover™, avant de procéder au lavage. Lavez à l'eau la plus chaude que peut supporter le tissu.

Vous pouvez aussi faire tremper le vêtement dans le produit Brilliant Bleach® pendant plusieurs jours si nécessaire.

SAUCE BARBECUE : Voir **Taches de tomate.**

SÈVE, GOMME DE PIN : Voir **Goudron**.

SILLY PUTTY® (pâte à modeler) : Premièrement, laissez la gravité faire son travail. Étendez le tissu au-dessus d'un bol et attendez que le Silly Putty® tombe de lui-même. Vous n'aurez plus qu'à nettoyer ce qui reste!

Enlevez en grattant ce qui reste de Silly Putty® à l'aide d'un objet plat, comme une vieille carte de crédit ou le dos d'un couteau. Vaporisez ensuite la tache avec du lubrifiant WD-40® et laissez reposer quelques minutes. Grattez à nouveau les résidus, en tâchant d'enlever le plus de Silly Putty® possible. Continuez à gratter, mais échangez la carte de crédit pour quelques boules de coton. Si la tache persiste, saturez une boule de coton avec de l'alcool à 90 degrés, essuyez la tache et rincez. Faites ensuite pénétrer du savon liquide pour lave-vaisselle et lavez à l'eau la plus chaude que peut supporter ce genre de tissu.

Si vous n'avez pas de WD-40®, utilisez de la gelée de pétrole.

STYLO FEUTRE – Voir **Marqueur.**

SUIE : Lavez les vêtements à l'eau la plus chaude que peut supporter le tissu en utilisant votre détergent habituel, 125 ml (une demi-tasse) de borax 20 Mule Team® et 125 ml (une demi-tasse) de cristaux de soude Arm and Hammer™.

TACHES À BASE DE TOMATE (ketchup, sauce à spaghetti, sauce tomate, sauce barbecue, etc.) : Rincez ces taches à l'eau froide le plus tôt possible. Assurez-vous d'appliquer l'eau sur l'envers du tissu. Appliquez ensuite du vinaigre blanc et rincez à nouveau en vous servant d'un puissant jet d'eau.

Appliquez finalement le produit Wine Away Red Wine Stain Remover™ en suivant les instructions sur la boîte.

TACHES DE COULEUR JAUNE : On retrouve souvent ce genre de taches sur les vêtements blancs et les linges de maison. Les tablettes de nettoyant pour dentier sont généralement efficaces. Remplissez un bol d'eau et ajoutez une ou deux tablettes. Attendez qu'elles se dissolvent, puis faites tremper le tissu jusqu'à ce que les taches jaunes aient disparu.

TACHES DE COULEUR MAUVE OU BLEUÂTRE SUR DES FIBRES SYNTHÉTIQUES : Les fibres synthétiques prennent parfois une teinte bleuâtre après de nombreux lavages. Faites disparaître ces taches avec Rit Color Remover™, puis lavez comme d'habitude.

TACHES DE TRANSPIRATION : Ces taches me font vraiment suer. La transpiration affaiblit les tissus ; alors, soyez prudent lorsque vous traitez ces régions et faites-le même si les taches ne sont pas encore visibles. Idéalement, procédez tout de suite après avoir porté le vêtement pour la première fois, avant de le mettre dans la machine à laver.

Mouillez la région sous les aisselles — ou tout autre endroit où il y a des taches de transpiration —, puis faites mousser du savon Fels-Naphta®. Lorsque tout est bien mousseux, placez le vêtement dans la machine à laver et lavez comme d'habitude.

Faire pénétrer du Biz Non Chlorine Bleach™ dans la tache peut aussi s'avérer efficace. Assurez-vous toutefois que la région de la tache est bien mouillée !

Traitez toujours les taches de transpiration avant de procéder au lavage. Pour éliminer les odeurs, appliquez de l'eau chaude et faites pénétrer du borax 20 Mule Team®. Laissez reposer environ 30 minutes, puis lavez.

Si les taches sont déjà présentes, essayez de mouiller le tissu avec de l'eau chaude et faites pénétrer du détergent pour la lessive et du Biz™. Laissez tremper environ 30 minutes, puis lavez comme d'habitude.

J'ai découvert que faire tremper les vêtements (blancs ou de couleur) dans le produit Brilliant Bleach™ de Soapworks® est particulièrement efficace pour faire partir les taches sous les aisselles.

Vous pouvez aussi essayer d'enlever les taches déjà existantes avec du vinaigre blanc chaud. Vaporisez le tissu, puis faites pénétrer du borax 20 Mule Team®. Ce procédé élimine aussi bien les odeurs que les taches.

S'il se produit une décoloration, vaporisez de l'ammoniaque, laissez reposer environ 15 minutes, puis lavez comme d'habitude.

Gardez à l'esprit que les tissus jaunis et décolorés sont peut-être endommagés. Le vêtement ne vaut peut-être pas la peine d'être nettoyé.

Traitez tous les vêtements avant de les laver pour la première fois et essayez différentes marques de déodorant. Ne portez jamais le même chemisier ou la même chemise deux jours de suite si vous avez des problèmes de transpiration. Vous remarquerez aussi que les fibres naturelles, comme le coton et le lin, posent moins de problèmes que les fibres synthétiques, comme le polyester et les mélanges de polyester. Si vous avez un gros problème de transpiration, vous devriez peut-être porter des protège-vêtements. Ils emprisonnent l'humidité avant qu'elle n'atteigne le tissu. Ils sont amovibles, jetables et discrets sous vos vêtements. En vente dans les magasins où l'on vend de la lingerie et dans certains catalogues. Consultez également la section **Antisudorifiques et déodorants.**

TACHES NON IDENTIFIÉES : Je parle ici de toutes ces taches dont on ne connaît pas l'origine : les taches non identifiées. Voici ce que vous devez faire :

✳ Laver avec de l'eau froide (l'eau chaude rendrait la tache permanente).

✳ Mouiller avec une éponge ou un linge humide et environ 15 ml (1 cuillère à soupe) de vinaigre blanc (sauf s'il s'agit de coton ou de lin).

✳ Mouiller avec une éponge ou un linge humide et environ 15 ml (1 cuillère à soupe) d'ammoniaque (sauf, encore une fois, s'il s'agit de coton et de lin).

✳ Humecter avec de l'alcool à 90 degrés dilué dans une égale quantité d'eau froide.

✳ Éponger avec une solution composée de Brilliant Bleach™ et d'eau.

TACHES SUR DE LA SOIE : Ces taches sont difficiles à faire partir et demandent beaucoup d'attention.

Les solvants utilisés pour le nettoyage à sec peuvent venir à bout de ces taches, mais il y a de grandes chances que vous vous retrouviez avec un cerne. Assurez-vous d'utiliser un séchoir à cheveux pour éviter la formation de ce genre de cerne.

Pour les taches inhabituelles ou importantes, apportez le vêtement chez un teinturier professionnel. Trop frotter le tissu peut finir par décolorer la soie.

TEINTURE (voir aussi **Teinture pour les cheveux**) : Les taches de teinture sont très difficiles, voire impossibles, à faire partir. Essayez une ou plusieurs de ces méthodes.

Placez le tissu au-dessus d'un bol en le maintenant en place à l'aide d'un élastique afin qu'il soit bien tendu, comme un trampoline. Placez le bol dans l'évier et levez la bonde pour permettre à l'eau de circuler librement. Ouvrez légèrement le robinet d'eau froide pour obtenir un égouttement régulier, puis laissez l'eau s'égoutter à travers la tache pendant 3 à 6 heures. Vérifiez que l'eau ne s'accumule pas dans l'évier. Ce traitement s'avère souvent efficace.

Vous pouvez aussi saturer la tache de teinture avec un mélange de peroxyde d'hydrogène et d'eau. Après avoir étendu le tissu au soleil, assurez-vous qu'il demeure humide en appliquant de la solution jusqu'à ce que la tache disparaisse. Rincez à fond et lavez comme d'habitude. Utilisez cette méthode uniquement avec des vêtements grand teint.

Si votre problème de teinture est dû à des vêtements qui déteignent sur d'autres vêtements durant le lavage, le meilleur décolorant du monde ne pourra rien pour vous. Essayez plutôt les produits Synthrapol™ ou Carbona Color Run Remover™.

Les fabricants de courtepointes utilisent Synthrapol™ depuis des années pour éviter que leurs courtepointes faites à la maison ne déteignent au lavage. Assurez-vous de lire toutes les instructions sur la bouteille avant d'utiliser ce produit.

Le produit Carbona Color Run Remover™ est extrêmement efficace sur les tissus en coton. Toutefois, il ne convient pas aux vêtements délicats et à certains mélanges de tissus ; lisez donc attentivement les instructions sur la boîte. Ce produit peut également endommager les boutons et les fermetures éclair ; il serait donc préférable que vous les retiriez avant de commencer le traitement.

TEINTURE POUR LES CHEVEUX : Si vous ne m'avez pas écoutée lorsque je vous ai dit d'aller vous teindre les cheveux tout nu dans le jardin, vous avez probablement un gros problème de taches de teinture. Voici ce que vous devez faire :

Les vêtements et les tissus tachés avec de la teinture pour les cheveux doivent être lavés à l'eau chaude, avec du vinaigre blanc et du détergent. Lavez les articles dans l'évier ou dans un contenant ; vous aurez besoin d'environ 30 ml (2 cuillères à soupe) de détergent et 500 ml (2 tasses) de vinaigre blanc pour 4 l d'eau chaude. Laissez tremper plusieurs heures.

Si les taches persistent, essayez mon agent de blanchiment préféré, Brilliant Bleach™. Vous pouvez laisser tremper les tissus blancs et grand teint pendant plusieurs jours si nécessaire, sans les endommager. Évitez autant que possible de vous retrouver avec des taches de teinture. Je vous suggère d'utiliser toujours la même vieille serviette lorsque vous vous teignez les cheveux.

THÉ : Voir **Café et thé.**

URINE : Les taches d'urine fraîches se nettoient plutôt facilement. Premièrement, rincez bien en utilisant beaucoup d'eau froide. Faites ensuite tremper le tissu dans un produit à base d'enzymes ou dans du Biz All Fabric Bleach™. Puis lavez comme d'habitude.

Vous pouvez aussi faire tremper les articles tachés d'urine dans l'eau salée ; vous n'aurez plus qu'à rincer et à laver comme d'habitude.

Si l'urine a provoqué la décoloration du tissu, épongez la région ou vaporisez-la avec de l'ammoniaque, puis rincez et lavez comme d'habitude.

Pour les vieilles taches d'urine : faites-les tremper dans l'eau chaude pendant quelques heures — plus l'eau est chaude, mieux c'est. Ajoutez du détergent, puis lavez comme d'habitude et rincez. Utilisez un agent de blanchiment approprié au tissu ou, si vous préférez, utilisez le produit Brilliant Bleach™.

Voir également les traitements à la section Odeurs.

VERNIS À ONGLES : Bon, si vous aviez verni vos ongles toute nue dans le jardin, vous ne seriez pas en train de lire ceci, n'est-ce pas ? Étirez le tissu au-dessus d'un bol en verre, puis maintenez-le en place à l'aide d'un élastique afin d'obtenir un petit trampoline. En vous servant d'une cuillère en acier inoxydable (jamais en argent), versez quelques gouttes de dissolvant pour vernis à ongles à base d'acétone sur la tache, puis tapotez-la avec le rebord de la cuillère. Continuez à verser de l'acétone à travers la tache jusqu'à ce que le vernis disparaisse. Cela demande du temps et de la patience. Si jamais vous manquez de l'un d'eux, laissez le tout en place et revenez-y plus tard. L'acétone pure — disponible dans les quincailleries et les magasins qui vendent des produits de beauté — agira plus rapidement, mais il est préférable de la tester d'abord sur une partie peu visible.

Si une tache de couleur persiste après avoir enlevé le vernis, diluez du peroxyde d'hydrogène dans une égale quantité d'eau, appliquez ce mélange sur la tache, puis étendez l'article au soleil en prenant soin qu'il demeure imprégné de la solution. Ce procédé ne vaut que pour les vêtements blancs et grand teint.

N'utilisez jamais d'acétone sur de la soie ou de l'acétate, et testez toujours l'acétone sur une partie peu visible du textile avant de commencer.

Les tissus non lavables doivent être nettoyés à sec.

VIN : Ne servez jamais de vin rouge si vous n'avez pas de vin blanc à portée de la main! Et occupez-vous toujours de ces taches le plus rapidement possible!

Pour les éclaboussures de vin rouge, diluez la tache avec du vin blanc, puis rincez à l'eau froide et saupoudrez de sel.

Si vous n'avez pas de vin blanc, saupoudrez une épaisse couche de sel et rincez à l'eau froide ou à l'eau gazéifiée (club soda).

Appliquer une pâte faite de borax 20 Mule Team® et d'eau fait aussi généralement l'affaire.

Pour les taches de vin rouge et les autres taches de même couleur, gardez le produit Wine Away Red Wine Stain Remover® sous la main. Ce produit est entièrement non toxique et agit si rapidement sur les taches de couleur rouge que je n'en crois pas toujours mes yeux. Les instructions sont simples et faciles. Épongez les éclaboussures, appliquez le produit Wine Away™ et voyez les taches disparaître comme par magie! Utilisez un linge humide pour éponger le tout. Suivez mon conseil, vous ne le regretterez pas!

VOMI : Secouez ou grattez tout ce que vous pouvez au-dessus des toilettes. Nettoyez l'envers du tissu à grande eau en vous servant d'un jet puissant. Une fois que vous aurez enlevé les résidus solides et l'excès de liquide, faites une pâte avec du savon liquide pour la lessive et du borax 20 Mule Team®, puis frottez vigoureusement la tache. Rincez à l'eau salée, prétraitez et lavez comme d'habitude.

Il est important d'agir rapidement pour éviter que les résidus d'aliments et les sucs gastriques ne tachent le tissu.

Voir aussi les traitements mentionnés à la section **Odeurs**.

Guide de nettoyage pour les textiles

D ans les pages qui suivent, je vous expliquerai comment prendre soin de certains types de tissu et de certains articles inhabituels.

Acétate : Voilà un tissu capricieux. Ne le laissez jamais se salir plus que de raison et n'utilisez jamais de détergent à base d'enzymes pour le laver. On utilise généralement l'acétate pour confectionner des rideaux, du brocart, du taffetas, du satin (pensez aux vêtements de soirée), ainsi que des doublures. Vous pouvez laver les vêtements en acétate dans votre machine à laver (à l'eau froide) ou les laver à la main. Évitez de les essorer ou de les tordre pour ne pas faire de plis. Rincez-les à fond, puis repassez-les à l'envers avec un fer tiède, à basse température.

Acrylique : Ce tissu doit être lavé fréquemment car il peut retenir les odeurs de transpiration. L'acrylique est habituellement lavable à la machine, mais à l'eau froide. Vérifiez toujours l'étiquette d'entretien. Faites sécher les vêtements à plat ou suspendez-les en prenant soin de leur redonner leur forme originale tandis qu'ils sont encore humides.

Angora : Laine fabriquée à partir de poils de lapin ou de chèvre angora. La laine angora perd beaucoup de poils, à moins qu'elle soit mélangée avec du nylon. Lavez les articles en angora à l'eau chaude ou à l'eau tiède avec un savon doux ou un peu de shampooing. Il ne faut jamais frotter, tordre ou plonger à plusieurs reprises un vêtement en angora dans l'eau ; cela risquerait de le déformer. Il est préférable de le laver dans l'évier. Laissez l'eau s'égoutter, puis pressez le vêtement pour faire sortir l'eau. Rincez bien, puis pressez à nouveau. Après avoir enroulé le vêtement dans une serviette, redonnez-lui sa forme originale, puis faites-le sécher à plat au soleil. Pour faire disparaître les plis, tenez votre fer à repasser au-dessus du vêtement et projetez un jet de vapeur. Ne repassez jamais un vêtement en angora.

Brocart : Soyez prudent lorsque vous lavez du brocart. Il faut éviter d'écraser et d'aplanir les motifs. Lavez à la main à l'eau froide ou faites nettoyer à sec selon ce qui est spécifié sur l'étiquette d'entretien. N'essorez jamais un vêtement en brocart. Repassez du « mauvais » côté du tissu, en prenant soin de placer un linge à repasser ou une serviette entre le tissu et le fer.

Cachemire : Fibre de luxe provenant des poils de chèvres du Cachemire. Traitez-la avec respect. Ce tissu de grande valeur doit être nettoyé à sec ou lavé doucement à la main, à l'eau froide, avec un savon doux bien dilué. Rincez à fond, mais n'essorez pas. Faites sécher à plat, en redonnant sa forme au vêtement pendant qu'il sèche. À l'aide d'un fer tiède, repassez-le sur le « mauvais » côté tandis qu'il est encore humide, si nécessaire.

Chintz : Coton glacé, souvent imprimé. Faites-le nettoyer à sec, à moins que l'étiquette spécifie qu'on peut le laver normalement. Suivez attentivement les instructions sur l'étiquette d'entretien.

Coton : Cette fibre végétale naturelle est tissée et tricotée pour former des tissus de divers poids et de diverses textures. Lavez à la main les tissus légers, comme l'organdi et la batiste, puis suspendez-les pour les faire sécher. Repassez-les lorsqu'ils sont humides avec un fer chaud.
Lavez à la machine à l'eau chaude les cotons de poids moyen à lourd, blancs ou de couleur pâle. Lavez les cotons de couleurs vives à l'eau froide pour éviter de les décolorer. Faites-les sécher à basse température, puis sortez-les de la sécheuse et repassez-les tandis qu'ils sont humides à l'aide d'un fer chaud.

Crépon de coton : On utilise ce tissu pour fabriquer des chemises, des chemisiers et des chemises de nuit. Parcouru de plis qui sont intégrés au tissu durant le processus de fabrication, le crépon est habituellement fait de coton, mais il est aussi disponible en nylon et en polyester. Vérifiez la composition des fibres avant de le laver et de le faire sécher. Faites sécher par égouttement ou par culbutage, puis repassez à basse température si nécessaire.

Cuir et suède : En général, le cuir et le suède ne sont pas lavables. Lisez attentivement l'étiquette d'entretien. Si vous avez des articles en cuir lavables, lavez-les à la main, puis vaporisez-les avec un enduit protecteur. Pour nettoyer un article en suède, frottez-le dans le sens du poil avec un autre morceau de suède ou une brosse pour le suède (n'utilisez pas d'autres sortes de brosses) pour lui redonner son apparence originale.

N'oubliez pas que le cuir doit respirer ; alors, ne le recouvrez pas de plastique et évitez de l'entreposer dans un lieu confiné. Si vous voulez protéger le cuir et le suède de la poussière, utilisez un linge ou une vieille taie d'oreiller.

Pour faire partir des taches sur du cuir (et non sur du suède), utilisez un produit pour cuticules. Frottez la tache, puis massez la région touchée avec un chiffon imbibé de produit pour cuticules. Essuyez minutieusement. Pour faire partir des taches sur du suède, tamponnez avec du vinaigre blanc.

Damas : Tissu jacquard fait de coton, de lin, de soie, de laine ou d'un mélange de plusieurs fibres. Lavez à la main les tissus légers, mais vérifiez d'abord la composition du tissu. Faites nettoyer à sec la soie, la laine et tous les autres tissus lourds.

Denim : Si vous avez des jeans, vous savez que ce solide tissu a tendance à rétrécir, à pâlir et à zébrer. Lavez à la machine à l'eau chaude. Les vêtements bleus ou de couleur foncée risquent de déteindre lors des premiers lavages ; assurez-vous donc de les laver séparément. Pour leur redonner leur couleur originale, lavez de vieux jeans décolorés avec des jeans neufs. Faites sécher à basse température pour éviter tout rétrécissement. Si nécessaire, repassez les vêtements pendant qu'ils sont humides, mais n'oubliez pas que les jeans peuvent déteindre sur votre planche à repasser.

Dentelle : Tissu extrêmement délicat, la dentelle peut être fabriquée en coton, en lin ou à partir de fibres synthétiques. Lavez-la avec un savon doux ou un détergent spécialement conçu pour les tissus délicats. Évitez de frotter pour ne pas déformer les fibres. Rincez bien, sans toutefois essorer, puis utilisez vos mains pour redonner au vêtement sa forme originale. Suspendez pour faire sécher à l'air ou faites sécher à plat. Vous devrez peut-être redonner leur forme aux vêtements en dentelle plus délicats et les épingler pour les faire sécher. Si vous devez repasser un vêtement en dentelle, placez une serviette en tissu éponge sur le dessus (une serviette de couleur blanche de préférence). Ne placez jamais de dentelle dans la sécheuse.

Duvet : Le duvet provient du sous-plumage de certains oiseaux aquatiques, et il est souvent mélangé avec des plumes adultes. On peut le nettoyer à sec ou à la machine. Lisez attentivement l'étiquette d'entretien. Le traitement dépend principalement du tissu qui recouvre le duvet. Alors, prêtez attention aux instructions du manufacturier.

Ne laissez pas le duvet sécher à l'air libre. Comme il sèche trop lentement, cela pourrait entraîner la formation de moisissure. Faites-le sécher dans la sécheuse (utilisez une sécheuse de grande capacité si nécessaire), à basse température (moins de 60 °C ou 140 °F), en faisant bouffer et en retournant souvent l'article. Assurez-vous qu'il est complètement sec avant de le retirer. Cela risque de prendre du temps.

Vous voulez une couette et des oreillers vraiment bouffants? Ajoutez une chaussure ou une balle de tennis propre dans la sécheuse pour les faire bouffer!

Flanelle : La flanelle est en fait un tissu lainé, uni ou sergé. Pour le coton et les fibres synthétiques, suivez les indications sur l'étiquette d'entretien. Si vous avez un doute, utilisez de l'eau froide et un détergent doux. Faites sécher à basse température et retirez la flanelle alors qu'elle est encore humide pour éviter les faux plis. Vous pouvez aussi faire sécher ce tissu sur la corde. Notez que les flanelles de laine doivent être nettoyées à sec.

Gabardine : Solide tissu sergé, tissé serré, souvent en laine peignée, mais aussi en coton et en fibres synthétiques. On retrouve beaucoup de pantalons et de blazers pour hommes et femmes fabriqués à partir de fibres synthétiques, mais vendus comme étant de la gabardine. Suivez les indications sur l'étiquette. La plupart des fibres synthétiques peuvent être lavées et séchées à la machine. Si l'étiquette d'entretien précise que le tissu doit être nettoyé à sec, assurez-vous de le faire.

Laine : Cette fibre naturelle provient de la toison des moutons. Lavez les pulls et les tricots en laine à la main à l'eau froide avec un détergent spécialement conçu pour l'eau froide. Rincez à quelques reprises. N'essorez ou ne tordez jamais un article en laine.

Épongez ensuite avec une serviette et faites sécher à plat. Redonnez sa forme au vêtement si nécessaire.

Lin : Solide tissu résistant à de grandes températures, le lin est la fibre préférée des gens qui vivent dans les pays chauds. Il est fabriqué à partir de la fibre naturelle du lin et sert à confectionner des tissus aussi bien légers que lourds. Lavez les articles en lin à la main ou à la machine à l'eau chaude (encore une fois, lisez l'étiquette d'entretien). Si le tissu est grand teint, utilisez de l'eau oxygénée ou Brilliant® de Soapworks® pour faire partir les taches et aviver les couleurs. N'utilisez jamais d'eau de Javel.

Repassez les vêtements en lin tandis qu'ils sont encore humides et traitez-les avec de l'amidon ou de l'empois pour prévenir les faux plis. Repassez les lins lourds avec un fer chaud, et les lins légers et les mélanges (de lin et d'autres fibres) avec un fer tiède.

Le lin peut aussi se nettoyer à sec.

Mélanges : Les mélanges de tissu, tels que coton/polyester, sont, comme leur nom l'indique, fabriqués à partir de différentes fibres. Pour laver ces tissus, suivez les indications pour la fibre la plus délicate et la plus importante. Les mélanges les plus courants sont coton/polyester, coton/lin et soie/polyester.

Mohair : Un vieux de la vieille, mais un chouette tissu! Pour nettoyer cette fibre provenant de la chèvre angora, suivez les mêmes instructions que pour la laine.

Mousseline de soie : Tissu très léger et transparent, fait de soie et de fibres synthétiques. Lavez à la main comme vous le feriez pour de la soie.

Nylon : Souvent mélangé avec d'autres fibres, le nylon est une fibre synthétique durable et disponible en divers poids. Les vêtements 100 % nylon sont lavables à la machine à l'eau chaude ou peuvent être nettoyés à sec.

Faites sécher à basse température ou suspendez à l'aide d'un cintre non métallique. Ne laissez jamais sécher au soleil ; cela risquerait de faire jaunir le tissu. Les javellisants sans chlore conviennent le mieux au nylon.

Organdi : Pensez robe de soirée ! Extrafin et léger, l'organdi est en fait une fibre de coton. Lavez les vêtements en organdi à la main et repassez-les tandis qu'ils sont encore humides avec un fer chaud. Utilisez de l'amidon lors d'un repassage pour leur donner un aspect rigide. Peut aussi être nettoyé à sec.

Polyester : Cette solide fibre synthétique ne s'étire pas et ne rétrécit pas, ce qui explique sans doute sa grande popularité. Disponible en plusieurs poids et textures, on la mélange souvent avec du coton et de la laine.

Lavez le polyester à l'eau chaude. Faites-le sécher par culbutage, mais assurez-vous de ne pas l'oublier dans la sécheuse pour éviter les mauvais plis. Retirez-le immédiatement et vous n'aurez probablement pas besoin de le repasser. Si vous devez néanmoins le repasser, assurez-vous de le faire avec un fer à peine chaud.

Si le polyester est mélangé avec d'autres fibres, suivez les instructions de nettoyage de la fibre la plus délicate.

Ramie : Très similaire au lin, la ramie est une fibre naturelle provenant — de quoi d'autre ! — de la ramie. On peut l'utiliser seule ou la mélanger avec d'autres fibres comme le coton.

Lavable à la machine à l'eau chaude, faites-la sécher par culbutage et repassez-la humide avec un fer chaud. Évitez de tordre les fibres pour ne pas déformer le tissu. Peut aussi être nettoyée à sec.

Rayonne : Cette fibre synthétique est aussi appelée «viscose». Suivez attentivement les instructions sur l'étiquette d'entretien mais, pour obtenir de meilleurs résultats, faites nettoyer les vêtements en rayonne à sec. Le nettoyage à sec nettoie plus en profondeur et donne à la rayonne le pressage dont elle a besoin pour garder sa forme et sa belle apparence.

Satin : Fabriqué à l'origine avec de la soie, ce tissu lustré est désormais disponible en acétate, en coton, en nylon et même en polyester.

Faites nettoyer à sec les satins en soie et en acétate. Vous pouvez laver vous-même les satins en coton, en nylon et en polyester, pourvu que vous suiviez les instructions pour ces fibres.

Soie : Fibre naturelle fabriquée par le ver à soie. Ce tissu délicat nécessite une attention toute particulière si on veut éviter de l'endommager. Vérifiez l'étiquette d'entretien ; vous devriez être en mesure de laver à la main à l'eau tiède le crêpe de Chine et les soies fines (de poids léger et moyen) à l'aide d'un savon ou d'un détergent doux. Vous pouvez aussi utiliser de l'eau froide et un détergent approprié.

N'utilisez pas d'eau de Javel. Vous pouvez par contre utiliser Brilliant Bleach™ de Soapworks® sans endommager les fibres.

Il est important de bien rincer la soie. Rincez à quelques reprises à l'eau froide pour enlever toute la mousse, puis épongez avec une serviette et étendez pour faire sécher. Ne frottez ou ne tordez jamais de la soie.

Repassez le tissu à l'envers avec un fer chaud.

Si l'étiquette d'entretien indique que le vêtement est lavable à la machine, suivez très attentivement les instructions. Il est préférable de faire nettoyer à sec les complets, les vêtements plissés et les soies qui ne sont pas grand teint.

N'utilisez pas de détachants puissants ou à base d'enzymes avec de la soie.

Spandex : On ajoute du spandex à d'autres fibres pour leur donner de la souplesse et de l'élasticité. Lavable à la machine à l'eau chaude au cycle doux ou délicat. N'utilisez pas d'eau de Javel. Il ne faut pas mettre dans la sécheuse ni repasser les vêtements contenant du spandex ; la chaleur détruirait les fibres. Séchez sur la corde ou à plat, mais vérifiez tout de même l'étiquette d'entretien.

Si vous avez des vêtements de sport contenant du spandex, assurez-vous de les laver chaque fois que vous les portez. La sueur peut endommager les fibres de spandex.

Tissu éponge : Avec ses fibres bouclées faites de coton ou d'un mélange de coton et de polyester, le tissu éponge sert bien sûr à la confection de serviettes, mais aussi de pyjamas.

Tissu lavable à la machine à l'eau chaude, faites-le sécher par culbutage ou sur la corde. Ajoutez de l'assouplissant pour obtenir une texture plus douce.

Toile : Tissu tissé très serré, lourd et ferme, la toile était à l'origine fabriquée en coton ou en lin. De nos jours, elle est disponible sous forme de divers mélanges synthétiques. Lavable à la machine à l'eau froide, on peut la faire sécher par culbutage à basse température. Vérifiez la solidité des couleurs avant de laver un vêtement en toile. Si les couleurs ne tiennent pas, faites-le nettoyer à sec.

Velours : Superbe tissu aux douces fibres, le velours est disponible en soie, en rayonne et en coton. Pour obtenir de meilleurs résultats, faites-le nettoyer à sec.

Pour défroisser du velours, appliquez de la vapeur sur le « mauvais » côté du tissu en le tenant au-dessus d'une casserole remplie d'eau bouillante. Tenez le tissu au moins à 30 centimètres de l'eau et assurez-vous qu'il n'entre pas en contact avec celle-ci. Ce procédé vous permettra de défroisser l'arrière de vos robes, etc.

Velours brossé : Le velours brossé est disponible en laine, en coton, en soie et en fibres synthétiques. Faites-le nettoyer à sec à moins que l'étiquette d'entretien indique qu'on peut le laver et le faire sécher.

Velours côtelé : Faites attention lorsque vous lavez du velours côtelé. Le tissu est résistant, mais il faut prendre soin de ne pas écraser ou déformer les plis. Retournez les vêtements en velours côtelé à l'envers avant de les laver à l'eau chaude. Faites-les sécher à température normale, puis sortez-les de la sécheuse lorsqu'ils sont encore humides et lissez les coutures, les poches, etc. Suspendez pour terminer le séchage, en prenant soin de repasser du « mauvais » côté du tissu. On peut refaire les plis en les brossant doucement.

Partie 4

Vous voulez qu'on aille régler cela à l'extérieur ?

Peinture à numéros

L'une des questions que les hommes me posent le plus souvent est comment réussir à peindre plus rapidement et plus efficacement. En fait, vous pouvez faire plusieurs choses pour vous faciliter la tâche.

Rangement à court terme

Si vous devez ranger un pinceau ou un rouleau au beau milieu d'un projet ou entre deux couches de peinture, placez-les dans un sac plastique scellé et rangez-les dans le congélateur. Le pinceau ou le rouleau ne sécheront pas pendant un jour ou deux; vous ne serez donc pas obligé de les nettoyer avant d'avoir terminé votre projet.

Protéger les pièces de quincaillerie

Lorsque vous peinturez des boiseries, recouvrez les poignées de porte, les serrures et les autres pièces de quincaillerie d'une généreuse couche de gelée de pétrole. Si de la peinture se retrouve au mauvais endroit, vous pourrez facilement l'essuyer.

Nettoyer les éclaboussures

Pour nettoyer rapidement les éclaboussures de peinture sur les carreaux, utilisez une gomme à effacer spécialement conçue pour les machines à écrire (ces gommes possèdent une brosse à leur extrémité) — vous risquez moins de vous blesser et cela vous facilitera la vie !

Peindre des vis

Pour peindre les vis plus facilement, plantez-les dans un morceau de mousse qui sert normalement à l'emballage, la tête bien en évidence. Une seule couche suffira, que vous utilisiez un pinceau ou de la peinture en aérosol.

Utilisez de l'huile végétale pour faire partir les taches de peinture à base d'huile. L'huile est moins dangereuse que le dissolvant à peinture ; elle ne dégage aucune vapeur et elle n'irrite pas la peau. Lavez-vous ensuite les mains avec du savon.

Pour éviter que la peinture blanche ne jaunisse

Pour éviter que la peinture blanche ne jaunisse à la longue, versez quelques gouttes de peinture noire dans chaque litre de peinture blanche. Mélangez bien.

Pour garder votre bidon propre

Couvrez le bord de votre bidon de peinture avec du ruban protecteur si vous avez l'intention de peindre à même le bidon. Lorsque vous avez terminé, retirez le ruban pour le nettoyer.

Égouttement

Si vous peinturez à même le bidon, percez deux ou trois trous à l'aide d'un clou dans la rainure qui borde le bidon. Lorsque vous essuierez votre pinceau sur le rebord, la peinture s'égouttera par ces orifices plutôt que de s'accumuler dans la rainure et de se répandre sur les côtés.

Nettoyer les pinceaux en quelques secondes

Pour faciliter le nettoyage des pinceaux, enroulez du ruban protecteur autour de la virole en métal, en prenant soin de recouvrir les poils d'environ un centimètre. Plutôt que de sécher sur les poils, la peinture s'accumulera sur le ruban protecteur. Pour nettoyer les pinceaux, retirez le ruban et enlevez la peinture restante.

Un sac à ordures pour vêtement

Portez un sac à ordures en guise de bleu de travail lorsque vous devez peindre un plafond. Vous n'avez qu'à découper un trou pour votre tête et deux pour vos bras. Pour protéger vos cheveux, vous pouvez toujours porter un vieux bonnet de douche. Fini les éclaboussures sur les vêtements et dans les cheveux !

 Avant de fermer le couvercle de votre bidon de peinture, appliquez une mince couche de gelée de pétrole sur le rebord. Il s'ouvrira plus facilement la prochaine fois.

Prendre des notes

Avant de ranger les surplus de peinture, indiquez sur les bidons le nom des pièces que vous avez peintes de cette couleur. Si vous devez faire une retouche, vous pourrez facilement retrouver le bidon que vous aviez utilisé.

Poignets

Si vous êtes comme moi et que la peinture vous coule le long des bras chaque fois que vous peinturez un plafond, enroulez autour de vos poignets de vieux linges à vaisselle et maintenez-les en place avec des élastiques. Vous n'aurez plus qu'à les retirer et à les jeter lorsque vous aurez terminé.

Pour faire sécher les pinceaux

Si vous laissez tremper vos pinceaux dans la térébenthine entre deux projets de peinture, assurez-vous de bien les essorer avant de les réutiliser, sinon vous provoquerez un véritable gâchis. Pour ce faire, placez le pinceau à la verticale dans un contenant vide et laissez s'égoutter tout le liquide. Vous pouvez aussi le suspendre à un bâton que vous poserez sur le dessus d'un contenant vide pourvu que celui-ci soit plus haut que le pinceau. Pour être absolument sûr que le pinceau est sec, prenez un vieux chiffon, enroulez-le autour des poils et pressez-les de haut en bas en vous plaçant au-dessus du contenant.

Par où commencer

Les murs doivent être peints de haut en bas. De cette façon, s'il se forme des gouttes, vous pourrez les faire disparaître tout en travaillant.

Quand commencer

Inutile de vous lever tôt si vous devez peindre à l'extérieur ; il est préférable d'attendre que la rosée du matin se soit évaporée avant de commencer à peindre. Mais n'oubliez pas qu'il ne faut jamais peindre directement au soleil.

Avant de vous mettre à peindre

Arrêtez ! Ne touchez pas à ce gallon de peinture. Si vous devez peindre des revêtements en aluminium, en vinyle ou en bois sales, essayez de les laver avant d'appliquer de la peinture. En lavant chaque année l'extérieur de votre maison, vous lui redonnerez de l'éclat et vous préserverez son revêtement. Mélangez les ingrédients suivants :

Une douzaine de litres d'eau chaude
1 tasse (250 ml) de détersif
1 litre d'eau de Javel

Portez des gants de caoutchouc, des lunettes protectrices et de vieux vêtements. N'oubliez pas que vous manipulez de l'eau de Javel et que vous nettoyez une maison pas très propre.

Rincez d'abord le revêtement de haut en bas, puis, en commençant par le bas, appliquez la solution nettoyante. Ne laissez pas sécher la solution sur la maison ; rincez à fond, en travaillant sur de petites surfaces à la fois.

64

Des solutions en béton pour nettoyer les patios et les entrées en ciment

Tout le monde me demande comment nettoyer les entrées, les planchers de garage et les patios en ciment. Il est préférable de les nettoyer lorsque la température se situe entre dix et vingt degrés Celsius, en évitant de travailler en plein soleil. Prenez ces facteurs en considération lorsque vous utilisez l'une des méthodes présentées dans ce chapitre.

Rabattre la poussière

Pour balayer un plancher de garage ou un patio en ciment en un rien de temps, achetez un mélange abat-poussière dans un magasin spécialisé, une quincaillerie ou un centre de rénovation. L'abat-poussière empêchera la poussière de se disperser dans les airs. Lorsque vous aurez terminé, ramassez le tout dans une pelle à poussière et mettez au rebut.

La litière pour chats — le meilleur ami des planchers de garage

La litière pour chats, qu'elle soit à base d'argile ou agglomérante, absorbe merveilleusement bien toutes les éclaboussures liquides, et même l'huile. Versez-en tout simplement sur la tache, puis écrasez-la avec votre pied (c'est la clé du succès). Laissez reposer et attendez que la litière ait absorbé tout le liquide, puis passez le balai. Répétez ce processus si nécessaire.

Vieilles taches sur du ciment

Vaporisez du détachant pour la lessive et laissez reposer cinq à dix minutes. Saupoudrez ensuite un peu de détergent pour la lessive, frottez avec une brosse à poils durs ou un balai-brosse, puis rincez.

Une autre bonne méthode consiste à fabriquer une pâte avec de l'eau chaude et du détergent pour la lessive. Frottez la tache et laissez tremper pendant au moins une heure ou toute la nuit. Ajoutez de l'eau, frottez et rincez.

Pour les taches vraiment tenaces

Utilisez un produit nettoyant pour le four pour éliminer les taches tenaces. Vaporisez-le en vous tenant le plus loin possible du jet. Laissez reposer pendant quinze minutes, frottez à l'aide d'une brosse à poils durs ou d'un balai-brosse, puis rincez bien. Répétez si nécessaire. Empêchez vos enfants et vos animaux domestiques d'approcher lorsque vous utilisez cette méthode. Rincez le ciment et brossez en utilisant beaucoup d'eau. Ne mélangez pas d'autres produits nettoyants avec le nettoyant pour le four avant d'avoir bien rincé le ciment à grande eau.

Comment faire partir la rouille

Une méthode avec laquelle vous pourriez avoir du succès consiste à appliquer le détachant ZUD®. Ce produit est vendu dans la plupart des grands magasins dans le rayon des détergents. Faites-en une pâte avec de l'eau chaude, appliquez-la sur la tache de rouille, puis frottez avec une brosse. Laissez tremper trente minutes, puis brossez à nouveau en ajoutant de l'eau chaude et rincez.

Mouillez le ciment et saupoudrez un peu de Kool-Aid™ au citron. Recouvrez d'une pellicule de plastique et laissez tremper pendant quinze minutes. Retirez ensuite la pellicule, puis frottez avec une brosse et rincez.

Si la tache de rouille est très importante, vous devrez utiliser une solution composée de dix parts d'eau et d'une part d'acide muriatique. Laissez reposer deux ou trois heures, puis frottez avec une brosse à poils durs (évitez les brosses en métal). Soyez extrêmement prudent si vous utilisez cette méthode; portez des lunettes de protection, des gants et de vieux vêtements, et rincez abondamment! Empêchez les enfants et les animaux domestiques d'approcher lorsque vous travaillez avec de l'acide.

65

Lavez les fenêtres sans douleur

Pour obtenir des résultats professionnels, il faut utiliser les mêmes outils que les professionnels. Vous trouverez toutes ces choses dans les magasins spécialisés (consultez les pages jaunes) et dans les centres de rénovation.

Utiliser les bons outils

La raclette

Une bonne raclette est absolument indispensable. N'allez pas croire qu'une raclette en plastique de piètre qualité ou qu'un essuie-glace de voiture fera l'affaire — vous vous trompez! Pour commencer, choisissez une raclette qui mesure entre 30 et 35 centimètres. Elle conviendra à la plupart de vos fenêtres, puis, lorsque vous aurez maîtrisé son maniement, vous pourrez vous en procurer une de 45 centimètres pour laver les fenêtres de grande dimension et une plus petite pour les carreaux.

Tampon à récurer

Un bon tampon à récurer est toujours un plus. Cet outil ressemble à une raclette revêtue d'un manteau pelucheux. On s'en sert pour mouiller et nettoyer les fenêtres avant d'utiliser une raclette. Si vous préférez vous en passer, assurez-vous d'avoir sous la main une bonne éponge naturelle.

Chiffon ou chamois

Pour essuyer la lame en caoutchouc de votre raclette et le bord des fenêtres, servez-vous d'un chiffon ou d'un chamois sec.

Le grattoir

Utilisez un grattoir pour enlever les taches de peinture, les résidus de ciment ou tout autre débris tenace de vos fenêtres. Si vous préférez ne pas acheter cet outil, utilisez une bonne laine d'acier moyenne ou fine. Si vous choisissez cette dernière méthode, assurez-vous que votre tampon et votre fenêtre soient bien savonneux. N'utilisez jamais l'un de ces tampons d'acier savonneux conçus pour laver la vaisselle ; ils égratigneraient vos carreaux. N'utilisez jamais non plus de laine d'acier sur des vitres teintées.

Rallonge

Si vous avez du mal à atteindre certaines fenêtres difficiles d'accès, vous devriez peut-être envisager l'achat d'une rallonge spécialement conçue pour les balais-éponges. Cet outil vous permettra de rester au sol et d'atteindre ces fenêtres sans avoir à grimper dans une échelle.

Seau et PTS

Ajoutez du PTS (phosphate de trisodium) ou du liquide à vaisselle (quelques gouttes) dans un seau rempli d'eau.

Allons-y !

Remplissez votre seau d'eau chaude et ajoutez du PTS ou du liquide à vaisselle.

Assurez-vous d'avoir tout l'équipement requis devant vous et prêt à être utilisé.

Suivez les instructions qui suivent et vous nettoierez comme les pros en un rien de temps !

Plongez votre tampon à récurer ou votre éponge dans la solution nettoyante et lavez la fenêtre minutieusement, en vous servant d'un tampon en acier bien détrempé pour faire partir les taches tenaces, comme les taches laissées par des insectes. Il est inutile d'appuyer trop fortement sur le tampon en acier. Mouillez à nouveau la fenêtre avant de vous servir de votre raclette. Autant que possible, évitez de laver vos fenêtres si elles sont directement exposées aux rayons du soleil ; vous risquez de voir apparaître des taches.

Inclinez votre raclette à un certain angle, afin que seuls cinq centimètres de la lame en caoutchouc touchent à la vitre. Commencez dans un coin du haut et traînez votre raclette à l'horizontale en suivant le bord supérieur de la fenêtre.

Essuyez la lame de votre raclette avec une éponge, puis recommencez sur la surface sèche près du cadre et traînez votre raclette jusqu'au bas, à environ cinq centimètres du bord.

Répétez ce mouvement jusqu'à ce que vous ayez essuyé toute la vitre. Assurez-vous que chaque passage chevauche le précédent et essuyez la lame après chaque passage.

Enlevez le surplus d'eau à l'aide d'une éponge que vous aurez bien rincée.

Répétez la deuxième étape, mais en suivant cette fois le bord inférieur de la fenêtre.

Ayez sous la main un chiffon ou un chamois pour essuyer les bords de la fenêtre si nécessaire. Si vous voyez une traînée, attendez qu'elle sèche, puis utilisez un chiffon en coton ou en polyester — un vieux t-shirt fera l'affaire — pour la faire disparaître en polissant.

N'en faites rien !

Rappelez-vous que, même si on vous conseille de nettoyer vos fenêtres avec du papier journal, n'en faites rien. Cette méthode est malpropre, salissante et laisse des traces d'encre sur les moulures et les surfaces peintes.

Solutions nettoyantes

Si vous préférez laver vos fenêtres simplement en les vaporisant et en les essuyant, voici quelques solutions nettoyantes pour vous dépanner.

Pour polir les vitres ou enlever les taches d'insectes et de moustiquaire

Faites une pâte avec du bicarbonate de soude et de l'eau, frottez-la sur la vitre, rincez bien et essuyez avec un chiffon doux.

Nettoyant pour les vitres
Mélangez :
> 2 l d'eau chaude
> 125 ml de fécule de maïs

Appliquez sur la fenêtre avec une éponge, puis polissez avec une serviette en papier ou un chiffon doux sans peluche.

Nettoyant pour les gros travaux
Mélangez :
> 500 ml d'alcool à 90 degrés
> 30 ml d'ammoniaque
> 30 ml de liquide à vaisselle

Appliquez sur la fenêtre en utilisant une éponge recouverte de nylon, rincez et essuyez. Excellent pour faire partir les taches d'eau.

Sauvons les moustiquaires

La plupart des gens nettoient leurs moustiquaires avec un jet d'eau. Or, cela ne fait que déplacer la saleté d'un endroit à un autre. Il y a une meilleure solution : savonnez la moustiquaire avec une éponge que vous aurez trempée dans un seau d'eau chaude contenant 30 ml de liquide à vaisselle, 60 ml d'ammoniaque et 30 ml de borax. Savonnez bien la moustiquaire. Étendez ensuite un chiffon sous la moustiquaire et tapotez-la doucement. De cette façon, l'eau savonneuse contenant la saleté s'écoulera. Pour finir, rincez la moustiquaire avec un jet d'eau et laissez-la sécher debout ou essuyez-la avec un chiffon.

Après avoir nettoyé vos fenêtres
et vos miroirs, utilisez une
brosse pour tableau noir pour
faire disparaître toutes les marques.

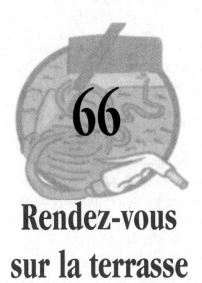

Rendez-vous
sur la terrasse

Un certain entretien routinier est nécessaire pour assurer la solidité, la sécurité et la beauté de votre terrasse.

Bien qu'on ait pu utiliser d'autres types de bois de construction, il y a de fortes chances qu'on ait construit votre terrasse avec du cèdre, du séquoia ou du pin jaune traité sous pression. On utilise généralement ces matériaux de construction, car ils résistent mieux au pourrissement et aux dommages causés par les insectes. Néanmoins, tous les types de bois présentent un jour ou l'autre des signes de désagrégation après une longue exposition aux éléments. Même si on a traité votre terrasse avec une teinture ou un produit de conservation, ce traitement doit éventuellement être renouvelé.

Inspecter et protéger

La première chose que vous devez faire lorsque le beau temps revient est d'inspecter la surface de votre terrasse pour voir s'il n'y a pas des éclats de bois que vous devriez sabler. Prêtez une attention toute particulière à la balustrade.

On retrouve sur le marché de nombreux produits spécialement conçus pour sceller et teindre les terrasses. Plusieurs manufacturiers offrent à présent des produits appelés brillanteurs de terrasse, qui blanchissent et éliminent les taches et les traces de désagrégation sur les surfaces en bois. Appliquez ces produits avec soin, en suivant bien les instructions. Habituellement, il faut faire pénétrer le produit à l'aide d'une brosse à poils durs, puis rincer à fond avant d'appliquer la couche de finition.

Allez à présent sur votre terrasse pour vous assurer que tout est solide et en place et réparez tout ce qui doit l'être. Finalement, s'il n'y a rien à réparer et rien à teindre, suivez ces quelques suggestions pour bien la nettoyer.

S'il y a des feuilles ou d'autres débris sur la terrasse, utilisez un balai ou un souffleur de feuilles pour les enlever.

Les enduits protecteurs protègent la terrasse contre l'humidité et sont disponibles en plusieurs couleurs, comme le teintures. Pour une protection optimale, appliquez périodiquement une couche d'enduit protecteur.

Nettoyer la terrasse

Armé d'un boyau d'arrosage et d'un bon balai-brosse — ayant idéalement un long manche —, utilisez le jet le plus puissant pour déloger les saletés incrustées à la surface. Utilisez ensuite votre balai-brosse pour venir à bout des taches tenaces. Cette méthode fonctionne mieux à deux, l'un peut arroser pendant que l'autre frotte.

Tuer les moisissures

Vérifiez régulièrement l'état des planches. Des taches vertes ou noires indiquent la présence de moisissures. Pour les éliminer, vous pouvez utiliser un produit nettoyant commercial (disponible dans la plupart des centres de rénovation) ou le fabriquer vous-même en mélangeant 250 ml de phosphate de trisodium (disponible dans les magasins spécialisés et les centres de rénovation), quatre litres d'eau oxygénée (moins dangereuse que l'eau de Javel) et quatre litres d'eau chaude. L'eau oxygénée tuera les moisissures et le phosphate de trisodium nettoiera le bois en profondeur. Vous pouvez appliquer cette solution à l'aide d'un vaporisateur ou d'une vadrouille.

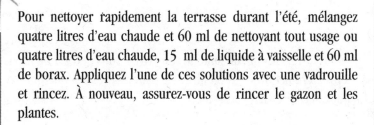

Premièrement, lavez la terrasse en vous servant d'un boyau d'arrosage, puis appliquez la solution. Étendez-la de façon égale, puis frottez avec le balai-brosse que vous avez utilisé tout à l'heure. Laissez reposer environ quinze minutes, puis rincez à grande eau. Répétez le processus aussi souvent que nécessaire, jusqu'à ce que toute la terrasse soit propre. N'oubliez pas les marches d'escalier, les balustrades et les autres sections de la terrasse.

Après avoir nettoyé la terrasse, je vous recommande de laver avec le boyau d'arrosage le gazon et les plantes qui l'entourent afin de les débarrasser de tout résidu de solution. Ce mélange ne devrait pas endommager les plantes, mais il est préférable de les rincer, ne serait-ce que par précaution. Si vous avez utilisé un vaporisateur, assurez-vous de le nettoyer et de le rincer avant de le ranger.

> Pour nettoyer rapidement la terrasse durant l'été, mélangez quatre litres d'eau chaude et 60 ml de nettoyant tout usage ou quatre litres d'eau chaude, 15 ml de liquide à vaisselle et 60 ml de borax. Appliquez l'une de ces solutions avec une vadrouille et rincez. À nouveau, assurez-vous de rincer le gazon et les plantes.

Enlever de la sève sur du bois non traité

Lorsqu'on possède une terrasse en bois, la sève des arbres peut poser problème. Pour l'enlever, appliquez de l'essence minérale avec un vieux chiffon, puis frottez et lavez avec du liquide à vaisselle et de l'eau (15 ml de liquide à vaisselle pour un litre d'eau chaude). Rincez à grande eau.

Tout ce qu'il y a de mieux sous le soleil pour vos meubles de patio

Peu importe sous quelle latitude vous vivez, vous devez à un moment ou à un autre nettoyer vos meubles de patio. Suivez ces quelques conseils pour accélérer le processus.

Coussins

Il y a plusieurs façons de nettoyer les coussins de vos meubles d'extérieur. Vous pouvez utiliser un détachant pour tissu d'ameublement ou un détachant à tapis instantané comme Spot Shot®. Vous n'avez qu'à suivre les instructions sur la boîte. Vous pouvez aussi fabriquer votre propre détachant. Mélangez dans un vaporisateur 30 ml de borax et un litre d'eau chaude. Vaporisez cette solution sur les deux côtés des coussins et laissez reposer pendant quinze minutes. Ensuite, en vous servant du boyau d'arrosage et d'un fort jet, nettoyez les coussins. Remettez-les à leur place et laissez-les sécher au soleil. Lorsqu'ils seront à peine humides, appliquez une bonne couche de protecteur à tissu Scotchgard™ (disponible dans les épiceries et les centres de rénovation). Ce produit protégera les coussins et facilitera leur entretien. Passez l'aspirateur de temps en temps pour enlever un peu de poussière entre deux nettoyages.

Aluminium

Même s'ils ne rouillent pas, les meubles en aluminium peuvent ternir et arborer des marques si on les laisse à l'extérieur. Pour les nettoyer et restaurer leur brillant, frottez les cadres avec un tampon à récurer en plastique que vous aurez trempé dans du détergent ou avec un tampon d'acier savonneux, puis rincez et laissez sécher.

Meubles en aluminium émaillé

Utilisez une éponge imprégnée de détergent, puis lavez à fond, rincez et séchez. Pour les protéger, appliquez une couche de cire pour voitures de bonne qualité. Cela facilitera leur entretien et préservera leur brillant. Vous pouvez également l'utiliser sur les tables dont la finition est en émail.

Toiles

Habituellement, on peut laver à la machine les sièges et les dossiers de chaise en toile, mais assurez-vous de les remettre en place avant qu'ils ne sèchent si vous voulez qu'ils conservent leur forme. Pour nettoyer les toiles qui ne sont pas lavables à la machine, comme les sièges, les dossiers et les auvents de grande dimension, frottez une brosse à récurer sur une barre de savon Fels-Naphta®. Nettoyez ensuite la toile en faisant des mouvements de va-et-vient, puis rincez à grande eau. Cela fera partir les fientes d'oiseau et même les taches tenaces à l'occasion.

Pour que vos meubles en plastique, en résine de synthèse et en métal conservent leur lustre, appliquez une bonne couche de cire comme vous le feriez pour une automobile.

Plastique

Nettoyez les meubles en plastique avec un bon produit nettoyant tout usage et de l'eau, puis rincez et séchez. Pour les meubles blancs, essayez du détergent à vaisselle et de l'eau chaude (quatre litres d'eau chaude et 90 ml de détergent à vaisselle). Lavez et laissez la solution agir pendant quinze minutes, puis rincez et séchez.

68

Tous au gril

Voyons comment il est possible de cuisiner sur le gril sans se casser la tête et en s'amusant.

Nettoyer le gril

Pour enlever les aliments calcinés qui se sont incrustés sur la surface de cuisson de votre gril, suivez ce procédé. Tout d'abord, enveloppez la grille dans une feuille de papier d'aluminium ultrarésistante, le côté terne tourné vers l'extérieur. Faites chauffer le barbecue à chaleur élevée et placez la grille au-dessus du charbon de bois ou des flammes pendant dix ou douze minutes. Lorsque la grille aura refroidi, retirez le papier d'aluminium ; tous les aliments et les graisses calcinés se détacheront d'eux-mêmes et votre grille sera impeccable et prête à être utilisée.

Immédiatement après la cuisson

Froissez une feuille de papier d'aluminium et frottez la grille encore chaude avec cette boule, en prenant soin de ne pas vous brûler les doigts.

La méthode de la baignoire dans une version moins salissante

Plusieurs personnes recommandent de placer la grille dans une baignoire remplie d'eau chaude, de détergent et d'ammoniaque. Je trouve cette méthode plutôt salissante, car vous devez laver la baignoire lorsque vous avez terminé. Si vous souhaitez utiliser cette méthode, assurez-vous d'étendre de vieux chiffons ou un sac à ordures dans le fond de la baignoire pour éviter que la grille n'égratigne sa surface.

Mais je vous suggère plutôt d'essayer cette autre méthode : posez quelques serviettes en papier que vous aurez trempées dans l'ammoniaque non diluée sur les deux côtés de la grille. Placez la grille dans un sac plastique de bonne taille et refermez-le. Laissez reposer toute la nuit. Le lendemain matin, ouvrez le sac en le tenant loin de votre visage en raison des mauvaises odeurs. Essuyez la grille en vous servant des serviettes en papier qui sont dans le sac, lavez avec de l'eau savonneuse, puis rincez.

Pour nettoyer le dessous de vos casseroles

Avant de poser une casserole sur le gril, que ce soit pour réchauffer une sauce ou faire cuire d'autres aliments, frottez le dessous avec une barre de savon. Vous aurez ainsi moins de mal à la nettoyer lorsque vous aurez terminé.

Nettoyer les briquettes

Retournez les briquettes de temps en temps et allumez le gril en tenant le couvercle fermé. Laissez-les chauffer à chaleur élevée pendant au moins quinze minutes.

Éclaboussures de graisse

Si vous avez un patio en ciment ou en bois, ayez toujours à portée de la main un récipient rempli de sel lorsque vous utilisez le gril. Recouvrez immédiatement de sel les éclaboussures de graisse. Balayez et versez du sel jusqu'à ce que la graisse soit absorbée, puis frottez avec du liquide à vaisselle et rincez.

Avant d'allumer le barbecue, vaporisez un enduit antiadhésif sur la grille de cuisson. Ce truc fonctionne très bien avec les grils au gaz et au charbon de bois. Appliquez une généreuse couche pour éviter que les aliments ne collent, ce qui facilitera la cuisson et le nettoyage.

Pour nettoyer l'extérieur de votre gril

Voici une façon rapide et facile de nettoyer l'extérieur du gril. Cette méthode, qui fonctionne avec les grils au gaz et au charbon de bois, leur redonnera leur apparence originale. Versez un peu de nettoyant à mains sans eau Go-Jo® (disponible dans les épiceries, les quincailleries et les centres de rénovation) sur un vieux chiffon ou une serviette en papier et frottez l'extérieur du gril. Allez-y vigoureusement, en prenant soin d'enlever toutes les taches de graisse et de sauce barbecue. Mais ne rincez pas; prenez plutôt une serviette en papier et polissez la surface du gril. Vous verrez la saleté faire place à un merveilleux lustre.

Pour nettoyer la fenêtre en vitre de votre gril

Plusieurs grils au gaz possèdent une fenêtre en vitre. Évidemment, après quelques utilisations, il devient impossible de voir à travers! Pour remédier à ce problème, vaporisez l'intérieur de la vitre avec un nettoyant pour le four. Attendez quelques minutes, puis frottez et rincez. Pour l'extérieur, je vous conseille d'utiliser le nettoyant à mains sans eau Go-Jo® et de bien polir.

Un guide convivial pour lutter contre les insectes nuisibles

V ous avez un problème d'insectes? Ces petites pestes empoisonnent votre existence? Vous pouvez vous en débarrasser sans utiliser de produits chimiques, sans prendre de risques, tout en respectant l'environnement. Si vous avez l'intention de planter des fleurs ou de lutter contre des insectes nuisibles, gardez ce livre à portée de la main.

Le vinaigre blanc est un excellent substitut aux insecticides commerciaux. Appliquez-le sur la peau à l'aide d'une boule de coton et allez-y généreusement. Vous n'avez rien à craindre; les insectes détestent ce goût et l'odeur du vinaigre disparaît une fois qu'il est sec. Idéal pour les enfants!

Insecticide

Lorsque vous utilisez un insecticide, en particulier s'il contient du DEET, essayez de vaporiser vos vêtements plutôt que votre peau — ce procédé est beaucoup plus sûr, surtout pour les enfants.

Pucerons

Mélangez du lait écrémé en poudre avec de l'eau en suivant les instructions sur la boîte, puis versez ce mélange dans un vaporisateur et appliquez-le sur les feuilles de vos plantes. En séchant, les résidus de lait emprisonneront les pucerons, qui en mourront. Vous pouvez rincer les plantes de temps en temps avec un jet d'eau. Cette méthode n'endommage pas les plantes et représente une solution peu coûteuse à un gros problème.

Pucerons et araignées

Lavez vos plantes avec une solution composée de liquide à vaisselle et d'eau. Je vous conseille un ratio de 2,5 ml de liquide à vaisselle pour un litre d'eau. Nettoyez le dessus et le dessous des feuilles avec cette solution, mais ne rincez pas.

Pucerons et aleurodes

Puisque ces insectes sont attirés par le jaune clair, on peut les attraper en plaçant un carton jaune — ou tout autre objet peint en jaune — recouvert d'une couche d'huile à moteur, de gelée de pétrole ou de Tack Trap® près des plantes touchées. Appliquez une nouvelle couche lorsque le piège est sec.

Pucerons et roses

Mélangez 7 ml de bicarbonate de soude dans 500 ml d'eau et appliquez cette solution une fois par semaine. Cette méthode est non polluante et sans danger pour vous et vos enfants.

Sauterelles

Pour repousser les sauterelles, plantez du basilic autour de vos lits de fleurs. Les sauterelles mangeront le basilic et épargneront vos fleurs.

Fourmis

S'il y a des fourmis sur le plan de travail de votre cuisine, nettoyez-le avec du vinaigre blanc.

Pour empêcher les fourmis d'entrer dans la maison et dans les armoires, saupoudrez de la menthe sèche ou du poivre de Cayenne vis-à-vis les points d'entrée.

Pour détruire une fourmilière, inondez-la avec 12 litres d'eau bouillante. Il est préférable d'agir lorsque les fourmis sont actives près de la surface. N'utilisez pas cette méthode s'il y a des fleurs à proximité, sinon elles mourront elles aussi.

Une autre façon de se débarrasser des fourmis consiste à mélanger du borax et du sucre glace (moitié/moitié) et de placer ce mélange sur une planche près de la fourmilière. Les fourmis seront attirées par le sucre et ramèneront ce mélange fatal dans leur fourmilière afin de nourrir la reine et les autres fourmis. Peu de temps après, elles seront toutes mortes. Avertissement : ne placez jamais ce mélange là où des enfants ou des animaux risquent de l'ingérer. Vous trouverez du borax dans le rayon des détergents pour la lessive de votre épicerie ; il s'agit d'un additif, et non d'un pesticide.

Cafards

Pour éloigner les cafards de vos armoires, placez quelques feuilles de laurier sur les étagères.

Tuez les cafards avec un mélange composé de 90 ml de borax, 90 ml de farine de maïs, 90 ml de farine et une pincée de sucre en poudre. Saupoudrez ce mélange dans les fentes entre l'évier et le plan de travail, là où les cafards adorent se cacher. Rappelez-vous de tenir ce mélange hors de la portée des enfants et des animaux domestiques.

« Un jardin est une oasis de beauté, une oasis que vous devrez entretenir jusqu'à la fin de vos jours. »
— Anonyme

Vous pouvez également essayer cette formule contre les cafards : mélangez de l'acide borique en poudre (50 %) avec du sucre (25 %) et un succédané de crème en poudre (25 %). Ce mélange est bon marché et s'avère relativement sûr, mais vous devriez néanmoins le tenir hors de la portée des enfants et des animaux domestiques. Saupoudrez ce mélange dans les recoins chauds et sombres qu'affectionnent tout particulièrement les cafards — sous l'évier et la cuisinière électrique, derrière le réfrigérateur, dans les armoires et les placards, et ainsi de suite. Les cafards vont marcher dans ce mélange, puis faire leur toilette, un peu comme le font les chats. Ils mourront immédiatement après avoir ingéré cette poudre.

Des fleurs dans les cheveux

Prolonger la vie de ses fleurs

Pour prolonger la vie de vos fleurs fraîches et des arrangements floraux de votre fleuriste, suivez mon conseil. Enlevez tout le feuillage se trouvant sous l'eau, taillez les tiges périodiquement et renouvelez fréquemment la solution, et vos fleurs vivront plus longtemps.

Mélangez :

1 l d'eau

30 ml de jus de citron

15 ml de sucre

2,5 ml d'eau de Javel

Versez cette solution dans un vase à fleurs et admirez le résultat. Si l'arrangement floral provient de chez votre fleuriste, ajoutez un peu de solution chaque fois que vous ajoutez de l'eau.

Si vous n'avez pas ces ingrédients sous la main, versez 60 ml de rince-bouche Listerine™ dans quatre litres d'eau.

Pour prolonger la vie des fleurs coupées sans qu'elles perdent leurs pétales, vaporisez-les avec de la laque pour les cheveux. Tenez le vaporisateur à environ trente centimètres des fleurs et vaporisez vers le haut pour éviter qu'elles ne fanent.

Le transport des fleurs fraîches

Si vous avez l'intention de donner des fleurs de votre jardin en cadeau ou d'en apporter quelques-unes à votre bureau, remplissez un ballon d'eau, placez les tiges à l'intérieur et fermez bien l'ouverture autour d'elles à l'aide d'un élastique, d'une attache ou d'un ruban. En piquant au préalable les tiges dans un napperon, vous les maintiendrez en place ; la présentation sera ainsi plus attrayante. Vos fleurs resteront fraîches et vous n'aurez pas à vous préoccuper des éclaboussures !

Nettoyer les pots de fleurs

Lorsque vous plantez des fleurs dans un pot muni de trous pour le drainage, tapissez le fond du pot avec quelques filtres à café de façon à les recouvrir complètement. Ajoutez ensuite un peu de gravier, puis remplissez le pot de terre. Lorsque vous arroserez vos plantes, l'eau et la terre ne s'écouleront plus par le fond.

Matière de remplissage

Lorsque vous plantez dans un grand pot des plantes ayant des racines superficielles, tapissez le fond du pot avec quelques filtres à café et un peu de gravier, remplissez un tiers du pot avec de la mousse d'emballage, puis ajoutez de la terre. Le pot sera beaucoup plus léger et vous aurez besoin de moins de terre pour le remplir.

Une eau nourrissante

Lorsque vous faites bouillir des œufs, ne jetez pas l'eau de cuisson ; servez-vous-en plutôt pour arroser vos plantes. Cette eau contient beaucoup de minéraux.

Pour obtenir un breuvage acide pour vos plantes, mélangez du café ou du thé froid avec de l'eau. (Assurez-vous de ne pas en renverser sur le tapis.)

L'eau des aquariums est un excellent fertilisant pour les plantes.

L'eau gazéifiée, une fois qu'elle a perdu ses bulles, est très bonne pour les plantes.

Pour nettoyer facilement les vases à fleurs, remplissez-les d'eau chaude et ajoutez une ou deux tablettes pour nettoyer les dentiers, selon les dimensions du vase. Laissez tremper au moins une heure ou toute la nuit. Lavez, rincez et séchez bien. Si vous n'avez pas de tablettes pour nettoyer les dentiers, ajoutez une poignée de riz sec et un peu de vinaigre blanc, et secouez vigoureusement. Laissez tremper dans le vinaigre et l'eau chaude si nécessaire. Lavez et rincez le vase.

Vous partez en vacances? Placez vos plantes dans l'évier ou dans la baignoire, tout dépendant du nombre de plantes que vous possédez. Assurez-vous que les pots soient munis de trous pour le drainage. Remplissez la baignoire de quelques centimètres d'eau; ainsi, vos plantes ne manqueront pas d'eau durant votre absence. Pour ne pas abîmer le fini de votre baignoire, étendez de vieilles serviettes dans le fond avant d'y déposer les plantes.

Problèmes d'insectes

Si les insectes causent des problèmes à vos plantes d'intérieur, vaporisez la terre avec un insecticide et recouvrez immédiatement la plante d'un sac en plastique. Laissez le tout en place pendant quelques jours, puis retirez le sac.

Briller de mille feux

Pour faire briller les feuilles de vos plantes, essuyez-les doucement avec de la glycérine. Vous pouvez aussi les frotter avec un mélange composé d'une part d'eau et d'une part de lait. N'appliquez jamais d'huile sur les feuilles; cela attire la poussière et la saleté.

Jardinières et plantes d'extérieur

On peut facilement les garder propres. Après avoir planté vos fleurs dans des pots, recouvrez le sol d'une couche de gravier ou de billes. Lorsque vous arroserez ou qu'il pleuvra, il n'y aura plus d'éclaboussures sur les plantes, le patio et la véranda.

Plantes suspendues

Pour arroser facilement vos plantes suspendues sans faire de dégâts, utilisez des glaçons. Comme ils fondent lentement, l'eau ne s'écoulera plus sur le plancher ou sur le patio.

Contrer les mauvaises herbes

Pour vous débarrasser des mauvaises herbes qui poussent dans les fissures du trottoir, arrosez-les avec de l'eau bouillante salée. Utilisez un mélange composé de 60 ml de sel et deux litres d'eau.

Pour les empêcher de repousser dans les interstices, saupoudrez-les d'un peu de sel.

Nettoyer des fleurs artificielles

Pour bien nettoyer vos fleurs artificielles, en soie ou en polyester, placez-les dans un sac rempli de sel de table. Ajoutez du sel proportionnellement à la taille des fleurs. Fermez le sac et secouez les fleurs dans le sel pendant quelques minutes, ou plus longtemps, si elles sont vraiment très sales. Ensuite, secouez-les doucement pour vous débarrasser du sel. Lorsque vous aurez terminé, le sel vous semblera propre mais, en versant un peu d'eau dessus, vous verrez qu'il a accumulé beaucoup de saleté.

Vous pouvez aussi placer vos fleurs en soie dans une taie d'oreiller et mettre le tout dans la sécheuse pendant quinze ou vingt minutes, en prenant soin de choisir l'option sans chaleur.

Pour les protéger de la saleté, vaporisez vos fleurs en polyester avec de l'acrylique (disponible dans les magasins d'artisanat). Si elles sont très poussiéreuses, lavez-les sous l'eau courante et suspendez-les pour les faire sécher.

Partie 5

ET VOUS PENSIEZ QUE J'AVAIS OUBLIÉ...

Hissez le drapeau !

Plusieurs personnes m'ont demandé comment prendre soin de leurs drapeaux. C'est un honneur pour moi de vous renseigner sur ce sujet.

Ne lavez jamais un drapeau américain dans la machine à laver ou même à la main. Il doit nécessairement être nettoyé à sec. Vous devrez sans doute faire quelques téléphones mais, si je me fie à ma propre expérience, la plupart des teinturiers offrent ce service gratuitement.

Pour réparer les déchirures et les trous, utilisez des pièces pouvant être apposées avec un fer à repasser. Assurez-vous que les pièces sont agencées aux couleurs de votre drapeau, et il ne vous restera plus qu'à suivre les instructions sur l'emballage. On trouve également des trousses de réparation dans la plupart des commerces qui vendent des drapeaux.

Les drapeaux ne pouvant être réparés doivent être brûlés en entier. Faites un feu « modeste, mais éclatant. Cette opération doit se dérouler en toute simplicité, avec dignité et respect ». Assurez-vous qu'il ne reste rien du drapeau, à part des cendres, et qu'il ne reste aucun débris identifiable.

72

Prendre en charge les appareils électroniques

Écrans de télévision

On peut nettoyer plusieurs appareils électroniques avec de l'alcool dénaturé (disponible dans les quincailleries). Pour nettoyer l'écran de votre téléviseur, débranchez tout d'abord l'appareil. Appliquez ensuite de l'alcool à l'aide d'un chiffon ou d'une serviette en papier, essuyez l'écran minutieusement, puis polissez.

Empêcher la poussière de se déposer

Appliquez un produit antistatique sur un chiffon et époussetez l'écran et le meuble de rangement, ou encore mélangez une part d'assouplissant textile liquide et quatre parts d'eau, puis appliquez avec un chiffon doux et polissez.

> Ne nettoyez jamais un appareil électronique avant de l'avoir débranché!

Radios

Comme on doit fréquemment épousseter ces appareils, nettoyez-les à l'occasion avec une boule de coton imbibée d'alcool dénaturé. N'appliquez jamais d'alcool sur du bois.

> « Je ne connais que deux chansons. L'une d'elle est Yankee Doodle, et l'autre n'est pas Yankee Doodle. »
> — Ulysse S. Grant

Appareils photo

Pour protéger votre appareil photo de la poussière, rangez-le toujours dans son étui lorsque vous ne l'utilisez pas. À l'exception de la lentille externe, que vous pouvez laver avec une boule de coton et un peu d'alcool, laissez à un professionnel le soin de nettoyer votre appareil.

Magnétoscopes

Pour fonctionner adéquatement, ces appareils doivent être protégés de la poussière. Il est préférable de les recouvrir avec une housse en plastique lorsqu'on ne les utilise pas. Si la pièce est humide, placez des sachets de silice (que vous trouverez chez votre fleuriste ou dans les souliers et les sacs à main en cuir neufs) sur le magnétoscope (gardez ces sachets hors de la portée des enfants). Nettoyez de temps en temps votre magnétoscope à l'aide d'une vidéocassette autonettoyante pour améliorer la qualité de l'image. Rangez les vidéocassettes dans des boîtes en carton ou en plastique ; elles seront toujours propres et prêtes à être utilisées.

Répondeurs

Vous devez les épousseter avec un chiffon en laine d'agneau, en particulier à l'intérieur de l'appareil. Vous pouvez aussi utiliser un produit nettoyant en aérosol, mais assurez-vous que l'appareil est sec avant de remettre la cassette en place.

Télécopieurs

Il ne faut pas oublier de les épousseter et de les nettoyer à l'occasion avec un peu d'alcool dénaturé.

Ordinateurs

Pour éviter tout problème fâcheux, il est important de protéger votre ordinateur contre la poussière. Pour déloger la poussière entre les touches du clavier, servez-vous d'un tampon en coton ou de votre aspirateur. Si vous choisissez l'aspirateur, utilisez une brosse à épousseter ou un accessoire spécialement conçu pour les ordinateurs afin de bien nettoyer entre les touches.

Mélangez une part d'eau et une part d'alcool, et appliquez sur les touches à l'aide d'un tampon en coton. Évitez de mettre trop d'eau. De l'alcool dénaturé peut également faire l'affaire.

Époussetez l'écran et vaporisez un produit antistatique.

Assurez-vous que votre ordinateur n'est pas directement exposé à la lumière du soleil; cela pourrait provoquer une surchauffe. La lumière du soleil peut aussi vous empêcher de bien voir ce qui est affiché à l'écran.

Pour nettoyer vos disques compacts, mélangez 30 ml de bicarbonate de soude et 500 ml d'eau dans un vaporisateur. Mélangez bien, vaporisez vos disques et essuyez-les avec un chiffon doux. Ne faites surtout pas de mouvements circulaires; lorsque vous essuyez, partez du centre du disque en allant vers l'extérieur.

73

L'art d'entretenir et de suspendre au mur tableaux et peintures

L es tableaux et les peintures font partie de ces petits détails qui transforment une maison en véritable chez-soi. Voici quelques idées qui vous aideront à suspendre et à entretenir vos tableaux et vos peintures, qu'ils soient à l'huile ou à l'acrylique.

Trouver facilement le montant

Avant de suspendre un tableau, il est préférable de trouver un montant pour le soutenir, surtout s'il est lourd. Pour ce faire, faites glisser un rasoir électrique en marche le long du mur. Vous remarquerez que le rasoir émet un son nettement différent selon qu'il rencontre un mur vide ou un montant. Chaque fois que vous voudrez suspendre un tableau, utilisez cette méthode pour localiser les montants dans votre maison.

Pour redresser les tableaux

Enroulez un peu de ruban gommé autour du fil métallique qui supporte le tableau. Le fil aura moins tendance à glisser sur la fixation.

Placez du ruban protecteur aux quatre coins de votre tableau et pressez-le contre le mur. Enroulez du ruban protecteur autour de cure-dents ronds (en prenant soin de laisser le côté adhésif à l'extérieur) et placez-en quelques-uns dans le bas, à l'endos du cadre.

Pour éviter de percer au hasard

Découpez un modèle en papier de tous les tableaux et miroirs que vous voulez suspendre ou épingler au mur. Une fois que vous aurez trouvé la position idéale pour toutes vos fixations, perforez le papier avec un crayon pointu afin de laisser une marque sur le mur.

Pour éviter de faire des trous dans vos murs, suspendez vos tableaux à l'aide d'une aiguille pour machine à coudre. Elles peuvent supporter jusqu'à quinze kilos et ne laissent pratiquement pas de marques.

Teindre des cadres au fini naturel

Vous pouvez les teindre en utilisant simplement du poli à chaussures liquide. Appliquez une première couche et laissez sécher. Appliquez une seconde couche, puis cirez en utilisant une bonne cire en pâte. Le poli à chaussures brun donne des reflets de noyer et celui de couleur sang de bœuf imite très bien l'acajou et le cerisier. Pour obtenir une teinte proche de l'érable, utilisez un poli brun clair. Ces produits permettent également de dissimuler les éraflures.

Enlevez les taches sur les cadres dorés en les frottant douce-ment à l'aide d'un chiffon que vous aurez trempé dans un peu de lait.

Nettoyer les tableaux vitrés

Ne vaporisez jamais directement sur la vitre; le liquide pourrait s'infiltrer à l'intérieur et endommager le tableau. Vaporisez un peu de nettoyant à vitres sur une serviette en papier, essuyez et polissez avec une serviette sèche.

Polissez le verre avec une feuille d'assouplissant textile pour le faire reluire et repousser la poussière.

Nettoyer les peintures à l'huile et à l'acrylique

Époussetez-les de temps en temps à l'aide d'un chiffon sans peluches ou d'une brosse souple propres. Enlevez les taches en utilisant un linge à peine humide ou une tranche de pain blanc. Si le tableau a une grande valeur monétaire ou sentimentale, faites-le nettoyer par un professionnel. Même un chiffon à épousseter doux peut déchirer ou écailler un tableau.

Photographie en péril

Si l'une de vos photographies est collée sur la vitre, immergez le tout dans une casserole remplie d'eau à la température de la pièce, puis vérifiez de temps en temps si vous êtes en mesure de la décoller. Ne soyez pas impatient! Laissez ensuite la photographie sécher à l'air libre. Puisque la plupart des photographies sont immergées dans l'eau durant leur développement, cela ne devrait pas les endommager, quoique je ne puisse le garantir à cent pour cent.

74

Le fandango du foyer

Qu'y a-t-il de plus agréable que de s'asseoir près d'une cheminée où brûle un feu douillet et réconfortant au cours d'une froide soirée d'hiver, pendant que tombe la neige et souffle le vent? (En supposant que vous n'aurez pas à vous rendre au travail le lendemain matin.) Si vous entretenez votre cheminée comme il se doit, et si vous la nettoyez et l'utilisez adéquatement, elle vous remontera le moral durant les mois d'hiver et prêtera main forte à votre système de chauffage.

Entretien des cheminées : La cheminée des foyers au bois doit être ramonée deux fois par année. La résine qui s'accumule le long des parois peut prendre feu.

Pièces en métal : Pour nettoyer les pièces en métal de votre cheminée, utilisez une pâte à noircir ou un produit nettoyant commercial. Si vous utilisez une pâte à noircir, portez des gants et appliquez avec une laine d'acier fine (0000). Polissez avec un vieux chiffon doux que vous pourrez ensuite jeter. Vous auriez avantage à garder une corbeille à déchets en plastique près de vous tandis que vous travaillez afin de pouvoir facilement vous débarrasser des chiffons sales, de la laine d'acier et de vos gants.

Nettoyer l'âtre : Il n'est pas nécessaire de retirer fréquemment la cendre de bois. Les cendres sont une bonne base pour le feu. Lorsqu'elles se sont accumulées, recouvrez-les de papiers journaux humides pour éviter que la poussière ne se répande et jetez-les dans la poubelle à l'aide d'une pelle, après vous être assuré que les cendres sont bien froides. N'oubliez pas : des cendres chaudes peuvent demeurer chaudes pendant longtemps. Donc, soyez prudent.

Éliminer la suie autour de la cheminée : Avant d'appliquer de l'eau sur la suie qui s'est accumulée sur la brique, la pierre ou les carreaux qui encadrent votre cheminée, vous devez d'abord l'enlever à l'aide d'une éponge spécialement conçue pour la suie et la saleté. Ces éponges à sec ressemblent à de grosses gommes à effacer et sont vendues dans les quincailleries et les centres de rénovation. À l'aide de l'éponge, « effacez » la suie sur le devant de la cheminée. Si vous appliquez d'abord de l'eau, il se formera des taches de suie graisseuses qui seront difficiles à faire partir. Dans le pire des cas, vous devrez sceller le devant de la cheminée et la peinturer.

Pour nettoyer la brique, après avoir utilisé une éponge à sec, frottez énergiquement à l'aide d'une brosse à récurer à poils durs et de l'eau claire. Ajoutez un peu de phosphate de trisodium dans l'eau pour vous faciliter la tâche. Ce produit est disponible dans les quincailleries et les centres de rénovation. Rincez lorsque vous avez terminé.

Pour nettoyer les carreaux de céramique, utilisez une éponge à sec, lavez avec une solution de liquide pour lave-vaisselle ou un détergent tout usage, puis rincez.

Pour le marbre, utilisez une éponge à sec, puis lavez avec une solution savonneuse ou un nettoyant doux tout usage comme le produit At Home All Purpose Cleaner® de Soapworks®. Rincez à fond et séchez avec une vieille serviette.

Pour nettoyer les carreaux de céramique, je vous suggère d'utiliser le produit Clean Shield® fabriqué par Unelko Corporation. Clean Shield® dépose une couche protectrice sur le

Important : ne jetez jamais de cendres chaudes ailleurs que dans un contenant en métal réservé à cet usage. Laissez refroidir les cendres dans le contenant pendant au moins vingt-quatre heures avant de les jeter à la poubelle ou dans un sac-poubelle.

marbre et les carreaux de céramique, et les rendra plus faciles à nettoyer, comme une casserole antiadhésive. Utilisez simplement de l'eau pour faire partir les taches et la suie. Lorsque l'eau ne perlera plus, appliquez une nouvelle couche.

Quelques conseils et suggestions pour l'entretien de votre cheminée

✳ Songez à l'achat d'un échangeur de chaleur pour améliorer l'efficacité de votre cheminée. Cet appareil permet la récupération de la chaleur qui s'échapperait normalement par la cheminée.

✳ Ne faites jamais brûler de bois vert. Il s'agit d'une perte totale d'énergie et cela peut même s'avérer dangereux en raison du contenu en créosote. La plupart des feux de cheminée sont provoqués par une accumulation de créosote.

✳ Pour une façon sûre et peu coûteuse d'allumer votre feu, utilisez la charpie qui s'est accumulée dans le filtre à charpie de la sécheuse. Les boules de charpie permettront au petit bois de prendre rapidement.

> Laissez vieillir votre bois au moins une saison avant de le faire brûler.

✳ À la recherche de petit bois peu coûteux? Recueillez au supermarché les boîtes de carton ciré utilisées pour le transport des fruits et légumes frais. Coupez-les en bandes de 5 à 10 centimètres à l'aide d'un couteau et utilisez trois ou quatre bandes pour enflammer les petites bûches. Bien sûr, n'en abusez pas, car vous pourriez vous retrouver avec un feu si intense qu'il provoquerait un feu de cheminée.

✳ Pour remplir la maison d'une odeur très agréable, jetez des morceaux d'écorce d'agrumes (orange, citron, lime) dans votre feu. Vous pouvez également ajouter une ou deux noix de pin s'il y en a dans votre région.

Dernier rappel

✳ Baissez la température dans les autres pièces de la maison (à environ 13 °C).

✳ Fermez toutes les portes et les conduits d'air chaud donnant sur la pièce où se trouve votre cheminée.

✳ Si possible, entrouvrez de quelques centimètres ou moins une fenêtre près de la cheminée. Cela permettra à votre feu d'aspirer l'air venant de l'extérieur plutôt que l'air se trouvant à l'intérieur de la maison.

✳ N'oubliez pas d'installer un écran en verre ou un âtre irradiant pour empêcher une partie de l'air chaud de s'échapper par la cheminée.

75

Garder la tête froide après un incendie

J'espère de tout cœur que vous n'aurez jamais besoin de consulter ce chapitre mais, si jamais vous êtes victime d'un incendie, rappelez-vous qu'il est là pour vous. Pendant quinze ans, j'ai possédé dans le Michigan une entreprise de nettoyage après sinistres, et je peux vous dire que, dans les heures qui suivent un incendie, c'est à peine si vous vous rappelez votre nom.

La voiture de pompiers vient tout juste de quitter les lieux et vous êtes là, au milieu d'un amas de débris calcinés, humides et puants que vous arrivez à peine à reconnaître. Vous aimeriez vous asseoir et pleurer un bon coup, mais il n'y a pas un seul endroit propre où s'asseoir. Que faire? Avez-vous tout perdu? Ce chapitre vous aidera à surmonter votre émoi et vous conseillera sur ce que vous pouvez faire en tant que propriétaire.

Sautez sur le téléphone

Lorsque le feu est éteint, appelez votre agent d'assurances ou téléphonez au numéro 800 qui est inscrit sur votre police d'assurance en cas de réclamations.

Appelez immédiatement. Même si les dommages semblent extrêmes, les choses peuvent encore se dégrader. Après un incendie, les résidus acides de la suie peuvent causer de nouveaux dommages. Un incendie produit deux types de polluants : de l'oxyde nitreux (provenant du bois, des aliments, etc.) et de l'anhydride sulfureux (provenant du plastique, des produits dérivés du pétrole, etc.). Lorsque ces polluants entrent en contact avec de l'eau, ils se transforment en acides! En quelques heures, ces acides peuvent causer des dommages substantiels et permanents. Si elle intervient rapidement, une entreprise de nettoyage peut éliminer ce problème et sauver vos objets de valeur de la destruction. Ces entreprises sont habituellement disponibles vingt-quatre heures sur vingt-quatre en cas d'urgence; vous n'avez qu'à consulter votre annuaire téléphonique pour les rejoindre. Elles préserveront et protégeront les surfaces contre tout dommage éventuel et travailleront de concert avec votre expert en sinistres pour estimer les dégâts.

> Premièrement, dès que vous aurez terminé la lecture de ce chapitre, placez votre police d'assurance, ainsi que le nom et le numéro de téléphone de votre agent, dans une boîte à l'épreuve du feu ou dans un compartiment de coffre-fort à la banque. Vous pourrez ainsi les retrouver facilement et les protéger du feu. Prenez des notes et placez-les avec vos papiers d'assurance.

Qu'est-ce qu'un expert en sinistres?

L'expert en sinistres travaille pour une compagnie d'assurances. Il évalue les dommages causés par la fumée, les feux de cheminée, les appareils de chauffage central et les incendies. Il vous aidera à décider ce qui mérite d'être sauvé et ce qui ne le mérite pas. Il exigera de votre entreprise de nettoyage et de toutes les personnes qui participent au nettoyage (entrepreneur, teinturier, etc.) une évaluation écrite des dommages. Il est possible que plus d'une estimation soit exigée.

Pendant ce temps, vos amis, votre famille et même de parfaits étrangers vous donneront toutes sortes de conseils. Ignorez-les! Votre expert en sinistres est un professionnel et sait mieux que personne comment s'occuper des dommages causés par la fumée. L'expert peut même vous conseiller une entreprise qu'il connaît bien si vous ne savez pas qui appeler.

Les entreprises de nettoyage après sinistres

Les entreprises de nettoyage après sinistres procèdent à deux types de nettoyage : général et particulier. Le nettoyage général consiste à laver les murs, les moquettes, les armoires — toutes les choses que vous ne pouvez pas apporter avec vous lorsque vous déménagez. Le nettoyage particulier consiste à laver les tissus d'ameublement, les meubles, la vaisselle, les vêtements, etc. — toutes les choses que vous pouvez apporter avec vous lorsque vous déménagez. Elles remettront une évaluation complète des dommages à votre compagnie d'assurances et vous en donneront une copie.

Une fois que vous aurez obtenu la confirmation de votre couverture et les autorisations nécessaires, le nettoyage et les réparations pourront débuter. Cela inclut le nettoyage à sec, la buanderie et l'élimination des odeurs (il en sera question dans ce chapitre).

Paiement

Lorsque les travaux de nettoyage et de réparation sont complétés, la compagnie d'assurances va généralement émettre un chèque à votre nom et au nom de la firme qui a effectué les travaux. Si vous jugez les travaux satisfaisants, vous n'avez qu'à signer à l'endos du chèque.

Éliminer les odeurs

Il est essentiel d'éliminer les odeurs après un incendie. L'odeur de fumée aura tout imprégné — même vos vêtements.

Premièrement, il faut éliminer immédiatement les pires odeurs afin de rendre la maison habitable (surtout si vous êtes en mesure d'y habiter durant les travaux de réparation).

Au cours de la reconstruction, les murs intérieurs seront désodorisés et le bois roussi sera scellé afin d'éliminer les odeurs. Si l'incendie était majeur, on désodorisera à nouveau lorsque le nettoyage sera complété.

Tous vos vêtements devront être désodorisés dans une buanderie ou une teinturerie. Pour les cas graves, il sera peut-être nécessaire de procéder à une ozonisation pour briser les molécules d'oxygène et libérer les odeurs.

On peut aussi utiliser de l'ozone pour désodoriser la maison. Vous aurez l'impression de respirer un air d'une grande pureté, comme celui qui suit un orage électrique.

À ma connaissance, la meilleure technique pour éliminer les odeurs consiste à reproduire les conditions qui ont causé ces mêmes odeurs. Pour les odeurs de fumée, on produira un désodorisant en «fumée» qui désodorisera en s'infiltrant partout, exactement comme la fumée à l'origine des dommages.

On éliminera également les odeurs en scellant les conduits d'aération et en les désodorisant.

De plus, avant de laver et de peindre les murs, il est préférable de les sceller avec un enduit spécial pour éliminer tous les résidus et la pellicule graisseuse laissés par la fumée. Vous pouvez ensuite peindre les murs comme d'habitude. Les entreprises de nettoyage et les experts en sinistres connaissent bien ce procédé.

Si la fumée a causé peu de dommages, il ne sera peut-être pas nécessaire de repeindre les murs; un bon nettoyage suffira. Il est néanmoins recommandé de toujours désodoriser.

Et si vous n'avez pas d'assurance?

Le meilleur conseil que je puisse vous donner est de prendre immédiatement une assurance. Si vous habitez un appartement ou un condominium, prenez une assurance locataire. En cas d'incendie, vous ne regretterez pas votre décision.

Mais si vous n'avez pas d'assurance, voici quelques conseils pratiques :

Allez dans un magasin spécialisé dans les produits d'entretien et demandez-leur quels produits vous devriez utiliser. Ils vous offriront un déodorant de qualité professionnelle pour nettoyer les vêtements, le linge de maison et les surfaces dures. Vous versez tout simplement ce déodorant dans un seau d'eau ou dans la machine à laver.

Téléphonez à une entreprise de nettoyage après sinistres et essayez de louer un appareil producteur d'ozone pour désodoriser la maison et son contenu. Gardez toutefois à l'esprit que l'ozone risque à la longue de faire jaunir les objets en plastique.

Pour nettoyer vos murs, achetez une éponge spécialement conçue pour la suie et la saleté. Cette éponge, qui ressemble à une brosse pour tableau noir, éliminera la pellicule graisseuse qui recouvre vos murs. Vous n'aurez donc pas de traînées de suie lorsque vous les laverez.

Louez une machine à laver les tapis munie d'un accessoire pour les tissus d'ameublement afin de nettoyer tous les tapis et les tissus d'ameublement lavables à l'eau.

Lavez les meubles avec un savon hydratant; séchez-les avant de les polir pour obtenir un lustre plus éclatant.

Il faut tout laver

Lavez tout minutieusement — les murs, les armoires, les objets de valeur, la vaisselle, les vêtements, etc. — sinon l'odeur restera imprégnée.

Commencez dans une pièce et lavez-la complètement à l'exception du tapis (en nettoyant, vous allez laisser des traces et répandre de la suie partout). Lavez tous les tapis en dernier lieu.

Si l'odeur est toujours perceptible, désodorisez une dernière fois avec un générateur d'ozone ou, si vous en avez les moyens, engagez une entreprise pour qu'elle le fasse pour vous.

Atchoum !
— nettoyer les conduits d'air

Imaginez un peu la situation : le feu a endommagé votre maison, tout a été nettoyé et repeint, et vous vous apprêtez à remettre le chauffage central en marche. Après avoir réglé le thermostat, vous entendez la chaudière qui reprend vie, la soufflerie qui s'active… Et soudain, vous devez fuir la maison à toutes jambes. Que se passe-t-il ? Toutes les odeurs qui s'étaient accumulées dans le système d'aération durant l'incendie se dispersent dans la maison. On dirait que la maison est à nouveau en feu. Mais il n'y a pas que les odeurs : des résidus de suie se répandent dans l'air et viennent salir les murs, les meubles et les planchers que vous venez tout juste de nettoyer. Comment cela a-t-il pu arriver ? Eh bien, personne n'a pensé à nettoyer les conduits d'aération avant de nettoyer la maison et de remettre le chauffage central en marche.

Le nettoyage des conduits d'aération ne concerne pas seulement les maisons incendiées. Dans les vieilles maisons, la poussière et les bactéries — responsables de diverses allergies — s'accumulent dans les conduits et se répandent dans la maison chaque fois qu'on met le chauffage central en marche. C'est pourquoi les gens qui souffrent d'allergie auraient avantage à faire nettoyer leurs conduits d'aération.

En quoi cela consiste-t-il ?

Pour nettoyer les conduits, on ouvre les registres et on passe l'aspirateur dans tous les conduits qui mènent à la chaudière. Après un nettoyage préliminaire, ce qui inclut le nettoyage de tous les registres, on vaporise un enduit scellant dans tout le système. Cet enduit est une sorte de résine plastique. Les éléments chimiques qu'il contient neutralisent les odeurs et collent sur les parois du système d'aération les résidus de suie, la poussière et les autres saletés qui ont résisté au premier nettoyage. Au cours de ce processus, toutes les odeurs seront éliminées et les résidus mineurs qui sont passés inaperçus ou qui se trouvent dans des endroits difficiles d'accès seront enfermés hermétiquement à l'intérieur des conduits.

Vous serez ainsi débarrassé de la poussière, du pollen et des saletés. Si des membres de votre famille souffrent d'allergie, vous verrez immédiatement la différence. Si vous habitez une vieille maison et que le système de conduits n'a jamais été remplacé, vous auriez avantage à le faire nettoyer.

Lorsque vous faites nettoyer vos conduits, profitez-en pour faire nettoyer votre chaudière. Plusieurs entreprises spécialisées dans l'entretien des chaudières — comme la plupart des entreprises de nettoyage après sinistres — nettoient également les conduits d'aération.

Déluge — comment réparer les dégâts

Quelle catastrophe ! Tout était pourtant en ordre lorsque vous avez quitté la maison.

En arrivant, vous ouvrez la porte ; avant même de mettre les pieds à l'intérieur, vous entendez le bruit de l'eau courante. Vous entrez et vous vous retrouvez avec de l'eau jusqu'aux chevilles. L'eau a tout recouvert, planchers et tapis, et vient clapoter autour de vos meubles, tandis que votre sofa et vos fauteuils absorbent tout ce qu'ils peuvent. Voici ce que vous devez faire.

> ASSUREZ-VOUS QUE LE SYSTÈME ÉLECTRIQUE EST FERMÉ AVANT DE MARCHER DANS L'EAU STAGNANTE.

Premièrement, trouvez le robinet de sectionnement. Fermez l'entrée d'eau, puis cherchez la source de la fuite. La fuite peut provenir des toilettes, de la machine à laver ou d'un tuyau.

La façon dont vous réagirez déterminera en grande partie ce que vous pourrez sauver dans la maison.

Appelez des professionnels

Après avoir fermé l'entrée d'eau et localisé la source du problème, téléphonez à votre agent d'assurances. Celui-ci réagira rapidement pour vous venir en aide car, avant que l'expert en sinistres reçoive toute l'information, il est souvent trop tard pour remédier à certains dommages qui ont déjà eu lieu.

On peut habituellement sauver les tapis et les sous-tapis, si on s'en occupe suffisamment tôt.

Une entreprise professionnelle spécialisée dans les dégâts d'eau de toutes sortes pourra limiter les dommages et remettre en état les tapis et les sous-tapis.

Pour dénicher un expert, consultez les pages jaunes sous la rubrique «nettoyage» ou «nettoyeur». Assurez-vous d'engager une entreprise spécialisée dans ce type de problèmes.

Le séchage

Premièrement, ces experts extrairont toute l'eau des tapis et des sous-tapis, et les traiteront avec un désinfectant approuvé par les autorités compétentes. Ils installeront ensuite leur équipement de séchage, qui consiste en de puissants séchoirs qu'on insère entre le tapis et le sous-tapis. Ils installeront également un équipement servant à la déshumidification afin de faciliter le séchage. Ils vous conseilleront probablement de maintenir la température ambiante au-dessus de 20°C pour obtenir des conditions de séchage idéales. Cet équipement facilitera également le séchage des tissus d'ameublement et des murs.

Il faudra également extraire l'eau des tissus d'ameublement avant de les traiter avec un désinfectant. Pour ce qui est des meubles en bois, ils les essuieront et les laisseront sécher.

Habituellement, les entreprises de nettoyage viennent toutes les vingt-quatre heures pour vérifier comment se déroule le processus de séchage et pour déplacer leur équipement.

Qu'est-ce qu'un produit antibactérien ?

La plupart des entreprises de nettoyage utilisent d'excellents produits antibactériens qui vont non seulement désinfecter, mais aussi contrer l'apparition de moisissures et de champignons. Ces produits, qu'on applique après l'extraction de l'eau, ont déjà sauvé bien des tapis.

Lorsque tout sera sec dans la maison, les experts traiteront à nouveau vos tapis et vos tissus d'ameublement avec un produit désinfectant ou antibactérien. Ils laveront et poliront les meubles en bois et nettoieront une dernière fois tous les planchers. Si vous aviez appliqué un enduit protecteur sur vos tapis et vos tissus d'ameublement, une nouvelle couche sera appliquée.

Finalement, ils laveront les murs si nécessaire et tout reviendra à la normale dans votre demeure.

Quelques réponses pour calmer vos inquiétudes

Le sous-tapis va se dissoudre !

Mais non ! La plupart des sous-tapis sont composés d'une mousse et d'un adhésif qui ne réagissent pas à l'eau.

Les joints vont se briser !

Cela semble pour le moins logique. Un tapis, une fois mouillé, devrait normalement rétrécir, non ? Erreur ! Pour maintenir les joints en place, on utilise des produits adhésifs qui ne se dissolvent pas dans l'eau. Peu importe ce qui arrivera, on peut toujours remplacer les joints.

La moquette va rétrécir et se détacher du mur !

Si votre moquette se détache du mur, c'est qu'elle a été mal installée. De toutes façons, on peut facilement la retendre.

Le tapis va tomber en morceaux !

Cela est peu vraisemblable. Lors de la fabrication, les manufacturiers les immergent à plusieurs reprises dans l'eau pour les teindre et les rincer. Les fibres synthétiques, les supports de base et les adhésifs en latex résistent très bien à l'eau pendant au moins quarante-huit heures.

Refoulement d'égouts

Si les dommages sont causés par un refoulement d'égouts, ces entreprises de nettoyage savent comment s'y prendre. Restez hors de l'eau. Laissez des experts spécialement formés s'occuper des problèmes de bactéries ; c'est leur travail et ils savent ce qui peut être sauvé ou non.

78

Assez expérimenté — pour en finir avec les moisissures

D ans la maison ou au sous-sol, l'humidité peut faire pourrir le bois, écailler la peinture et favoriser l'apparition de moisissures et de rouille si rien n'est fait.

Trouvez la source du problème

Voici un petit test qui vous permettra de déterminer si votre problème est causé par une infiltration d'eau ou une humidité excessive :

Découpez plusieurs carrés de 30 centimètres dans du papier d'aluminium. Collez-les à divers endroits, sur les murs et sur les planchers, en prenant soin de bien sceller les côtés. Si, au bout de quelques jours, il s'est formé de la condensation entre la feuille et la surface, appliquez un enduit résistant à l'eau sur tous les murs intérieurs. Si la condensation s'est formée sur le papier d'aluminium, suivez ces instructions :

Fermez les fenêtres lorsque le temps est humide.

Installez un ventilateur dans une fenêtre pour chasser l'humidité.

Assurez-vous que le conduit de votre sécheuse débouche à l'extérieur.

Utilisez un déshumidificateur, surtout durant l'été.

Traitez vos murs avec une peinture à base d'époxy ou avec un enduit pour maçonnerie. (Pour bien nettoyer vos murs avant de les peindre, utilisez un produit d'entretien spécialement conçu pour éliminer les moisissures — disponible dans les centres de rénovation.)

Fabriquez votre propre produit nettoyant

Vous pouvez également fabriquer votre propre produit nettoyant contre les moisissures en mélangeant un litre d'eau de Javel et 15 ml de détergent à vaisselle en poudre sans ammoniaque avec trois litres d'eau chaude. Frottez les taches de moisissure avec cette solution et laissez-la agir jusqu'à ce que la décoloration disparaisse, puis rincez à grande eau et laissez sécher.

Assurez-vous de porter des lunettes de protection, des gants en caoutchouc et des vêtements de travail lorsque vous utilisez cette solution: Évitez tout contact avec les tapis et les tissus. Nettoyez bien les chaussures que vous portez avant de marcher sur un tapis. Procédez au nettoyage dans une pièce bien aérée.

Guide ressources

ACÉTONE : Un excellent détachant, mais faites attention. Ce produit est extrêmement puissant et peut endommager les fibres. Disponible dans les quincailleries, les centres de rénovation et les magasins où l'on vend des produits de beauté.

ACT NATURAL CLOTHS™ : voir Euronet USA.

ALCOOL DÉNATURÉ : Il s'agit d'un alcool industriel généralement utilisé pour les gros travaux d'entretien. Tenez ce produit loin des flammes et jetez les chiffons imbibés à l'extérieur de la maison. N'oubliez pas de laver immédiatement les objets que vous traitez avec cet alcool. On trouve de l'alcool dénaturé dans les quincailleries et les centres de rénovation.

AMMONIAQUE : Il existe deux types d' ammoniaque : clair et savonneux. L'ammoniaque claire ne contient pas de savon. Utilisez-la lorsqu'on le recommande.

ASSOUPLISSANT CALGON® : En vente dans les épiceries, dans le rayon des additifs pour la lessive.

ATTENDRISSEUR POUR LA VIANDE : Parfait pour venir à bout des taches de protéines. S'il vous plaît, utilisez un attendrisseur non assaisonné, sinon vous vous retrouverez avec une nouvelle tache. Les marques maison font très bien l'affaire.

BIZ® ACTIVATED NON CHLORINE BLEACH : Un excellent agent de blanchiment en poudre tout usage. Vous en trouverez dans le rayon des produits pour la lessive au supermarché ou à l'aubainerie.

BLANC DE PLOMB : Disponible dans les quincailleries, avec la peinture.

BORAX : Mieux connu sous le nom Twenty Mule Team®. On trouve généralement cet additif dans le rayon des détergents pour la lessive.

BREUVAGE TANG™ : Eh oui, voici le produit que les astronautes ont apporté avec eux sur la lune ! C'est aussi un excellent produit nettoyant. (Les marques maison font tout aussi bien l'affaire.)

BRILLIANT BLEACH™ : Voir Soapworks®.

CARBONA® COLOR RUN REMOVER : Enlève les traces de couleur sur les tissus. Disponible dans les supermarchés et les aubaineries.

CARBONA® STAIN DEVILS : Un autre excellent détachant spécialement conçu pour le chewing-gum, le sang, le lait, etc.

CHAMOIS : En vente dans les quincailleries et les centres de rénovation.

CHARBON DE BOIS : Utilisez du charbon de bois pour aquarium, disponible dans les animaleries.

CIRE D'ABEILLE : On en trouve généralement dans les pharmacies, les quincailleries et les magasins d'aliments naturels. Si vous n'en trouvez pas, demandez à un commis !

CRAYONS DE CIRE : Vendus dans les centres de rénovation et les quincailleries, ces crayons sont offerts en différentes couleurs et permettent de camoufler les égratignures sur les planchers de bois. Mais ne vous fiez pas uniquement au nom des couleurs ; essayez d'apporter un échantillon de la surface à réparer pour obtenir de meilleurs résultats.

CRÈME À RASER : Les marques les moins chères font très bien l'affaire. Notez également que les crèmes en mousse sont meilleures que celles en gel.

CRISTAUX DE SOUDE : Je préfère personnellement les cristaux de soude Arm & Hammer™, vous les trouverez dans le rayon des détergents pour la lessive, avec les autres additifs pour la lessive. Eh non, vous ne pouvez pas les remplacer par du bicarbonate de soude ; il ne s'agit pas du même produit !

CUSTOM CLEANER® : Essayez ceci si vous voulez tenter de nettoyer et de détacher vous-même vos vêtements à sec. J'adore ce produit. Custom Cleaner® est efficace contre toutes sortes de taches et dégage un parfum de propreté très agréable. Disponible dans les supermarchés et les aubaineries.
Demandez à un commis !

DE-SOLV-IT CITRUS SOLUTION™ : Disponible dans les centres de rénovation, les quincailleries, etc. De-Solv-It Citrus Solution™ est un produit tout usage qu'on peut utiliser à l'intérieur et à l'extérieur de la maison. Excellent pour la lessive.

DÉTACHANT À TAPIS INSTANTANÉ SPOT SHOT® : Mon détachant à tapis favori et également un merveilleux détachant pour la lessive ! Disponible dans tous les bons magasins, ou téléphonez au 1-800-848-4389.

DÉTACHANT À USAGE INDUSTRIEL ZUD® : Ce merveilleux détachant pour les gros travaux est également efficace contre la rouille. Disponible dans les quincailleries, les centres de rénovation et les épiceries. Vous auriez avantage à toujours en avoir sous la main.

DÉTACHANT WINE AWAY RED WINE™ : Cet incroyable détachant peut faire disparaître les taches de vin (et même de vin rouge), de soda rouge, de jus de canneberge, de colorant alimentaire, de jus de raisin, etc. Fabriqué à partir d'extraits végétaux et de fruits, ce produit est non toxique et nettoie aussi bien les tapis que le tissu. En fait, ce détachant est si efficace que j'ai encore du mal à y croire! Vous le trouverez là où l'on vend des produits alcoolisés ou appelez au 888-WINE-AWAY pour connaître le détaillant le plus près de chez vous.

DÉTACHANT ZOUT® : Détachant pour la lessive des plus flexibles, Zout® est plus épais que la plupart des détachants habituels; vous pouvez donc l'appliquer plus facilement sur les taches. Et cela fonctionne! Disponible dans les supermarchés et les grandes surfaces.

DÉTERGENT À LESSIVE PUREX : Disponible partout où l'on vend du détergent ou appelez au 1-800-45PUREX pour connaître le détaillant situé le plus près de chez vous.

DISSOLVANT POUR VERNIS À ONGLES : Je vous recommande d'utiliser un dissolvant pour vernis à ongles sans acétone; il sera beaucoup moins puissant qu'un dissolvant qui en contiendrait. (L'acétone à l'état pur est excessivement puissante.) Suivez toujours mes recommandations et soyez prudent. Disponible là où l'on vend des produits de beauté.

EAU DE JAVEL BRILLIANT® : voir Soapworks®.

ENERGINE CLEANING FLUID® : Ce produit est vendu dans les quincailleries, les centres de rénovation et dans certaines épiceries (on le retrouve habituellement avec les additifs pour la lessive).

ÉPONGE À SEC : On utilise ces éponges pour nettoyer les murs, les papiers peints, les et même pour faire partir la suie. Elles vous aideront également à enlever les poils d'animaux sur les tissus d'ameublement. Ces grosses éponges sont habituellement disponibles dans les centres de rénovation et les quincailleries, dans la section des papiers peints. Nettoyez-les avec de l'eau et un peu de détergent liquide pour vaisselle, rincez bien et laissez-les sécher avant de les réutiliser.

ÉPONGE NATURELLE : Il n'y a pas de meilleure éponge qu'une éponge naturelle. Ces éponges possèdent des centaines d'alvéoles qui vous permettent de nettoyer n'importe quel mur en un rien de temps. Choisissez-en une qui convient à la grandeur de votre main. Pour les nettoyer, faites-les tremper dans une eau tiède légèrement savonneuse. Vous pouvez les mettre dans la machine à laver si les autres vêtements n'ont pas de peluches. Disponible dans les centres de rénovation et les quincailleries.

ESSENCE DE GIROFLE : Facilement disponible dans les magasins d'aliments naturels, et là où l'on vend des aliments santé et des vitamines.

EURONET USA : Fabricant du chiffon et de la vadrouille en microfibre Act Natural™. Ils nettoient et désinfectent simplement avec de l'eau, sans produits chimiques. Il a été prouvé scientifiquement qu'ils détruisaient les germes et les bactéries. Et tous leurs produits sont garantis. Je ne pars jamais sans mon chiffon, et j'en garde un dans mon bureau et ma serviette pour nettoyer rapidement toutes les petites éclaboussures. Téléphonez au 888-638-2882 ou visitez leur site Internet au www.euronetusa.com.

EXTRAITS DE CITRON OU D'ORANGE : En vente dans les épiceries, dans la section des épices, là où l'on vend de la vanille.

GLYCÉRINE : Vous trouverez de la glycérine en pharmacie dans le rayon des crèmes. Achetez toujours de la glycérine sans parfum, et non celle qui contient de l'eau de rose.

GOMME À EFFACER D'ARTISTE : Vous rappelez-vous ces petites gommes à effacer brun clair que vous utilisiez à l'école, celles qui s'effritaient si facilement? C'est bien cela!

GOMME POUR MACHINE À ÉCRIRE : Objet du passé, mais encore disponible dans les magasins d'articles de bureau. Cette gomme, qui a la forme d'un crayon et qui possède une petite brosse à son extrémité, peut être aiguisée comme un crayon et durer des années.

HAMAMÉLIS : Un astringent / tonifiant vendu en pharmacie.

HUILE DE GRAINES DE LIN : Vous en trouverez en quincaillerie, dans les sections où l'on vend de la peinture et de la teinture. L'huile de lin est inflammable; soyez prudent lorsque vous vous débarrasserez des chiffons qui ont servi à l'application. Conservez ce produit dans le garage ou au sous-sol, loin de toute flamme.

HUILE DE WINTERGREEN : Disponible dans la plupart des magasins d'aliments santé et d'aliments naturels, et dans certains magasins de linge.

LAINE D'ACIER FINE : Recherchez le symbole « 0000 » et le mot « fine ». Et n'optez surtout pas pour des tampons d'acier savonneux. Ils ne peuvent pas remplacer la laine d'acier.

LUBRIFIANT WD-40™ : Je parie que vous en trouverez une bouteille dans votre garage ou au sous-sol. Cette merveilleuse huile lubrifiante en régénérant la graisse vous permettra de détacher vos vêtements. Vous trouverez du WD-40™ dans les quincailleries, les centres de rénovation et même dans les épiceries.

NATURE'S MIRACLE® : Ce produit nettoyant à base d'enzymes élimine les odeurs d'urine. Disponible dans toutes les bonnes animaleries.

NETTOYANT À MAINS SANS EAU GO-JO® : Les gens qui ont toujours les mains dans la graisse utilisent ce produit depuis des années. C'est bien plus qu'un simple nettoyant à mains. Disponible dans les centres de rénovation et les quincailleries.

NETTOYANT TOUT-USAGE AT HOME® : voir Soapworks®.

ODOURZOUT® : Un fabuleux désodorisant sec, cent pour cent naturel et non toxique. Vous pouvez donc l'utiliser partout où il y a des odeurs désagréables. Également disponible sous forme de pochettes pour les chaussures, les paniers à linge, etc.. Appelez au 800-888STINK ou visitez leur site Internet au www.88stink.com.

OUTRIGHT PET ODOUR ELIMINATOR® : Ce désodorisant à base d'enzymes élimine efficacement les odeurs d'urine. Disponible dans les animaleries.

PAPIER SABLÉ FIN POUR CLOISON SÈCHE : Ce type de papier sablé ressemble à de la moustiquaire. Assurez-vous d'acheter un produit portant la marque «fin».

PÂTE DENTIFRICE : Il s'agit de la bonne vieille pâte dentifrice blanche. Les pâtes en gel ne fonctionnent tout simplement pas, inutile d'essayer.

PEROXYDE D'HYDROGÈNE : Utilisez de préférence celui qu'on applique sur les plaies et avec lequel on se gargarise, plutôt que celui qui sert à décolorer les cheveux. (Ce dernier est si puissant qu'il décolorerait vos vêtements.)

PHOSPHATE DE TRISODIUM (PTS) : Les professionnels de l'entretien utilisent ce produit depuis des années. Il nettoie merveilleusement bien les murs, les planchers de garage et toutes les surfaces difficiles à nettoyer. Je vous recommande de porter des gants en caoutchouc lorsque vous utilisez ce produit. Disponible dans les centres de rénovation, les quincailleries et les magasins spécialisés.

POUDRE À PÂTE : Si vous faites la cuisine, vous en avez sûrement dans vos armoires. Sinon, vous en trouverez à l'épicerie, près du bicarbonate de soude. La poudre à pâte et le bicarbonate de soude sont deux choses différentes. N'essayez surtout pas de remplacer l'un par l'autre!

POUDRE D'ALUN : Ce produit de l'ancien temps était à l'origine utilisé dans les marinades. Il est généralement disponible en pharmacie; si vous avez du mal à le trouver, demandez à votre pharmacien.

PRÉPARATION H® : Vendu en pharmacie. Un onguent conçu pour le traitement des hémorroïdes.

PRODUIT À CUTICULES : Il s'agit du gel que vous appliquez sur vos cuticules pour les ramollir.

PRODUITS CONTRE LA ROUILLE : Ces produits sont dangereux; suivez donc attentivement les instructions. Optez de préférence pour les produits Whink® ou Rust Magic®. Disponibles dans les quincailleries et les centres de rénovation.

PRODUITS D'ENTRETIEN BRUCE POUR LES PLANCHERS : Les produits Bruce sont disponibles dans les quincailleries, les centres de rénovation et là où l'on vend des planchers en bois.

RACLETTE : Lors de l'achat d'une raclette, optez pour un produit de bonne qualité et assurez-vous que la lame en caoutchouc est remplaçable. Pour obtenir de meilleurs résultats, vérifiez toujours la douceur et la souplesse de la lame en caoutchouc. Les raclettes sont offertes en différentes largeurs et sont disponibles dans les quincailleries, les centres de rénovation et les magasins spécialisés. Vérifiez la dimension de vos fenêtres avant d'en acheter une. Une raclette de 30 centimètres devrait vous suffire pour commencer.

RED ERASE® : Fabriqué par les gens de Wine Away Red Wine Stain Remover™, le produit Red Erase™ s'attaque à toutes les taches de couleur rouge, comme les taches de soda, de jus de raisin, de gelée, etc. Disponible chez Listen 'n Things ou appelez au 1-800-WINEAWAY pour connaître le détaillant situé le plus près de chez vous.

RÉPULSIF : Un bon répulsif dissuadera vos animaux domestiques de se faire les crocs sur vos plantes, etc. Ces produits inoffensifs ont un goût épouvantable qui découragera vos animaux de recommencer. Disponible dans les animaleries.

RETAYNE® : Utilisez-le avant de laver vos vêtements de couleur pour la première fois ; il contribuera à fixer les couleurs. Disponible partout où l'on vend du matériel de capitonnage.

SAVON À LESSIVE FRESH BREEZE® : voir Soapworks®.

SAVON POUR CUIR : Vous en trouverez chez votre quincaillier ou dans le rayon des cires à chaussures dans la plupart des magasins.

SAVONS FELS-NAPHTA® : Quels merveilleux détachants pour la lessive ! Vous les trouverez chez votre épicier dans le rayon des savons. Les marchands les placent habituellement sur l'étagère du bas, en petites piles sur lesquelles s'accumule la poussière, car personne ne sait comment s'en servir. Téléphonez au 1-800-45PUREX.

SEL D'EPSOM : Généralement utilisé pour des raisons médicinales, ce produit est aussi très pratique pour la lessive. Disponible en pharmacie.

SOAPWORKS : Fabricant de merveilleux produits non toxiques et non polluants pour la lessive et les soins corporels. Essayez leur produit pour la lessive Fresh Breeze Laundry Powder™, spécialement conçu pour les gens qui souffrent d'asthme et d'allergie. Essayez également le produit Brilliant Bleach®. Croyez-moi, il est vraiment brillant ! Téléphonez au 800-699-9917 ou visitez leur site Internet au www.soapworks.com.

SYNTHRAPOL® : Parfait lorsque vous avez des couleurs qui déteignent. Disponible partout où l'on vend du matériel de capitonnage.

TACK-TRAP® : Les insectes sont attirés par la couleur de ces feuilles adhésives. En vente dans les centres d'horticulture et certaines quincailleries.

TAMPONS À RÉCURER : Ces tampons ressemblent à des raclettes recouvertes de tissu. Disponibles dans les magasins spécialisés et les centres de rénovation.

TRAITEMENT CLEAN SHIELD® : Ce produit est si fantastique que son seul nom me donne la chair de poule ! Il transforme toutes les surfaces difficiles à nettoyer (comme la baignoire, la douche, les portes de douche, l'évier, les tables de toilette, la cuisinière électrique, les fenêtres, ou toute autre surface qui n'est pas en bois ou peinte) en surfaces non adhésives, qu'on peut ensuite nettoyer avec de l'eau et un chiffon doux. Fini les traces de savon et les dépôts d'eau dure ! Puisqu'il ne s'accumule pas sur les surfaces, celles-ci ne seront jamais glissantes. De plus, comme il est non toxique, on peut l'utiliser sur la vaisselle et les casseroles. Téléphonez au 800-528-3149 pour connaître le détaillant le plus près de chez vous.

TRIPOLI POUR POLISSAGE : Pierre ponce douce, disponible dans les quincailleries et les centres de rénovation.

UN-DU™ : Enlève les résidus collants sur les tissus et les surfaces dures. Disponible dans les centres où l'on vend des articles de bureau, les centres de rénovation et les quincailleries.

WIEMAN'S WAX AWAY™ : Enlève la cire de chandelle sur les tissus et les surfaces dures. Disponible dans les supermarchés et les aubaineries.

Index

Trucs et conseils personnels

Les humbles (mais propres !) débuts de la reine.

AU SUJET DE LA REINE

LINDA COBB a d'abord partagé ses conseils avec les lecteurs d'un hebdo-madaire du Michigan, où elle possédait une entreprise de nettoyage après sinistres spécialisée dans les dégâts de feu et d'eau. Après avoir déménagé à Phoenix, elle devint rapidement une habituée de l'émission *Good Morning Arizona;* depuis, elle partage ses conseils de nettoyage sur les ondes de la radio et de la télévision américaines. Elle est l'auteure de trois ouvrages ayant trôné au sommet de la liste des best-sellers du *New York Times, Parlons saleté avec la Reine de la propreté®, Parlons linge sale avec la Reine de la pro-preté®, et La Reine des quatre saisons.* Linda Cobb vit à Phoenix avec son mari. Visitez son populaire site Internet : *ww.queenofclean.com.*